ABRÉVIATIONS
DES
LIVRES BIBLIQUES

Genèse	Gen	Daniel	Dan
Exode	Ex	Osée	Os
Lévitique	Lev	Joël	Jo
Nombres	Nomb	Amos	Am
Deutéronome	Deut	Abdias	Abd
Josué	Jos	Jonas	Jon
Justiciers	Ju	Michée	Mic
Ruth	Ruth	Nahum	Nah
1er livre de Samuel	1 Sam	Habacuc	Hab
2e livre de Samuel	2 Sam	Sophonie	Soph
1er livre des Rois	1 Rois	Aggée	Agg
2e livre des Rois	2 Rois	Zacharie	Zach
1er livre des Chroniques	1 Chron	Malachie	Mal
2e livre des Chroniques	2 Chron	Matthieu	Mat
Esdras	Esd	Marc	Marc
Néhémie	Neh	Luc	Luc
Tobit	Tob	Jean	Jean
Judith	Jud	Actes des Apôtres	Act
Esther	Est	Épître aux Romains	Rom
1er livre des Maccabées	1 Mac	1re épître aux Corinthiens	1 Cor
2e livre des Maccabées	2 Mac	2e épître aux Corinthiens	2 Cor
Job	Job	Épître aux Galates	Gal
Psaumes	Ps	Épître aux Éphésiens	Eph
Proverbes	Prov	Épître aux Philippiens	Phil
Ecclésiaste	Eccl	Épître aux Colossiens	Col
Cantique des Cantiques	Cant	1re épître aux Thessaloniciens	1 Th
Sagesse	Sag	2e épître aux Thessaloniciens	2 Th
Ecclésiastique	Eccli	1re épître à Timothée	1 Tim
Isaïe	Is	2e épître à Timothée	2 Tim
Jérémie	Jer	Épître à Tite	Tit
Lamentations	Lam	Épître à Philémon	Philem
Baruch	Bar	Épître aux Hébreux	Heb
Ézéchiel	Ez	Épître de saint Jacques	Jac

1re épître de saint Pierre	1 Pi	3e épître de saint Jean	3 Jean
2e épître de saint Pierre	2 Pi	Épître de Jude	Jude
1re épître de saint Jean	1 Jean	Apocalypse	Apoc
2e épître de saint Jean	2 Jean		

INTRODUCTION

Évangile signifie bonne nouvelle; l'Évangile est la bonne nouvelle par excellence, l'annonce du salut par le Christ. Elle a été mise par écrit dans quatre petits livres auxquels a été donné par extension le même nom d'Évangile: ce sont des formes diverses de l'unique Bonne Nouvelle. Nous disons avec raison, pour souligner cette unité: Évangile selon saint Matthieu, saint Marc, etc., plutôt qu'Évangile de saint Matthieu ou de saint Marc.

On ne peut comprendre la nature des récits évangéliques si l'on n'observe pas qu'ils dérivent en premier lieu de la prédication des apôtres et de leurs auxiliaires; c'est par ces témoins qualifiés que les enseignements du Sauveur et les événements de sa vie ont été transmis à la première génération chrétienne quand, dès la Pentecôte, ils ont proclamé d'abord de vive voix la Bonne Nouvelle. Quand ces premiers témoins commencèrent à disparaître, l'Église fut naturellement amenée à mettre par écrit l'essentiel de leur prédication. Ainsi virent le jour des relations fragmentaires — en premier lieu sans doute celles de la Passion — dont l'évangéliste saint Luc (*1*,1) atteste l'existence. Ces essais sont, avec les traditions orales, à la base de nos Évangiles.

Il est d'expérience constante qu'un enseignement oral souvent répété ne tarde pas à revêtir une forme stéréotypée, et prend des libertés avec la chronologie, l'ordre des événements et la teneur même des discours qu'il adapte aux auditoires divers, selon leurs besoins. Il laisse de côté ou au contraire retient certains éléments secondaires; il rapporte ainsi les faits et les enseignements avec des différences de détail qui ne compromettent pas la fidélité substantielle de leur transmission. La mise par écrit de la prédication présente naturellement les mêmes caractères, et on ne devra pas s'étonner des divergences entre les passages parallèles des Évangiles. L'inspiration de l'Esprit Saint n'a pas modifié chez les évangélistes les habitudes mentales, les procédés de composition littéraire, la préoccupation de donner à la doctrine la formulation la plus accessible. L'Esprit de Dieu n'a pas fait non plus de miracles inutiles pour suppléer aux menues défaillances de mémoire et assurer l'exactitude minutieuse de tous les détails.

C'est ainsi que les trois premiers Évangiles sont à la fois concordants pour l'ensemble et divergents pour les éléments de moindre importance, tant dans les récits que dans les discours. Que l'on compare par exemple les relations du baptême du Christ, les béatitudes dans le discours sur la montagne ou les paroles de la consécration dans les récits de la dernière Cène: il apparaît clairement que la tradition s'est attachée au sens du message chrétien plus qu'à la reproduction littérale des témoignages originels. La richesse des enseignements du Christ a été mieux comprise avec le recul du temps; leur signification profonde a été mieux perçue dans la lumière de la résurrection et sous l'action du Saint-Esprit. Les évangélistes nous apportent ainsi une interprétation réfléchie et religieuse plus vraie qu'une répétition matériellement plus exacte. Les discordances de détail montrent en outre qu'ils ne se copient pas et leur accord sur l'essentiel est plus démonstratif que s'ils se reproduisaient servilement.

Les trois premiers Évangiles sont appelés synoptiques parce qu'ils suivent un même plan d'ensemble et se laissent disposer en colonnes parallèles pour les parties qu'ils ont en commun. Dans quelle mesure dépendent-ils les uns des autres? Ce problème très complexe a reçu des solutions fort diverses dont le détail entraînerait trop loin. Il reste en toute hypothèse que les sources des Évangiles sont à la fois les traditions orales et les aide-mémoire écrits auxquels fait allusion le prologue de saint Luc, sur l'étendue desquels on ne peut faire que des conjectures. Il faut parmi eux faire une place à part à l'Évangile araméen de saint Matthieu, comme on le verra plus loin. Outre les sources communes, chaque évangéliste a eu ses informations particulières. Toutes remontent directement ou médiatement à des témoins oculaires; l'assistance de l'Esprit Saint et le souci de fidélité à la pensée du Sauveur qui animait l'Église des origines garantissent que la Bonne Nouvelle a été transmise sans altération. L'école de l'Histoire des formes, ou *Formgeschichte*, qui a scruté minutieusement la structure littéraire des Évangiles et a formulé pour expliquer leur rédaction bien des hypothèses valables, a été trop souvent viciée par la négation a priori du surnaturel et par l'attribution indue à la communauté primitive d'un pouvoir créateur qu'aucune collectivité ne possède. Elle méconnaît que cette communauté était structurée, soumise à l'autorité des apôtres dont la probité ne peut être mise en doute surtout si on remarque que leur foi au Christ engageait toute leur vie et leur avenir éternel.

C'est donc une histoire solide que nous offrent les Évangiles. Ils doivent d'autant plus nous mettre en confiance qu'ils reflètent l'époque et l'enseignement primitif du Sauveur. On n'y rencontre pas les développements doctrinaux apportés par la prédication des apôtres, en particulier saint Paul, dont la plupart des épîtres leur sont cependant antérieures; ils ne font pas d'allusions détaillées aux faits et mouvements d'idées qui ont marqué la fin du 1er siècle: conflits des judaïsants et des convertis du paganisme, extension de l'Église dans le monde gréco-romain, premières persécutions et premières hérésies, etc. Ils décrivent avec précision et détail le monde palestinien qui fut anéanti par la catastrophe de l'an 70. Ils ont enfin une parenté littéraire évidente avec l'Ancien Testament et une saveur sémitique très marquée. Toutes ces particularités font ressortir le caractère archaïque, "paléontologique" suivant une expression heureuse, de nos Évangiles, et renforcent leur valeur comme documents historiques.

Ils ne constituent pas cependant une histoire complète, écrite à la manière moderne; il ne faut pas demander aux évangélistes ce qu'ils n'ont pas voulu donner. Ils ont suivi un plan que la prédication a dû adopter de bonne heure et qui divisa l'histoire terrestre du Sauveur en quatre parties: prédication de Jean-Baptiste, prédication de Jésus en Galilée, voyage de Galilée en Judée, prédication à Jérusalem, passion et résurrection. Ce plan, dont on trouve les linéaments dans le petit discours de Pierre au centurion Corneille (Act *10*,37-43), était pour une bonne part artificiel, ainsi qu'il ressort de la chronologie plus détaillée et plus précise de saint Jean. Mais il constituait un cadre commode auquel les trois synoptiques se sont conformés en le remplissant diversement d'après les matériaux dont ils disposaient et en le complétant chacun à leur manière d'après le but qu'ils se proposaient. Ils nous apportent ainsi une histoire fragmentaire, un choix de souvenirs jugés particulièrement importants, solidement garantis et infiniment précieux.

INDEX ANALYTIQUE

Abnégation – *de soi et de ses proches:* Matthieu, 5, 29; 16, 24; Luc, 9, 23; 14, 26; 17, 33; Jean, 12, 25.

Adoration – *seulement à Dieu:* Matthieu, 4, 10; Luc, 4, 8. – *en esprit et en vérité:* Jean 4, 23.

Amour de Dieu – *de Dieu pour les hommes:* Jean, 3, 16; 11, 5; 14, 23. – *de Jésus pour les hommes:* Marc, 10, 21; Luc, 12, 49; 23, 34; Jean, 14, 18-21; 15, 9; 15, 12; 17, 23; 19, 26; 21, 7-20. – *des hommes envers Dieu:* Matthieu, 22, 37; Marc, 2, 28-29; Luc, 10, 27. – *on le démontre par les oeuvres:* Matthieu, 15, 8; 23, 23; 24, 12; Marc, 7, 6; Luc, 11, 42; Jean, 14, 15; 21, 23.

Amour du prochain – Matthieu, 5, 43; 7, 12; 19, 19; 22, 39; Marc, 12, 31; Luc, 10, 29; Jean, 13, 34; 15, 12. – *des ennemis:* Matthieu, 5, 44; Luc, 6, 27; 23, 34.

Anges – *apparition à saint Joseph:* Matthieu, 1, 20; 2, 13-19. – *à Zacharie:* Luc, 1, 11-20. – *à Marie:* Luc, 1, 26-38. – *aux bergers:* Luc, 2, 9-15. – *aux pieuses femmes:* Jean, 20, 12; Luc, 24, 4-7; Marc, 16, 5; Matthieu, 28, 2-8. – *ministres du Seigneur:* Matthieu, 4, 11; 13, 49; 26, 53.

Apôtres – *élection et mission:* Matthieu, 10; 28, 19; Luc, 6, 13; Jean, 15, 16-27; 20, 21.

Apparitions – *du Saint-Esprit:* Matthieu, 3, 16; Marc, 1, 10; Luc, 3, 22; Jean, 1, 32. – *de Moïse et Élie:* Matthieu, 17, 3; Marc, 9, 3; Luc, 9, 30. – *des ressuscités:* Matthieu, 27, 53. – *de Jésus ressuscité:* Matthieu, 28, 9; Marc, 16, 9; Jean, 20, 11. – *à Pierre:* Luc, 24, 34. – *aux apôtres:* Matthieu, 28, 17; Marc, 16, 14; Luc,

24, 36; Jean, 20, 19; 21, 1. – *aux disciples d'Emmaüs:* Marc 16, 12; Luc, 24, 15.

Aumône – *devoir:* Matthieu, 10, 42; 19, 21; Luc, 3, 11; 6, 33; 12, 33; 14, 13; 16, 9; Luc, 21, 2.

Avarice – *condamnée:* Matthieu, 4, 8; 6, 19; Luc, 4, 5; 12, 15.

Baptême – *nécessité:* Matthieu, 28, 19; Jean, 3, 5. – *de Jean:* Matthieu, 3, 6; Marc, 1, 4; Luc, 3, 16; Jean, 3, 23.

Béatitudes – (*moyens pour*): *souffrances:* Matthieu, 20, 23; Jean, 1, 12. – *oeuvres de miséricorde:* Matthieu, 10, 42; 25, 33-36. – *foi en Jésus-Christ:* Jean, 3, 15-36; 5, 24; 20, 29. – *béatitudes:* Matthieu, 5, 3; Luc, 6, 20-22.

Chair – *le Verbe se fait chair:* Jean, 1, 14. – *de Jésus glorifié:* Luc, 24, 39. – *contre l'esprit:* Matthieu, 16, 17; 26, 41; Marc, 14, 38; Jean, 1, 13; 3, 6; 6, 63.

Charité – *excellence:* Matthieu, 5, 37-40; Marc, 12, 29-33. – *envers le prochain:* Jean, 13, 34; 15, 12.

Chasteté – *excellence:* Matthieu, 19, 12; 22, 30.

Chrétiens – *ils seront avec Jésus-Christ:* Jean, 12, 26; 14, 3: 17, 24.

Coeur – *sanctifié par Jésus-Christ:* Jean, 1, 3; 17, 19. – *le coeur pur:* Matthieu, 5, 8.

Colère – *ses effets:* Matthieu, 5, 22; Luc, 4, 28-29.

Concupiscence – *défense:* Matthieu, 5, 22; Marc, 4, 19.

Confession – Matthieu, 3, 6; 16, 19; 26, 28; Luc, 11, 14; 18, 13.

Contrition – *nature et nécessité:* Matthieu, 3, 2; Luc, 13, 3; 14, 27. – *exemples:* Matthieu, 26, 75; Luc, 7, 37-44; 15, 18; 18, 13; 19, 18; 23, 41.

Diable – *ennemi:* Luc, 8, 12; 22, 31. – *pouvoir:* Matthieu, 8, 29. – *moyens pour vaincre:* Matthieu, 17, 20; 26, 41; Marc, 9, 28; 13, 13-17; Luc, 21, 36.

Dieu — *tout-puissant:* Matthieu, 19-26; Marc, 10, 27; 14, 36; Luc, 1, 37. — *fidèle, miséricordieux:* Jean, 3, 16. — *juge:* Matthieu, 16, 27.

Divorce — Matthieu, 5, 32; 19, 6-9.

Éducation — Marc, 9, 36-41; 10, 13-16; Luc, 18, 16.

Église — *de Jésus-Christ:* Matthieu, 16, 18. — *pierre de vérité:* Matthieu, 16, 18; 28, 20; Jean, 14, 16.

Enfer — *éternel:* Matthieu, 8, 12; 25, 41; Luc, 3, 17; 13, 28; 16, 23-25.

Esprit-Saint — *dans l'Incarnation:* Matthieu, 1, 20; Luc, 1, 35. — *au baptême de Jésus:* Matthieu, 3, 16; Marc, 1, 10; Luc, 3, 22; Jean, 1, 32. — *promis par Jésus:* Luc, 11, 13; 12, 12; 24, 49; Jean, 7, 39; 14, 16; 16, 7. — *donné par Jésus:* Jean, 20, 22. — *donné dans le baptême:* Matthieu, 3, 11; Marc, 1, 8; Luc, 3, 16; Jean, 3, 5. — *dans les âmes des justes:* Luc, 1, 5; 41, 67; 2, 25. — *lumière de l'intelligence:* Matthieu, 10, 20; Marc, 13, 11; Luc, 12, 12; Jean, 14, 26; 16, 13. — *péchés contre l'Esprit-Saint:* Matthieu, 12, 31; Marc, 3, 29; Luc, 12, 10.

Eucharistie — Matthieu, 22, 1-14; 26, 26; Marc, 14, 22; Luc, 7, 6; 11, 3; 14, 16-25; 22, 19; Jean, 6, 35-54.

Évangile — *ses effets:* Matthieu, 11, 28; Jean, 3, 16; 6, 35; 10, 9; 12, 46. — *ne pas rougir:* Marc, 8, 29; 10, 29; Luc, 10, 26; 18, 28.

Fils — *devoirs:* Matthieu, 10, 35; 19, 19; Luc, 2, 41; Marc, 10, 19.

Foi — *efficace:* Matthieu, 9, 2; 21, 22; Luc, 18, 42; Jean, 1, 12; 3, 15-36; 6, 38; 11, 25; 14, 12; 20, 29.

Grâce — *don surnaturel:* 1, 28; 2, 40; Jean, 1, 16.

Humilité — *recommandée:* Matthieu, 6, 3; 10, 25; 23, 7-11; Marc, 9, 34. — *exemples* Matthieu, 2, 11; 8, 8; 15, 27; 21, 5; Luc, 1, 48; 14, 7; 15, 19; 18, 13; 22, 26; Jean, 13, 4.

Ingratitude – Matthieu, 10, 21; 20, 11; Luc, 10, 13; Jean, 1, 11.

Jalousie – Matthieu, 9, 11; 21, 15; 27, 18; Jean, 11, 47.

Jésus-Christ – *fils de Dieu:* Matthieu, 14, 13; 17, 5; Marc, 9, 11; 5, 7; 11, 6; 15, 39; Luc, 1, 52; 3, 22; Jean, 1, 34, 49. – *chargé de nos péchés:* Jean, 11, 52. – *lumière:* Luc, 2, 32; Jean, 1, 4; 3, 19; 8, 12. – *juge:* Matthieu, 16, 27; 24, 30; Luc, 17, 24; 21, 27; Jean, 5, 22. – *seigneur:* Matthieu, 28, 18; Luc, 10, 22; Jean, 3, 35; 17, 2.

Jeûne – Matthieu, 6, 6; 17, 20; Marc, 2, 20; 13, 26-27; 14, 22.

Justes – Matthieu, 1, 19; Luc, 1, 6; Jean, 8, 46; 17, 19.

Langue – *modérer:* Matthieu, 11, 36. – *langage:* Matthieu, 5, 37.

Loi Nouvelle – *la charité:* Matthieu, 5, 44; 7, 12; Luc, 21, 36; Jean, 11, 3.

Mariage – *institution divine:* Matthieu, 19, 5; Marc, 10, 6; – *indissolubilité:* Matthieu, 19, 3; 5, 32; Marc, 10, 11; Luc, 16, 18.

Marie Vierge – *mère de Jésus:* Matthieu, 1, 18; Luc, 1, 27. – *annoncée:* Luc, 1, 26. – *à Bethléem:* Luc, 2, 5-8. – *en Égypte:* Matthieu, 2, 14. – *perd Jésus:* Luc, 2, 41. – *à Cana:* Jean, 2, 10. – *suit Jésus:* Matthieu, 12, 46; Marc, 3, 31; Luc, 8, 19; Jean, 2, 12. – *au Calvaire:* Jean, 19, 25-26. – *mère de Dieu:* Matthieu, 1, 16; 2, 13; Luc, 1, 43; 2, 34; Jean, 2, 1.

Mensonge – Jean, 8, 44.

Miséricorde – Matthieu, 5, 7; 9, 13; 10, 42; 25, 34-36.

Monde – *sa fin:* Matthieu, 13, 39-49; 24, 3; Marc, 13, 4; Luc, 21, 7. – *ennemi de Jésus:* Jean, 7, 7; 14, 17; 15, 18; 16, 20-33; 17, 9.

Mort – *incertitude:* Matthieu, 24, 42-44; Luc, 12, 40. – *sommeil:* 9, 24; Jean, 11, 11.

Obéissance — *excellence:* Matthieu, 4, 19; 7, 24; 8, 21; 17, 5; Luc, 5, 4; 10, 16; Jean, 1, 7.

Oeil — *simple et juste:* Matthieu, 6, 22-23; Luc, 11, 34; Jean, 9, 10.

Orgueil — *puni:* Luc, 1, 51; 10, 15; 14, 7-11; 18, 10-14; 21, 24.

Ouvrage — Matthieu, 10, 10; Jean, 21, 3.

Paix — *nature:* Matthieu, 5, 9; Marc, 9, 49. — *avec Dieu:* Luc, 2, 14; 24, 36; Jean, 16, 33; 20, 19.

Parabole — *genre de prédication préféré par Jésus:* Matthieu, 13, 3; 13, 10, 34; Marc, 4, 11, 34; Luc, 8, 10. — *du blé et de l'ivraie:* Matthieu, 13, 24. — *du bon Samaritain:* Luc, 30. — *des mauvais vignerons:* Matthieu, 21, 33; Marc, 12, 1; Luc, 20, 9. — *du mauvais riche:* Luc, 12, 16. — *du festin:* Luc, 14, 16. — *de la drachme retrouvée:* Luc, 15, 8. — *des deux débiteurs:* Luc, 7, 41. — *du pharisien et du publicain:* Luc, 18, 10. — *de l'économe infidèle:* Luc, 16, 1. — *du figuier infructueux:* Luc, 13, 6. — *de l'enfant prodigue:* Luc, 15, 11. — *du mauvais juge:* Luc, 18, 2. — *du grain de sénevé:* Matthieu, 13, 31; Marc, 4, 31; Luc, 13, 19. — *des mines:* Luc, 19, 12. — *des noces royales:* Matthieu, 22, 2. — *du pasteur, des brebis:* Jean, 10, 1. — *de la brebis égarée:* Matthieu, 18, 12; Luc, 15, 4. — *du filet:* Matthieu, 13, 47. — *du mauvais riche:* Luc, 16, 19. — *du semeur:* Matthieu, 13, 3; Marc, 4, 3; Luc, 8, 5. — *du bon et mauvais serviteur:* Matthieu, 24, 45; Luc, 12, 42. — *des deux serviteurs endettés:* Matthieu, 18, 23. — *des talents:* Matthieu, 13, 44. — *des vierges folles et des vierges sages:* Matthieu, 25, 1. — *du trésor caché:* Matthieu, 13, 44. — *des vignerons:* Matthieu, 20, 1.

Parabole de Dieu — *il faut l'écouter:* Matthieu, 5, 2; 7, 24; 15, 8; 28, 20; Luc, 6, 47-49; 10, 28; Jean, 13, 17. — *efficace:* Matthieu, 4, 4; 8, 13; Marc, 1, 27; Luc, 4, 4; 5, 13-24; 8, 24.

Paradis — *sa félicité:* Matthieu, 6, 20; 13, 43; 22, 30;

25, 34; Marc, 12, 25; Luc, 10, 20; 12, 33; 14, 15; 20, 36; 22, 29; Jean, 16, 20; 17, 24. – *pour l'acquérir:* Matthieu, 25.

Passion – *prédite:* Matthieu, 16, 21; 17, 21; 20, 29; Marc, 8, 30; 9, 31; 10, 33; Luc, 9, 22, 44; 17, 25. – *accomplissement:* Matthieu, 26, 36; 27; Marc, 14, 32; Luc, 22, 39; 23; Jean, 18 et 19.

Patience – *de Dieu:* Matthieu, 18, 27. – *dans les afflictions:* Matthieu, 5, 30.

Pauvreté – *volontaire:* Matthieu, 5, 3; 10, 9; 19, 21; Marc, 6, 8; 10, 21; Luc, 6, 20; 9, 3; 10, 4; 12, 33; 18, 22. – *pratiquée:* Matthieu, 8, 20; Luc, 9, 58.

Péché – *rémission:* Matthieu, 9, 8; Marc, 2, 5; Luc, 5, 20; 7, 47; Jean, 1, 29.

Persévérance – Matthieu, 10, 22; 15, 22; 24, 13; Luc, 9, 62; Jean, 6, 66-70.

Piété – *vraie:* Matthieu, 5, 24; 15, 35; Luc, 25, 37.

Prière – *condition:* Matthieu, 6, 5-9; 7, 7; 18, 19; 21, 22; Marc, 11, 22-26; Luc, 11, 9; 17, 1-11; Jean, 4, 23; 15, 7; 16, 23.

Providence – Matthieu, 6, 25; 10, 29; Luc, 12, 22; 21, 18.

Purgatoire – Matthieu, 5, 25; Luc, 12, 58.

Reconnaissance – *recommandée:* Matthieu, 11, 25; 14, 19; 15, 36; 26, 26; Luc, 10, 16; 17, 21; 18, 43.

Royaume des cieux – Matthieu, 11, 12; Luc, 16, 16.

Sagesse – Luc, 21, 15.

Saint et Sainteté – *gloire des saints:* Matthieu, 19, 8; 22, 30; Luc, 15, 10.

Sainte Écriture – Matthieu, 4, 4; Luc, 16, 29; Jean, 5, 59.

Scandale – *éviter de donner:* Matthieu, 18, 6; Marc, 9, 41; Luc, 17, 1; Matthieu, 5, 29; 16, 22; Marc, 9, 42.

Similitudes Évangéliques – *du vieux vêtement:* Matthieu, 9, 16; Marc, 2, 21; Luc, 5, 36. – *des agneaux et loups:* Luc, 10, 3. – *du bon arbre:* Matthieu, 7, 17; 12, 33. – *des petits chiens:* Matthieu, 15, 27; Marc, 7, 28. – *du roseau:* Matthieu, 11, 7. – *de l'aveugle:* Matthieu, 15, 14; Luc, 6, 39. – *de la ville divisée:* Matthieu, 12, 25. – *de la ville sur la montagne:* Matthieu, 5, 14. – *de la colombe:* Matthieu, 10, 16. – *du banquet:* Luc, 22, 30. – *du disciple et du maître:* Matthieu, 10, 24; Luc, 6, 40. – *des deux maîtres:* Matthieu, 6, 24; Luc, 16, 13. – *des enfants:* Matthieu, 19, 13; Marc, 10, 13; Luc, 18, 17. – *de la poule et des poussins:* Matthieu, 23, 37; Luc, 13, 34. – *de la lumière:* Matthieu, 5, 15; Marc, 4, 21; Luc, 8, 16; 11, 33. – *des loups:* Matthieu, 7, 15. – *du médecin:* Matthieu, 9, 12; Marc 2, 17; Luc, 4, 23; 5, 31. – *de la moisson:* Matthieu, 9, 37; Luc, 10, 2. – *de l'oeil simple:* Matthieu, 6, 22; Luc, 11, 34. – *du père complaisant:* Matthieu, 7, 9; Luc, 11, 11. – *du maître et du serviteur:* Luc, 17, 7; 22, 27; Jean, 13, 16; 15, 20. – *de la paille et de la poutre:* Matthieu, 7, 3-5; Luc, 6, 41. – *des passereaux:* Matthieu, 10, 29; Luc, 12, 6. – *du berger:* Matthieu, 25, 32. – *des brebis sans pasteur:* Matthieu, 9, 36; Marc, 6, 34. – *de la pierre d'angle:* Matthieu, 21, 42; Marc, 12, 10; Luc, 20, 17. – *de la porte:* Jean, 10, 8. – *de la porte étroite:* Matthieu, 7, 13-14; Luc, 13, 24. – *du royaume divisé:* Matthieu, 12, 25; Marc, 3, 24; Luc, 11, 17. – *du sel de la terre:* Matthieu, 5, 13; Marc, 9, 49; Luc, 14, 34. – *des sépulcres blanchis:* Matthieu, 23, 27; Luc, 11, 44. – *de l'esclave et du fils:* Jean, 8, 35. – *du bon et du mauvais temps:* Matthieu, 16, 2-3; Luc, 12, 54-55. – *du tribut:* Matthieu, 6, 26; 8, 20; Luc, 9, 58. – *de la vigne:* Jean, 15, 1. – *des renards:* Matthieu, 8, 20; Luc, 9, 58.

Simplicité – Matthieu, 10, 16; 11, 25; Luc, 5, 8; 10, 21.

Soins du Monde – *excès condamnés:* Matthieu, 6, 25; 10, 9; 10, 28; 13, 22; 16, 7; Luc, 8, 14; 12, 22; 14, 18.

Temple — Matthieu, 21, 13; Luc, 19, 46; Jean, 2, 14.

Ténèbres — Jean, 1, 5; 3, 19; 8, 12; 12, 35.

Tentation — Matthieu, 4, 7.

Trinité — Matthieu, 3, 16-17; 10, 20; 17, 5; 28, 19; Luc, 4, 18; Jean, 3, 35; 14, 16, 26; 16, 3.

Vie — *règles:* Matthieu, 5, 48; 11, 29; Luc, 6, 36; Jean, 12, 26; 13, 33-34; 15, 12; 21, 15. — *brièveté:* Luc, 12, 18.

Voeu — Matthieu, 5, 33.

Volonté — *de Dieu:* Matthieu, 6, 10; 26, 39; 7, 21; 12, 50; Marc, 3, 35.

Zèle — *nature:* Matthieu, 3, 1-11; 10, 34-35; Luc, 12, 49; Jean, 4, 34, 39; 15, 13. — *qualité:* Matthieu, 10, 10; 18, 15-17; 22, 22; Luc, 17, 3-4.

ÉVANGILE
SELON SAINT MATTHIEU

PROLOGUE:
ÉVANGILE DE L'ENFANCE

1 **Généalogie de Jésus-Christ.** -* ¹Livret généalogique de Jésus-Christ, fils de David, fils d'Abraham. ²Abraham engendra Isaac. Isaac engendra Jacob. Jacob engendra Juda et ses frères. ³Juda engendra, de Thamar, Pharès et Zara. Pharès engendra Esron. Esron engendra Aram. ⁴Aram engendra Aminadab. Aminadab engendra Naasson. Naasson engendra Salmon. ⁵Salmon engendra Booz, de Rahab. Booz engendra Jobed de Ruth. Jobed engendra Jessé. ⁶Jessé engendra le roi David.

Le roi David engendra Salomon, de la femme d'Urie. ⁷Salomon engendra Roboam. Roboam engendra Abia. Abia engendra Asa. ⁸Asa engendra Josaphat. Josaphat engendra Joram. Joram engendra Ozias. ⁹Ozias engendra Joatham. Joatham engendra Achaz. Achaz engendra Ézéchias. ¹⁰Ézéchias engendra Manassé. Manassé engendra Amon. Amon engendra Josias. ¹¹Josias engendra

---

1. – 1-17. Jésus est l'aboutissement de la postérité promise par Dieu à Abraham et la résume, pour ainsi dire, en sa personne (Gen *12*,3; *17*,7-8; *22*,16-18; Gal *2*,16); il est en même temps le fils de David par excellence, l'héritier qui confère à sa dynastie la perpétuité annoncée par le prophète Nathan (2 Sam 7,12-16). Saint

Jéchonias et ses frères, au temps de la déportation à Babylone.

[12] Après la déportation à Babylone, Jéchonias engendra Salathiel, Salathiel engendra Zorobabel. [13] Zorobabel engendra Abiud. Abiud engendra Éliakim. Éliakim engendra Azor. [14] Azor engendra Sadok. Sadok engendra Achim. Achim engendra Éliud. [15] Éliud engendra Éléazar. Éléazar engendra Matthan. Matthan engendra Jacob.

[16] Jacob engendra Joseph, l'époux de Marie, de laquelle est né Jésus, qui est appelé Christ.*

[17] Il y a donc en tout, depuis Abraham jusqu'à David, quatorze générations; depuis David jusqu'à la déportation à Babylone, quatorze générations; et depuis la déportation à Babylone jusqu'à Jésus-Christ, quatorze générations.

Conception virginale de Jésus. - [18] Or, voici comment naquit Jésus-Christ. Marie, sa mère, étant fiancée à Joseph, il se trouva qu'elle avait conçu de par le Saint-Esprit, avant qu'ils eussent cohabité. [19] Joseph, son époux, qui était un homme juste et ne voulait pas la déshonorer, résolut

---

Matthieu donne la généalogie par saint Joseph, qui, en vertu de sa paternité légale, assurait au Sauveur la transmission des droits royaux. Les ancêtres du Christ sont groupés en trois séries de quatorze (plusieurs sont omis), peut-être parce que la valeur numérique des consonnes composant le nom de David atteint le total de quatorze (4 + 6 + 4).

16. Christ, traduction du mot hébreu Messie, qui signifie oint ou consacré.

19. Les fiançailles donnaient les mêmes droits juridiques que le mariage et ne pouvaient être rompues que

de la répudier secrètement.* [20]Mais, comme il y avait pensé, voici que l'ange du Seigneur lui apparut en songe et lui dit: "Joseph, fils de David, ne crains pas de prendre avec toi Marie ton épouse, car ce qui a été engendré en elle vient de l'Esprit Saint. [21]Elle enfantera un fils, et tu lui donneras le nom de Jésus, car c'est lui qui sauvera son peuple de ses péchés."

[22]Or, tout cela arriva pour que fût accompli ce que le Seigneur avait dit par le prophète: [23]*Voici que la Vierge concevra et enfantera un fils; on lui donnera le nom d'Emmanuel, ce qui se traduit: Dieu avec nous.**

[24]Joseph, réveillé de son sommeil, fit ce que l'ange du Seigneur lui avait ordonné; il prit avec lui son épouse. [25]Et, sans qu'il y eût de relations entre eux, elle enfanta un fils auquel il donna le nom de Jésus.*

2 Visite des mages. - [1]Jésus étant né à Bethléem de Judée au temps du roi Hérode, voici que des mages vinrent de l'orient à Jérusalem, [2]demandant: "Où est le roi des Juifs qui vient de

---

par une répudiation. Mais Joseph est convaincu de la vertu de Marie et veut la renvoyer en secret.

23. Is 7,14, d'après les Septante, l'une des plus importantes prophéties messianiques. Jésus veut dire: "Yahvé sauve".

25. Cette manière sémitique de parler n'indique aucunement que Marie ne soit pas demeurée vierge après la naissance du Sauveur.

2. – 2. L'astre des mages, sans doute un météore lumineux dont la nature n'est pas précisée.

naître? car nous avons vu son astre en orient, et nous sommes venus lui rendre hommage."* ³Apprenant cela, le roi Hérode fut troublé, et tout Jérusalem avec lui. ⁴Ayant donc assemblé tous les grands prêtres et les scribes du peuple, il leur demanda où devait naître le Christ. ⁵Ils lui dirent: "A Bethléem de Judée, car il est ainsi écrit par le prophète: ⁶*Et toi Bethléem, terre de Juda, tu n'es pas la moindre d'entre les principales villes de Juda; car de toi sortira le chef qui doit paître mon peuple Israël.*"*

⁷Alors Hérode, ayant fait venir secrètement les mages, s'enquit auprès d'eux avec soin du temps où l'astre était apparu; ⁸puis, les envoyant à Bethléem, il leur dit: "Allez, informez-vous exactement de l'enfant; et lorsque vous l'aurez trouvé, faites-le-moi savoir, afin que j'aille aussi lui rendre hommage." ⁹Sur ces paroles du roi, ils partirent. Et voici que l'astre qu'ils avaient vu à l'orient allait devant eux jusqu'à ce qu'il vint s'arrêter au-dessus de l'endroit où se trouvait l'enfant. ¹⁰A la vue de l'astre, ils furent transportés d'une joie extrême; ¹¹entrant dans la maison, ils trouvèrent l'enfant avec Marie sa mère, et, se prosternant, ils lui rendirent hommage; puis, ouvrant leurs trésors, ils lui offrirent pour présents de l'or, de l'encens et de la myrrhe. ¹²Mais, avertis en rêve de ne point retourner vers Hérode, ils repartirent pour leurs pays par un autre chemin.

---

6. Mic 5,*1*, citation non littérale, mais conforme au sens.

Fuite en Égypte. Massacre des Innocents. Retour à Nazareth. - [13] Après leur départ, voici que l'ange du Seigneur apparaît à Joseph en songe et lui dit: "Lève-toi, prends l'enfant et sa mère, fuis en Égypte, et demeures-y jusqu'à ce que je t'avertisse; car Hérode va rechercher l'enfant pour le faire mourir." [14] Joseph s'étant levé prit l'enfant et sa mère de nuit et se retira en Égypte. [15] Il y demeura jusqu'à la mort d'Hérode, afin que s'accomplît ce que le Seigneur avait dit par le prophète: *J'ai appelé mon fils d'Égypte.**

[16] Alors Hérode, voyant qu'il avait été joué par les mages, entra dans une grande colère; et il envoya tuer dans Bethléem et dans tout le pays d'alentour les enfants âgés de deux ans et au-dessous, selon le temps dont il s'était enquis exactement auprès des mages. [17] Ainsi s'accomplit ce qui avait été dit par le prophète Jérémie: [18] *Une voix a été entendue dans Rama; des plaintes et des lamentations sans fin: Rachel pleure ses enfants. et ne veut pas recevoir de consolation, parce qu'ils ne sont plus.**

[19] Hérode étant mort, l'ange du Seigneur

---

15. Os *11,1*; il s'agit de la libération du peuple hébreu, fils premier-né de Dieu (Ex *4,22*). Matthieu voit, en outre, dans ce texte, entendu d'une manière prophétique, l'annonce du retour d'Égypte de Jésus, qui est Fils de Dieu par excellence.

18. Jer *31,15*; au sens littéral, il s'agit de Rachel ensevelie près de Bethléem (Gen *35,19*) que le prophète représente se lamentant sur ses enfants emmenés captifs à Babylone. Au sens prophétique, ce texte est appliqué au massacre des Innocents.

apparaît en rêve à Joseph en Égypte [20] et lui dit:
"Lève-toi, prends l'enfant et sa mère, et retourne
dans le pays d'Israël; car ceux qui cherchaient
l'enfant pour lui ôter la vie sont morts." [21] Joseph se leva, prit l'enfant et sa mère, et revint
dans le pays d'Israël. [22] Mais, ayant appris qu'Ar-
chélaüs régnait en Judée à la place d'Hérode son
père, il appréhenda d'y aller; averti en rêve, il se
retira dans la région de Galilée [23] et vint demeurer dans une ville appelée Nazareth, afin que
cette prédiction des prophètes fût accomplie: *Il
sera appelé Nazaréen.**

VIE PUBLIQUE DE JÉSUS

I – PÉRIODE DE PRÉPARATION

3 **Prédication de Jean-Baptiste.** - [1] En ces jours-
là, paraît Jean le Baptiste, prêchant dans le
désert de Judée, et disant: [2] "Repentez-vous, car
le Royaume des cieux est tout proche."
[3] C'est lui qui a été annoncé par le prophète
Isaïe, lorsqu'il dit: *Voix de celui qui crie dans le
désert: Préparez le chemin du Seigneur, rendez
droits ses sentiers.**

---

23. Énoncé d'un aspect de l'enseignement des prophètes sur le Messie, sans que soit allégué un passage dé-
terminé. Le sens est controversé. Peut-être Matthieu
veut-il dire simplement que selon les prophètes le Messie
serait objet de mépris, comme l'était la ville même de
Nazareth (Jean *1*,46).

3. – 3. Is *40*,3-5 qui montre Dieu à la tête de son
peuple au retour de l'exil babylonien. Matthieu y voit

⁴Or, Jean avait un vêtement de poils de chameau et une ceinture de cuir autour des reins; sa nourriture consistait en sauterelles et miel sauvage. ⁵Alors, venaient vers lui Jérusalem, toute la Judée et tout le pays des environs du Jourdain, ⁶et ils étaient baptisés par lui dans le fleuve du Jourdain, en confessant leurs péchés.*

⁷Voyant de nombreux pharisiens et sadducéens venir au baptême, il leur dit: "Race de vipères, qui vous a suggéré de fuir la colère qui vient? ⁸Produisez donc un fruit digne du repentir. ⁹Ne vous avisez pas de dire en vous-mêmes: "Nous avons pour père Abraham"; car je vous déclare que Dieu peut faire surgir des pierres que voici des enfants à Abraham. ¹⁰Déjà la cognée est à la racine des arbres; tout arbre donc qui ne produit pas de bon fruit sera coupé et jeté au feu. ¹¹Pour moi, je vous baptise dans l'eau pour le repentir. Mais celui qui vient derrière moi est plus puissant que moi, et je ne suis pas digne de porter ses chaussures; lui vous baptisera dans l'Esprit Saint et le feu. ¹²Il tient en main la pelle à vanner; il nettoiera son aire, et amassera son blé

l'annonce de la mission du Sauveur, chef de l'humanité libérée par lui du péché. Le héraut qui, dans Isaïe, fait préparer le chemin devant Dieu est la figure de Jean-Baptiste, précurseur du Christ.

6-11. Le baptême de Jean annonce à la fois le jugement futur et prépare le baptême chrétien, qui réalisera dans les âmes une purification totale, symbolisée par le feu, et leur conférera la sainteté par le don de l'Esprit Saint.

dans le grenier. Mais il brûlera la bale au feu qui ne s'éteint pas."

Baptême de Jésus. - [13]Alors Jésus vient de Galilée trouver Jean au Jourdain pour être baptisé par lui. [14]Mais Jean voulait l'en détourner, disant: "C'est moi qui ai besoin d'être baptisé par toi; et tu viens à moi." [15]Jésus lui répondit: "Laisse faire maintenant; car c'est ainsi que nous devons accomplir toute justice."* Alors Jean le laisse faire.

[16]Une fois baptisé, Jésus remonta aussitôt de l'eau. Voici que les cieux s'ouvrirent; il vit l'Esprit de Dieu descendre comme une colombe et venir sur lui [17]tandis que des cieux une voix disait: "Celui-ci est mon Fils bien-aimé, en qui je me complais! "*

4 **Jeûne et tentation de Jésus au désert.** - [1]Alors Jésus fut conduit par l'Esprit dans le désert pour être tenté par le diable. [2]Après avoir jeûné quarante jours et quarante nuits, finalement il eut faim. [3]Le tentateur, s'approchant, lui dit: "Si tu es Fils de Dieu, dis que ces pierres se changent en pains." [4]Mais Jésus lui répondit: "Il est écrit:

---

15. "Toute justice", ce qui convient, conformément à la volonté de Dieu et à la mission du Christ.

16-17. Première manifestation des trois personnes de la Sainte Trinité et de la filiation divine du Christ. La venue de l'Esprit et la voix du Père le fortifient dans sa nature humaine pour l'accomplissement de sa mission rédemptrice. En même temps que Fils, Jésus est le Serviteur prédit par Is *42*,1.

4. – 4. Deut *8*,3. Dieu a nourri son peuple de la

*L'homme ne vit pas seulement de pain, mais de tout ce qui sort de la bouche de Dieu."**

[5] Le diable alors l'emmène dans la ville sainte, le place sur le pinacle du temple, [6] et lui dit: "Si tu es Fils de Dieu, jette-toi en bas, car il est écrit:* *Il donnera pour toi des ordres à ses anges, et ils te porteront dans leurs mains, de peur que tu ne heurtes le pied contre une pierre."* [7] Jésus lui dit: "Il est écrit aussi: *Tu ne tenteras pas le Seigneur ton Dieu."*

[8] Le diable l'emmène encore sur une montagne fort élevée, lui montre tous les royaumes du monde et leur gloire et lui dit: [9] "Je te donnerai tout cela si, tombant à mes pieds, tu m'adores." [10] Mais Jésus lui répondit: "Retire-toi, Satan, car il est écrit: *Tu adoreras le Seigneur ton Dieu, et tu ne rendras de culte qu'à lui seul."**

[11] Alors le diable le laisse; et voici que des anges s'approchèrent pour le servir.

------

manne pendant le séjour au désert. Jésus attend avec confiance de son Père la nourriture qui lui est nécessaire; il refuse de se la procurer par un miracle opéré à la suggestion du démon.

6-7. A l'allégation par le diable du Ps *91*,11-12, Jésus répond par le Deut *6*,16 qui défend de tenter Dieu, c'est-à-dire de solliciter de lui un miracle ostentatoire et inutile.

10. Réponse admirable et décisive, inspirée du Deut *6*,13. Jésus a repoussé victorieusement la proposition diabolique d'un messianisme temporel et politique: il sauvera le monde par une obéissance totale à son Père, jusqu'à la mort de la Croix.

II – DÉBUTS DU MINISTÈRE PUBLIC DE JÉSUS EN GALILÉE

Jésus commence à prêcher. Appel des premiers apôtres. - [12]Or, Jésus, ayant entendu dire que Jean avait été mis en prison, se retira en Galilée. [13]Quittant Nazareth, il vint demeurer à Capharnaüm, au bord de la mer, sur les confins de Zabulon et de Nephtali, [14]afin que s'accomplît cette parole du prophète Isaïe: [15]*Terre de Zabulon et terre de Nephtali, route de la mer, pays au-delà du Jourdain, Galilée des nations!* [16]*Le peuple qui était assis dans les ténèbres a vu une grande lumière, et sur ceux qui étaient assis dans la sombre région de la mort, une lumière s'est levée.* *

[17]Dès lors, Jésus commença à prêcher, en disant: "Repentez-vous, car le Royaume des cieux est tout proche."

[18]Comme il marchait le long de la mer de Galilée, il vit deux frères, Simon, appelé Pierre, et André son frère, qui jetaient l'épervier à la mer, car ils étaient pêcheurs. [19]"Venez à ma suite, leur dit-il, et je vous ferai pêcheurs d'hommes." [20]Aussitôt ils quittèrent leurs filets et le suivirent. [21]Avançant plus loin, il vit deux autres frères, Jacques fils de Zébédée, et Jean son frère, qui étaient dans une barque avec Zébédée leur

---

15-16. Citation libre d'Is *8,23-9,1.* Les tribus de Zabulon et de Nephtali, jadis ravagées par le roi d'Assyrie Téglath-Phalasar III, seront en compensation les premières à bénéficier de la prédication évangélique.

père, en train de raccommoder leurs filets; et il les appela. [22] Aussitôt, quittant leur barque et leur père, ils le suivirent.

[23] Jésus allait par toute la Galilée, enseignant dans leurs synagogues, prêchant la Bonne Nouvelle du Royaume,* guérissant toute maladie et toute infirmité parmi le peuple. [24] Sa renommée se répandant par toute la Syrie, on lui présenta tous les malades, diversement affligés de maux et de douleurs, démoniaques, lunatiques,* paralytiques, et il les guérit. [25] De grandes foules le suivirent, venues de la Galilée, de la Décapole, de Jérusalem, de la Judée, et d'au-delà du Jourdain.

III — DISCOURS
SUR LA MONTAGNE

5 **Prélude: les béatitudes.** - [1] Jésus, voyant ces foules, gravit la montagne, et lorsqu'il se fut assis, ses disciples s'approchèrent de lui.* [2] Alors, prenant la parole, il les instruisait en ces termes:

[3] "Bienheureux ceux qui ont l'esprit de pauvreté, car le Royaume des cieux est à eux.*

---

23. La Bonne Nouvelle, littéralement: l'Évangile.

24. Des lunatiques: des épileptiques, dont les crises étaient attribuées à l'influence de la lune.

5. — 1. Probablement une colline immédiatement au nord-ouest de Capharnaüm. Le discours sur la montagne exprime à merveille l'esprit de l'Évangile: humilité, charité vraie et universelle, religion intérieure, pureté totale.

3. Littéralement: les pauvres en esprit, ceux qui sont pauvres intérieurement, sachant qu'ils doivent tout at-

⁴ Bienheureux les doux, car ils recevront la terre en héritage.*

⁵ Bienheureux ceux qui sont affligés, car ils seront consolés.

⁶ Bienheureux ceux qui ont faim et soif de la justice, car ils seront rassasiés.

⁷ Bienheureux les miséricordieux, car ils obtiendront miséricorde.

⁸ Bienheureux les coeurs purs, car ils verront Dieu.*

⁹ Bienheureux les artisans de paix, car ils seront appelés enfants de Dieu.*

¹⁰ Bienheureux ceux qui souffrent persécution pour la justice, car le Royaume des cieux est à eux.

¹¹ Bienheureux serez-vous lorsqu'on vous insultera, qu'on vous persécutera, et qu'on dira

tendre et recevoir de Dieu. Esprit d'humilité totale et pas seulement détachement des biens matériels. Le Royaume des cieux est le nouvel état de choses inauguré par le Christ, royaume à la fois intérieur (pardon des péchés et sanctification) et extérieur (l'Église par laquelle il s'établit et les bonnes oeuvres par lesquelles il se manifeste), présent et à venir: il a ici-bas une réalisation initiale; il sera parfait et définitif dans l'éternité. Comparer 1 Cor 15,24.

4. Ils recevront la terre en héritage: la Terre promise, figure des biens messianiques.

8. La pureté de coeur: pas seulement la chasteté, mais une limpidité d'âme et une droiture d'intention universelles.

9. Littéralement: les faiseurs de paix, les pacificateurs, à la suite du Christ, prince de la Paix: Is 9,5.

faussement toute sorte de mal contre vous à cause de moi.

[12] Réjouissez-vous et tressaillez de joie, parce que votre récompense est grande dans les cieux: c'est ainsi qu'on a persécuté les prophètes qui vous ont précédés.

Les disciples, sel de la terre et lumière du monde. - [13] "Vous êtes le sel de la terre. Si le sel s'affadit, avec quoi le saler? Il n'est plus bon à rien qu'à être jeté dehors, et piétiné par les hommes.

[14] "Vous êtes la lumière du monde. Une ville située sur une montagne ne peut être cachée. [15] On n'allume pas une lampe pour la mettre sous le boisseau, mais sur le lampadaire; elle brille alors pour tous ceux qui sont dans la maison. [16] Qu'ainsi votre lumière brille devant les hommes, afin qu'ils voient vos bonnes oeuvres et rendent gloire à votre Père qui est dans les cieux.

Paroles injurieuses, adultères, divorce, serment, pardon des injures, amour des ennemis. - [17] "Ne pensez pas que je sois venu abroger la Loi ou les prophètes: je ne suis pas venu abroger, mais perfectionner. [18] Vraiment, je vous le dis, avant que

---

17-18. En tant que le Christ conduit la Loi mosaïque au terme qu'elle préparait, la complète et la perfectionne, il ne l'abolit pas. Les moindres préceptes, bien que supprimés matériellement, – et en ce sens la Loi est abrogée – trouvent leur achèvement et un accomplissement supérieur dans la transformation même que leur apporte l'Évangile: idée centrale du premier Évangile.

passent le ciel et la terre, pas la plus petite lettre ni un seul trait de la Loi ne passera, que tout ne s'accomplisse.* ¹⁹Celui donc qui violera un de ces moindres commandements, et qui apprendra aux hommes à les violer, sera tenu pour le plus petit dans le Royaume des cieux: mais celui qui les aura pratiqués et enseignés sera tenu pour grand dans le Royaume des cieux.

²⁰"Car je vous le dis: si votre justice ne surpasse celle des scribes et des pharisiens, vous n'entrerez pas dans le Royaume des cieux.*

²¹"Vous avez appris qu'il a été dit aux anciens: *Tu ne tueras point*; et quiconque tuera méritera d'être condamné par le tribunal. ²²Moi je vous dis: quiconque se met en colère* contre son frère mérite d'être condamné par le tribunal; ce-

---

20. La justice chrétienne, l'idéal de sainteté évangélique gouverne l'homme jusque dans ses pensées et ses désirs et a pour norme suprême la charité. Elle doit dépasser la justice, trop souvent formaliste et purement extérieure, des scribes, versés dans l'enseignement de la Loi, et de la secte pharisienne, zélée pour son observation, mais orgueilleuse et hypocrite. Cf. chapitre 23.

22. a) Jésus perfectionne la Loi mosaïque avec une autorité souveraine que nul homme n'aurait osé revendiquer. La colère grave, principe de l'homicide, est condamnée au même titre que lui.

b) Le sanhédrin est le tribunal suprême, présidé par le grand prêtre.

c) Mécréant: injure très grave équivalant à impie ou renégat.

d) La géhenne, vallée au sud de Jérusalem, était le dépotoir des immondices; on y entretenait un feu continuel; elle symbolise l'enfer.

lui qui dit à son frère: "Idiot!" mérite d'être condamné par le sanhédrin;* celui qui lui dit: "Mécréant!"* mérite d'être condamné à la géhenne du feu.* ²³Si donc, lorsque tu présentes ton offrande à l'autel, tu te souviens que ton frère a quelque chose contre toi, ²⁴laisse là ton offrande devant l'autel. Va d'abord te réconcilier avec ton frère; puis reviens présenter ton offrande.

²⁵"Accorde-toi au plus tôt avec ton adversaire pendant que tu es en chemin avec lui, de peur que cet adversaire ne te livre au juge, et que le juge ne te livre au garde et que tu ne sois jeté en prison. ²⁶Vraiment, je te le dis, tu ne sortiras pas de là que tu n'aies payé jusqu'au dernier sou.

²⁷"Vous avez appris qu'il a été dit: *Tu ne commettras point d'adultère.** ²⁸Moi, je vous le dis: quiconque regarde une femme avec convoitise, a déjà commis l'adultère avec elle dans son coeur. ²⁹Si donc ton oeil droit t'incite à pécher, arrache-le et jette-le loin de toi, car il vaut mieux pour toi qu'un de tes membres périsse que ton corps tout entier soit jeté dans la géhenne. ³⁰Si ta main droite t'incite à pécher, coupe-la et jette-la loin de toi, car il vaut mieux pour toi qu'un de tes membres périsse que ton corps tout entier n'aille dans la géhenne.

³¹"Il a été dit encore: *Quiconque veut répu-*

---

27. Ex *20*,14.

31-32. Deut *24*,1. Dans l'état social contemporain du Sauveur, la répudiation de la femme l'exposait fatalement à l'adultère. Par fornication, il faut entendre une

dier sa femme, qu'il lui donne une lettre de divorce. * ³²Moi, je vous le dis: quiconque répudie sa femme, mis à part le cas de fornication, la rend adultère; et quiconque épouse la femme répudiée commet un adultère.

³³"Vous avez encore appris qu'il a été dit aux anciens: *Tu ne parjureras point: mais tu t'acquitteras envers le Seigneur de tes serments.* * ³⁴Et moi je vous dis de ne jurer en aucune sorte, ni par le ciel, parce qu'il est le trône de Dieu; ³⁵ni par la terre, parce qu'elle est l'escabeau de ses pieds; ni par Jérusalem parce qu'elle est la ville du grand roi. ³⁶Ne jure pas non plus par ta tête, parce que tu ne peux en rendre un seul cheveu blanc ou noir. ³⁷Mais que votre langage soit: Oui? Oui. Non? non; tout le reste vient du Mauvais.

³⁸"Vous avez appris qu'il a été dit: *Oeil pour oeil, dent pour dent.* * ³⁹Moi je vous dis de ne point résister au méchant: mais si quelqu'un te frappe sur la joue droite, tends-lui encore l'autre.

---

union illégitime prohibée par la Loi, ou un concubinage: dans ce cas la séparation s'impose. Mais le divorce, rupture d'un mariage légitime, est désormais absolument prohibé. Cf. *19*,3-12. Autre interprétation: dans le cas d'adultère, la séparation est permise, mais ne rompt pas le mariage.

33-37. Ex *20*,7; Nomb *30*,3. La loyauté des chrétiens devrait rendre tout serment inutile. De plus le serment met toujours Dieu en cause, même s'il ne lui fait pas explicitement appel.

38-42. Ex *21*,24. Ces paroles, dont l'application littérale ne peut évidemment être qu'exceptionnelle, indi-

⁴⁰Si quelqu'un veut plaider contre toi pour te prendre ta tunique, laisse-lui encore ton manteau. ⁴¹Si quelqu'un veut te requérir pour mille pas, fais-en avec lui deux mille. ⁴²À qui te demande, donne et à qui veut te faire un emprunt, ne tourne pas le dos.

⁴³"Vous avez appris qu'il a été dit: *Tu aimeras ton prochain, et tu haïras ton ennemi.** ⁴⁴Moi je vous dis: Aimez vos ennemis, bénissez ceux qui vous persécutent, faites du bien à ceux qui vous haïssent; priez pour ceux qui vous maltraitent et qui vous persécutent, ⁴⁵afin de vous montrer les enfants de votre Père qui est dans les cieux, qui fait lever son soleil sur les méchants et sur les bons, qui fait pleuvoir sur les justes et sur les injustes.

⁴⁶"Car si vous aimez ceux qui vous aiment, quelle récompense aurez-vous? Les publicains ne le font-ils pas aussi? ⁴⁷Et si vous ne saluez que vos frères, que faites-vous d'extraordinaire? Les païens ne le font-ils pas aussi? ⁴⁸Vous donc, vous serez parfaits comme votre Père céleste est parfait.

─────────────

quent l'esprit de charité condescendante qui caractérise l'Évangile: le chrétien cède volontiers son droit et ne l'exige pas avec âpreté. Mais il ne lui est pas défendu de s'opposer à une attaque injuste; c'est ainsi que Jésus a agi devant le Grand Prêtre: Jean *18*,22-23.

43-48. Lev *19*,18. L'amour des ennemis est le sommet de la charité. Il fait du chrétien l'imitateur de la perfection divine. Comparer Eph *5*,1-2 et 1 Jean *4*,8. La perfection est prescrite à tous, mais certains moyens de perfection sont simplement conseillés.

6 **Pureté d'intention: agir toujours pour Dieu; application à l'aumône, à la prière et au jeûne.**
- [1] "Prenez garde de ne pas pratiquer votre justice devant les hommes pour être vus d'eux; autrement vous n'aurez pas de récompense auprès de votre Père qui est dans les cieux.

[2] "Lors donc que tu fais l'aumône, ne le claironne pas devant toi, comme font les hypocrites dans les synagogues et dans les rues, pour être honorés des hommes. Vraiment, je vous le dis, ils ont leur récompense. [3] Mais lorsque tu fais l'aumône, que ta main gauche ne sache point ce que fait ta main droite, [4] afin que ton aumône reste dans le secret: ton Père, qui voit dans le secret, te le rendra.

[5] "Lorsque vous priez, ne soyez pas comme les hypocrites qui affectent de prier debout dans les synagogues et aux coins des rues pour être vus des hommes. Vraiment, je vous le dis, ils ont leur récompense. [6] Mais toi, lorsque tu veux prier, entre dans ta chambre, ferme la porte sur toi et prie ton Père qui est là dans le secret; ton Père qui voit dans le secret te le rendra.

[7] Dans vos prières, ne rabâchez pas comme les païens, qui s'imaginent être exaucés à force de paroles. [8] Ne les imitez donc pas; car votre Père sait ce dont vous avez besoin, avant que vous ne le lui demandiez. [9] Vous donc, priez ainsi:

6. – 9-13. Le Pater – mis par Luc *11*,1-4 à sa véritable place après le repas à Béthanie – est rattaché par Matthieu à l'enseignement sur la prière.

Notre Père qui es aux cieux;*
Que ton Nom soit sanctifié;
¹⁰Que ton règne vienne.
Que ta volonté soit faite
sur la terre comme au ciel.
¹¹Donne-nous aujourd'hui
notre pain de ce jour;*
¹²Pardonne-nous nos offenses,*
comme nous pardonnons aussi
à ceux qui nous ont offensés:
¹³Et ne nous soumets pas
à la tentation;
mais délivre-nous du Mal.*

¹⁴Car, si vous pardonnez aux hommes leurs offenses, votre Père céleste vous pardonnera aussi. ¹⁵Mais si vous ne pardonnez pas aux hommes, votre Père ne vous pardonnera pas non plus vos offenses.

¹⁶"Lorsque vous jeûnez, ne vous donnez pas un air sombre comme les hypocrites, qui prennent une mine décomposée pour faire paraître aux hommes qu'ils jeûnent. Vraiment, je vous le dis, ils ont leur récompense. ¹⁷Mais toi, lorsque tu jeûnes, parfume-toi la tête, et lave-toi le visage, ¹⁸afin de ne pas faire paraître aux hommes

---

11. Autre traduction: Donne-nous le pain nécessaire à notre subsistance.

12. Littéralement: Remets-nous nos dettes, la dette terrible du péché.

13. Délivre-nous du Mal; ou: du Mauvais, c'est-à-dire du démon.

que tu jeûnes, mais à ton Père qui est là dans le secret: et ton Père, qui voit dans le secret, te le rendra.

Détachement des biens terrestres. - [19]"Ne vous amassez pas de trésors sur la terre, où mites et vers les rongent, où les voleurs percent les murs et dérobent. [20]Mais amassez-vous des trésors dans le ciel, où ni mites ni vers ne rongent, et où les voleurs ne percent pas les murs ni ne dérobent. [21]Car où est ton trésor, là aussi sera ton coeur.

[22]"La lampe du corps, c'est l'oeil; si ton oeil est sain, tout ton corps sera dans la lumière. [23]Mais si ton oeil est malade, tout ton corps sera dans les ténèbres: si donc la lumière qui est en toi est ténèbres, que ne seront pas les ténèbres! *

[24]"Nul ne peut servir deux maîtres; en effet il haïra l'un et aimera l'autre, ou il s'attachera à l'un et méprisera l'autre. Vous ne pouvez servir Dieu et l'argent.* [25]C'est pourquoi je vous dis: Ne vous inquiétez pas pour votre vie de ce que vous mangerez ou boirez, ni pour votre corps de quoi vous le vêtirez: la vie n'est-elle pas plus que la nourriture, et le corps plus que le vêtement? [26]Regardez les oiseaux du ciel: ils ne sèment ni ne moissonnent, ils n'amassent rien dans des greniers, mais votre Père céleste les nourrit: ne

22-23. L'oeil sain est l'intention droite; l'oeil malade est l'intention déréglée, l'attachement excessif aux richesses.

24. Impossible de servir Dieu si on est esclave de l'argent. L'inquiétude excessive est une offense à Dieu.

valez-vous pas beaucoup plus qu'eux? [27] Qui
d'entre vous pourrait, à force de soucis, ajouter à
la longueur de sa vie une seule coudée? [28] Pourquoi aussi vous inquiétez-vous pour le vêtement?
Regardez les lis des champs, comment ils croissent; ils ne travaillent ni ne filent; [29] cependant je
vous déclare que Salomon dans toute sa gloire
n'a jamais été vêtu comme eux. [30] Si donc Dieu
revêt ainsi l'herbe des champs, qui est aujour-
d'hui et qui sera demain jetée au feu, ne le fera-
t-il pas bien plus pour vous, hommes de peu de
foi! [31] Ne vous inquiétez donc pas, en disant:
Que mangerons-nous, ou que boirons-nous, ou de
quoi nous vêtirons-nous? [32] Ce sont les païens
qui recherchent toutes ces choses; or votre Père
céleste sait que vous avez besoin de tout cela.

[33] "Cherchez donc premièrement son Royaume et sa justice, et tout cela vous sera donné par
surcroît. [34] Ne vous inquiétez donc pas du lendemain. Le lendemain s'inquiétera pour lui-même: à
chaque jour suffit sa peine.

7 **Charité: ne pas juger les autres.** – [1] "Ne jugez
pas, afin de n'être pas jugés. [2] Car selon que
vous aurez jugé, on vous jugera, et selon la mesure dont vous aurez mesuré, on vous mesurera.*

[3] "Pourquoi regardes-tu la paille qui est dans
l'oeil de ton frère, et ne remarques-tu pas la pou-

---

7. – 1-2. On peut être contraint de condamner les
actes extérieurs; on n'a jamais le droit de juger les intentions, connues de Dieu seul.

tre qui est dans ton oeil? [4]Ou comment vas-tu dire à ton frère: "Laisse-moi ôter la paille de ton oeil", et voici que dans le tien il y a une poutre! [5]Hypocrite, ôte d'abord la poutre de ton oeil, et alors tu y verras pour ôter la paille de l'oeil de ton frère.

Discrétion: ne pas profaner les choses sacrées - [6]"Ne donnez pas les choses sacrées aux chiens, ne jetez pas vos perles devant les pourceaux, de peur qu'ils ne les piétinent et ne se retournent pour vous déchirer.*

La prière instante. - [7]"Demandez, et l'on vous donnera; cherchez, et vous trouverez; frappez, et l'on vous ouvrira. [8]Car quiconque demande reçoit; qui cherche trouve, et à qui frappe on ouvrira. [9]Qui d'entre vous, si son fils lui demande du pain, lui donnera une pierre? [10]Ou, s'il lui demande un poisson, lui donnera-t-il un serpent? [11]Si donc, méchants comme vous êtes, vous savez donner de bonnes choses à vos enfants, combien plus votre Père qui est dans les cieux, en donnera-t-il à ceux qui les lui demandent!

Règle d'or de la charité. - [12]"Ainsi donc, tout ce que vous voulez que les hommes fassent pour vous, faites-le aussi pour eux; c'est là en effet la Loi et les Prophètes.

---

6. Ne pas proposer indiscrètement et sans préparation le message évangélique; il risquerait d'être rejeté, comme les perles par les pourceaux.

Discernement des esprits. - [13]"Entrez par la porte étroite: large en effet est la porte et spacieux le chemin qui conduit à la perdition, et il y en a beaucoup qui y passent. [14]Mais étroite est la porte et resserré le chemin qui conduit à la vie, et il y en a peu qui la trouvent!

[15]"Gardez-vous des faux prophètes, qui viennent à vous vêtus en brebis, mais qui au-dedans sont des loups rapaces. [16]Vous les reconnaîtrez à leurs fruits; cueille-t-on des raisins sur des épines ou des figues sur des chardons? [17]Ainsi tout arbre bon produit de bons fruits, et le mauvais arbre produit de mauvais fruits. [18]Un bon arbre ne peut porter de mauvais fruits ni un mauvais arbre porter de bons fruits. [19]Tout arbre qui ne produit pas de bon fruit sera coupé et jeté au feu. [20]Vous les reconnaîtrez donc à leurs fruits.

[21]"Ce ne sont pas tous ceux qui me disent: "Seigneur, Seigneur", qui entreront dans le Royaume des cieux, mais celui qui fait la volonté de mon Père qui est dans les cieux. [22]Beaucoup me diront en ce jour-là:* "Seigneur, Seigneur, n'est-ce pas en ton nom que nous avons prophétisé, en ton nom que nous avons chassé les démons, en ton nom que nous avons fait beaucoup de miracles?"

[23]Alors je leur dirai ouvertement: "Je ne vous ai jamais connus; écartez-vous de moi, ouvriers d'iniquité."

---

22. Au jour du jugement.

Conclusion du discours. La maison bâtie sur le roc et la maison bâtie sur le sable. - [24]"Ainsi quiconque entend ces paroles que je viens de dire et les met en pratique est semblable à un homme avisé qui a bâti sa maison sur le roc; [25]la pluie est tombée, les torrents sont venus, les vents ont soufflé et se sont déchaînés contre cette maison, et elle ne s'est pas écroulée, parce qu'elle était fondée sur le roc. [26]Mais quiconque entend ces paroles que je viens de dire et ne les met pas en pratique, est semblable à un homme insensé, qui a bâti sa maison sur le sable: [27]la pluie est tombée, les torrents sont venus, les vents ont soufflé et sont venus battre cette maison: elle s'est écroulée et sa ruine a été grande."

[28]Jésus acheva ainsi son discours. La foule était en admiration devant son enseignement, [29]car il les enseignait comme ayant autorité, et non comme leurs scribes.*

IV – MIRACLES ET PRÉDICATION DE L'ÉVANGILE AUX ENVIRONS DE CAPHARNAÜM

8 * **Guérison d'un lépreux.** - [1]Jésus étant descendu de la montagne, des foules nombreuses le suivirent; [2]et voici qu'un lépreux s'appro-

---

29. Jésus enseigne en son propre nom et revendique une autorité souveraine; les scribes ne faisaient guère que répéter la casuistique formulée par les rabbins célèbres.

chant se prosterna devant lui en disant: "Seigneur, si tu veux, tu peux me guérir." [3] Jésus, étendant la main, le toucha et lui dit: "Je le veux, sois guéri"; à l'instant sa lèpre fut guérie. [4] "Garde-toi, lui dit Jésus, d'en parler à personne; mais va te montrer au prêtre et offre le don prescrit par Moïse, pour leur servir d'attestation."*

Guérison du serviteur du centurion. - [5] Comme Jésus était entré à Capharnaüm, un centurion l'aborda et lui fit cette prière: [6] "Seigneur, mon serviteur est couché dans ma maison frappé de paralysie et il souffre atrocement." [7] Jésus lui dit: "Je vais aller le guérir." [8] Mais le centurion lui répondit: "Seigneur, je ne suis pas digne que tu entres sous mon toit, mais dis seulement un mot et mon serviteur sera guéri. [9] Car moi qui ne suis qu'un subalterne, j'ai des soldats sous mes ordres. Je dis à l'un: Va, et il va; à l'autre: Viens, et il vient; à mon serviteur: Fais cela, et il le fait." [10] Entendant cela, Jésus fut dans l'admiration et dit à ceux qui le suivaient: "Vraiment, je vous le dis,

---

8.-9. — Matthieu groupe dans ces chapitres une série de sept miracles, choisis à dessein. Les miracles du Christ ne sont pas seulement la manifestation de sa puissance et la preuve de sa divinité; ils mettent en lumière les principaux aspects de l'oeuvre rédemptrice: l'empire du démon recule, les péchés sont pardonnés, la maladie et la mort, conséquences du péché, sont maîtrisées, l'infinie charité du Sauveur se répand sur les hommes et fortifie leur foi. Cependant Jésus défend aux miraculés de publier leur guérison; toute ostentation lui répugne.

4. Le lépreux devait faire constater sa guérison par les prêtres: Lev *14*,1-32.

je n'ai trouvé une pareille foi chez personne en Israël. [11] Aussi, je vous le déclare: beaucoup viendront d'orient et d'occident prendre place au festin dans le Royaume des cieux avec Abraham, Isaac et Jacob, [12] tandis que les fils du Royaume seront jetés dans les ténèbres extérieures.* C'est là qu'il y aura pleurs et grincements de dents." [13] Alors Jésus dit au centurion: "Va, et qu'il te soit fait comme tu as cru." Son serviteur fut guéri à l'heure même.

Guérison de la belle-mère de Pierre; autres guérisons. - [14] Jésus étant venu en la maison de Pierre vit sa belle-mère qui était au lit avec la fièvre; [15] il lui prit la main et la fièvre la quitta; se levant, elle se mit à le servir.

[16] Le soir venu, on lui amena beaucoup de possédés. Il en chassa d'un mot les esprits et guérit tous les malades; [17] afin que cette parole du prophète Isaïe fut accomplie: *Il a pris nos infirmités et il s'est chargé de nos maladies.*

Exigences du ministère apostolique. - [18] Or, Jésus, se voyant entouré d'une grande foule de peuple, ordonna de passer à l'autre bord du lac. [19] Alors un scribe s'approcha et lui dit: "Maître, je te suivrai où que tu ailles." [20] Et Jésus lui ré-

---

12. Les fils du Royaume sont les Juifs; ils sont les premiers appelés à y entrer, mais l'incrédulité de la plupart d'entre eux les en exclura.

20. Le titre de Fils de l'homme par lequel le Sauveur se désigne fréquemment signifie littéralement, avec un peu d'emphase et de solennité: l'homme que je suis.

pondit: "Les renards ont des tanières et les oiseaux du ciel ont des nids; mais le Fils de l'homme n'a pas où reposer la tête."*

²¹Un autre disciple lui dit: "Seigneur, permets-moi d'abord d'aller enterrer mon père." ²²Mais Jésus lui dit: "Suis-moi, et laisse les morts enterrer leurs morts."*

La tempête apaisée. - ²³Il monta ensuite dans la barque, accompagné de ses disciples. ²⁴Il s'éleva alors sur la mer une si grande tempête que la barque était couverte de vagues; lui cependant dormait. ²⁵Ses disciples, s'étant approchés, l'éveillèrent, en disant: "Seigneur, au secours, nous sommes perdus! " ²⁶Jésus leur répondit: "Pourquoi avez-vous peur, hommes de peu de foi? "

Ce n'était pas un titre messianique courant (cf. Jean 12,34). Jésus l'emploie pour attirer doucement l'attention, sans prendre ouvertement les noms de Messie et de Fils de Dieu qui auraient excité chez les Juifs des espérances irréalisables. Il insiste ainsi sur l'humilité de sa nature humaine, sujette à la souffrance et à la mort. Toutefois le nom de Fils de l'homme se prête en même temps à l'affirmation de la transcendance et de la préexistence du Messie, mis en scène par Daniel (7,13-14). Devant Caïphe (Mat 26,63-66), le Sauveur, sommé de rendre témoignage à la vérité, rattachera explicitement le Fils de l'homme à la vision de Daniel, indiquant clairement sa signification messianique, et affirmera en outre son égalité avec Dieu en rapprochant cette vision du Ps 110. Il manifestera alors pleinement la portée de ce titre mystérieux.

22. On doit être prêt à tout sacrifier pour suivre le Christ; qu'on laisse ceux qui restent dans le monde, morts spirituellement, enterrer ceux qui sont morts corporellement.

Alors, se levant, il menaça les vents et la mer et il se fit un grand calme. [27] Ils furent saisis d'étonnement et ils disaient: "Qui est-ce donc, que même les vents et la mer lui obéissent?"

Les possédés et les pourceaux. - [28] Jésus étant arrivé à l'autre bord, au pays des Gadaréniens, deux possédés, si furieux que personne n'osait passer par ce chemin-là, sortirent des sépulcres et vinrent au-devant de lui. [29] Ils se mirent à crier en lui disant: "Que nous veux-tu, Fils de Dieu? Es-tu venu ici pour nous tourmenter avant le temps?"* [30] Or, il y avait à quelque distance un grand troupeau de porcs qui paissaient. [31] Les démons firent cette prière à Jésus: "Si tu nous chasses, envoie-nous dans ce troupeau de porcs." Il leur répondit: [32] "Allez!" Et, s'en allant, ils entrèrent dans les pourceaux. Mais voici que tout le troupeau se précipite du haut de la falaise dans la mer, et va périr dans les eaux. [33] Alors ceux qui les gardaient s'enfuirent. Arrivés dans la ville, ils racontèrent toute l'affaire et la guérison des possédés. [34] Toute la ville se porta au-devant de Jésus et, dès qu'ils le virent, ils le supplièrent de quitter leur territoire.

9 **Premiers conflits avec les pharisiens. Guérison du paralytique de Capharnaüm.** - [1] Jésus, étant monté dans une barque, repassa le lac et vint dans sa ville. [2] Et voici qu'on lui présenta un paralytique couché sur un lit. Jésus, voyant leur

---

29. Avant le jour du Jugement final.

foi, dit au paralytique: "Mon fils, aie confiance; tes péchés te sont remis." ³Aussitôt quelques-uns des scribes se dirent en eux-mêmes: "Cet homme blasphème." ⁴Mais Jésus, connaissant leurs pensées, leur dit: "Pourquoi ces méchantes pensées dans vos coeurs? ⁵Quel est le plus facile de dire: Tes péchés te sont remis? ou de dire: Lève-toi et marche? ⁶Or, afin que vous sachiez que le Fils de l'homme a sur la terre le pouvoir de remettre les péchés: Lève-toi, dit-il au paralytique, emporte ton lit et va dans ta maison." ⁷Et, se levant, il alla dans sa maison. ⁸A cette vue, les foules furent saisies de crainte et rendirent gloire à Dieu d'avoir donné un tel pouvoir aux hommes.

Appel de Matthieu. - ⁹Jésus, sortant de là, vit un homme assis au bureau de la douane; il s'appelait Matthieu. Jésus lui dit: "Suis-moi." Il se leva et le suivit. ¹⁰Comme Jésus était à table dans la maison, voici que beaucoup de publicains et de pécheurs se mirent à table avec Jésus et ses disciples. ¹¹Ce voyant, les pharisiens disaient à ses disciples: "Pourquoi votre maître mange-t-il avec les publicains et les pécheurs?" ¹²Mais lui qui avait entendu répliqua: "Ce ne sont pas ceux qui se portent bien, mais les malades, qui ont besoin de médecin. ¹³Allez donc apprendre ce que veut dire cette parole: *C'est la miséricorde que je veux et non le sacrifice.* Car je ne suis pas venu appeler les justes, mais les pécheurs."

Discussion sur le jeûne. - ¹⁴Alors les disciples de Jean l'abordent et lui disent: "Pourquoi, tandis que nous et les pharisiens nous jeûnons, tes disciples ne jeûnent-ils pas? " [15] Jésus leur répondit: "Les compagnons de l'époux peuvent-ils être dans le deuil pendant que l'époux est avec eux? Mais viendront des jours où l'époux leur sera enlevé, alors ils jeûneront.*

[16] Personne ne met une pièce d'étoffe neuve à un vieux vêtement, car le morceau rapporté tire sur le vêtement et la déchirure devient pire. [17] On ne met pas non plus de vin nouveau dans de vieilles outres, car les outres éclatent, le vin se répand, et les outres sont perdues: mais on met le vin nouveau dans des outres neuves, et ainsi le tout se conserve."

Guérison de l'hémorroïsse et résurrection de la fille de Jaïre. - [18] Comme il parlait ainsi, un chef de synagogue, s'approchant, se prosterna devant lui en disant: "Ma fille vient de mourir, mais viens lui imposer la main, et elle vivra." [19] Jésus, se levant, le suivit avec ses disciples.

[20] Or, voici qu'une femme, qui depuis douze ans était affligée d'une perte de sang, s'approcha par derrière et toucha la frange de son manteau; [21] car elle se disait en elle-même: "Si je puis seulement toucher son manteau, je serai guérie." [22] Jésus, se retournant alors, la vit et lui dit: "Ma fille, aie confiance, ta foi t'a guérie." Cette femme fut guérie à l'heure même.

[23] Lorsque Jésus fut arrivé à la maison du chef, voyant les joueurs de flûte et la foule qui

---

15. Première allusion à la Passion.

faisait grand bruit: [24]"Retirez-vous, dit-il, car la fillette n'est pas morte: elle dort." Mais ils se moquaient de lui. [25]Après qu'on eut mis la foule dehors, il entra et prit la main de la fillette qui se leva. [26]Et le bruit s'en répandit dans tout le pays.

Guérison de deux aveugles. — [27]Comme Jésus s'éloignait de là, deux aveugles le suivirent en criant: "Aie pitié de nous, Fils de David!" [28]Lorsqu'il fut entré dans la maison, les aveugles s'approchèrent de lui. Jésus leur dit: "Croyez-vous que je puisse faire cela?" Ils lui répondirent: "Oui, Seigneur." [29]Alors il toucha leurs yeux en disant: "Qu'il vous soit fait selon votre foi." [30]Et leurs yeux s'ouvrirent. Jésus ajouta d'un ton sévère: "Prenez garde que personne ne le sache." [31]Mais eux, s'en étant allés, le firent connaître dans toute la région.

Guérison d'un muet possédé. — [32]Tandis qu'ils sortaient on lui présenta un homme muet possédé du démon. [33]Le démon ayant été chassé, le muet parla, et la foule émerveillée disait: "On n'a jamais rien vu de semblable en Israël." [34]Mais les pharisiens disaient: "C'est par le prince des démons qu'il chasse les démons."

Conclusion et transition: compassion de Jésus pour les foules. — [35]Or, Jésus parcourait toutes les villes et les villages, enseignant dans les synagogues, proclamant la Bonne Nouvelle du Royaume, guérissant toute maladie et toute infirmité.

[36] A la vue des foules, il fut ému de compassion, parce qu'elles étaient harassées et abattues comme des brebis qui n'ont pas de berger.

[37] Alors il dit à ses disciples: "La moisson est abondante, mais les ouvriers sont peu nombreux. [38] Priez donc le Maître de la moisson d'envoyer des ouvriers à sa moisson."

V – ÉLECTION
DES DOUZE APÔTRES
INSTRUCTIONS QUE LEUR
DONNE LE SAUVEUR

10 **Élection des Douze.** - [1] Ayant appelé ses douze disciples, il leur donna pouvoir sur les esprits impurs pour les chasser et pour guérir toute maladie et toute infirmité. [2] Voici le nom des douze apôtres: le premier, Simon, appelé Pierre, et André son frère; Jacques, fils de Zébédée et Jean son frère; [3] Philippe et Barthélemy;* Thomas et Matthieu le publicain; Jacques, fils d'Alphée et Thaddée; [4] Simon le Cananéen, et Judas l'Iscariote, qui le trahit.

Instructions pour le présent. - [5] Ces douze, Jésus les envoya munis des instructions suivantes: "N'allez pas vers les païens et n'entrez pas dans les villes des Samaritains: [6] allez plutôt aux brebis perdues de la maison d'Israël. [7] Sur votre chemin, prêchez, en disant que le Royaume des cieux est

---

10. – 3. Barthélemy doit probablement être identifié à Nathanaël, et Thaddée à Jude.

tout proche. [8]Guérissez les malades, ressuscitez les morts, purifiez les lépreux, chassez les démons; vous avez reçu gratuitement, donnez gratuitement. [9]Ne vous procurez ni or, ni argent, ni aucune monnaie dans vos ceintures, [10]ni sac pour la route, ni deux tuniques, ni chaussures, ni bâton: l'ouvrier mérite sa nourriture. [11]En quelque ville ou village que vous entriez, cherchez quelqu'un d'honorable et demeurez chez lui jusqu'à votre départ. [12]Entrant dans la maison, saluez-la en disant: "Paix à cette maison." [13]Si cette maison en est digne, que votre paix vienne sur elle; et si elle n'en est pas digne, que votre paix revienne à vous. [14]Si quelqu'un refuse de vous recevoir et d'écouter vos paroles, sortez de cette maison ou de cette ville, en secouant la poussière de vos pieds. [15]Vraiment, je vous le dis: au jour du jugement le pays de Sodome et de Gomorrhe sera traité moins rigoureusement que cette ville.

Instructions pour l'avenir: contradictions et persécutions à prévoir. - [16]"Voyez, je vous envoie comme des brebis au milieu des loups: soyez donc rusés comme les serpents et candides comme les colombes.* [17]Tenez-vous en garde contre les hommes: car ils vous livreront aux tribunaux et vous flagelleront dans leurs synagogues. [18]Vous serez emmenés à cause de moi devant des gouverneurs et des rois, pour rendre témoi-

---

16. Joindre une prudence clairvoyante à la simplicité confiante.

gnage devant eux et devant les païens. [19]Lorsqu'on vous livrera, ne vous mettez pas en peine de la manière dont vous parlerez, ni de ce que vous direz. [20]Car ce que vous devrez dire vous sera donné à l'heure même: ce n'est pas vous qui parlerez, l'Esprit de votre Père parlera en vous. [21]Or, le frère livrera son frère à la mort, le père son enfant; les enfants se dresseront contre leurs parents et les feront mourir.* [22]Vous serez haïs de tous à cause de mon Nom; mais celui qui aura tenu jusqu'au bout, celui-là sera sauvé. [23]Lorsqu'on vous persécutera dans une ville, fuyez dans une autre. Vraiment, je vous le dis: vous n'en aurez pas fini avec les villes d'Israël que le Fils de l'homme sera venu.*

[24]"Le disciple n'est pas au-dessus du maître, ni le serviteur au-dessus de son seigneur. [25]C'est assez au disciple d'être traité comme son maître, et au serviteur d'être traité comme son seigneur; s'ils ont appelé le maître de maison Béelzéboul, combien plus ceux de sa maison! [26]Ne les craignez donc pas. Il n'y a rien de voilé qui ne doive être révélé, ni rien de secret qui ne doive être connu. [27]Ce que je vous dis dans les ténèbres, dites-le au grand jour; ce que vous entendez à l'oreille, proclamez-le sur les toits. [28]Ne craignez rien de ceux qui tuent le corps et ne peuvent tuer l'âme; mais craignez plutôt Celui qui peut

21.34-37. L'attitude des hommes à l'égard du Christ les partage en deux camps. C'est en ce sens que Jésus, bien malgré lui, apporte le glaive.

23. Allusion probable à la ruine de Jérusalem.

faire périr et l'âme et le corps dans la géhenne.
[29] Deux moineaux ne se vendent-ils pas un as?
Pourtant il n'en tombe pas un à terre sans la per-
mission de votre Père. [30] Pour vous, les cheveux
mêmes de votre tête sont tous comptés. [31] Ne
craignez donc pas: vous valez mieux, vous autres,
qu'une multitude de moineaux.

[32] "C'est pourquoi, quiconque se déclarera ouvertement pour moi devant les hommes, je me
déclarerai ouvertement à mon tour pour lui
devant mon Père qui est dans les cieux; [33] et quiconque m'aura renié devant les hommes, je le renierai aussi moi-même devant mon Père qui est
dans les cieux. [34] Ne pensez pas que je sois venu
apporter la paix sur la terre; je ne suis pas venu
apporter la paix, mais le glaive. [35] Je suis venu
séparer *l'homme d'avec son père, la fille d'avec sa
mère, et la belle-fille d'avec sa belle-mère;*
[36] *l'homme aura pour ennemis ceux de sa propre
maison.* [37] Celui qui aime son père ou sa mère
plus que moi n'est pas digne de moi; celui qui
aime son fils ou sa fille plus que moi n'est pas
digne de moi. [38] Celui qui ne prend pas sa croix
et ne me suit pas n'est pas digne de moi. [39] Celui
qui cherche à conserver sa vie la perdra, mais
celui qui perdra sa vie à cause de moi la retrouvera.*

[40] "Celui qui vous reçoit me reçoit, et celui

37-39. Autorité souveraine du Christ et nécessité de
l'ascèse chrétienne qui subordonne tout à la vie véritable. Cf. *16*,24-27.

qui me reçoit reçoit celui qui m'a envoyé. [41]Celui qui reçoit un prophète en qualité de prophète recevra une récompense de prophète; et celui qui reçoit un juste en qualité de juste recevra une récompense de juste. [42]Quiconque donnera à boire seulement un verre d'eau fraîche à l'un de ces petits, parce qu'il est mon disciple, vraiment je vous le dis, il ne perdra pas sa récompense."

VI – OPPOSITIONS
ET CONTRADICTIONS

11 **Message de Jean-Baptiste**. - [1]Jésus, ayant achevé de donner ces instructions à ses douze disciples, partit de là pour enseigner et prêcher dans leurs villes.
[2]Or, Jean, ayant appris dans sa prison les oeuvres du Christ, lui envoya demander par ses disciples: [3]"Es-tu celui qui doit venir, ou devons-nous en attendre un autre?" [4]Jésus leur répondit: "Allez rapporter à Jean ce que vous entendez et voyez. [5]*Les aveugles voient, les boiteux marchent*, les lépreux sont guéris; *les sourds entendent*, les morts ressuscitent, *la Bonne Nouvelle est annoncée aux pauvres.** [6]Heureux celui pour qui je ne serai pas une occasion de chute!"
[7]Comme ils s'en allaient, Jésus commença à parler de Jean aux foules: "Qu'êtes-vous allés voir au désert? Un roseau agité par le vent?

---

11. – 5. Comparer Is *35*,5 et *61*,1.

[8]Qu'êtes-vous donc allés voir? Un homme vêtu délicatement? Mais ceux qui sont vêtus de cette sorte habitent les demeures des rois. [9]Qu'êtes-vous donc allés voir? Un prophète? Oui, je vous le dis, et plus qu'un prophète. [10]C'est de lui qu'il est écrit: *Voici que j'envoie devant toi mon messager, qui préparera le chemin devant toi.** [11]Vraiment, je vous le dis: parmi ceux qui sont nés des femmes, il ne s'en est pas levé de plus grand que Jean-Baptiste; cependant le plus petit dans le Royaume des cieux est plus grand que lui. [12]Depuis les jours de Jean-Baptiste jusqu'à présent, le Royaume des cieux se prend par violence, et les violents s'en emparent.* [13]Tous les prophètes et la Loi ont en effet annoncé l'avenir jusqu'à Jean; [14]si vous voulez comprendre, lui-même est Élie qui doit venir.* [15]Que celui qui a des oreilles entende! ”

Jugement de Jésus sur sa génération. - [16]“A qui comparerai-je cette génération? Elle est semblable à des gamins assis sur les places et qui crient aux autres: [17]“Nous avons joué de la flûte et vous n'avez pas dansé; nous avons chanté une lamentation, et vous ne vous êtes pas frappé la poitrine.” [18]Jean est venu, en effet, sans manger

---

10-11. Mal *3*,1. Jean-Baptiste, plus grand que tous les prophètes, est cependant inférieur en dignité au plus petit dans le Royaume des cieux, qui appartient à la Nouvelle Alliance.

12. Énergie nécessaire pour prendre d'assaut le Royaume des cieux.

14. Cf. *17*,10-13.

ni boire, et on dit: "Il est possédé du démon."
[19] Le Fils de l'homme est venu qui mange et
boit, et on dit: "Voilà un glouton et un ivrogne,
un ami des publicains et des pécheurs." Mais la
Sagesse a été reconnue juste à ses oeuvres."

Reproches aux villes du bord du lac. - [20] Alors
il commença à reprocher aux villes où il avait
opéré le plus de miracles de n'avoir pas fait pénitence. [21] "Malheur à toi, Chorazin! Malheur à
toi, Bethsaïde! Si les miracles qui ont été accomplis chez vous l'avaient été dans Tyr et Sidon, il y a longtemps qu'elles auraient fait pénitence sous le sac et la cendre! [22] C'est pourquoi,
je vous le déclare, au jour du jugement il y aura
moins de rigueur pour Tyr et Sidon que. pour
vous. [23] Et toi, Capharnaüm, tu penses être élevée jusqu'au ciel? Tu seras précipitée jusqu'aux
enfers! * Car si les miracles accomplis chez toi
l'avaient été dans Sodome, elle serait encore là
aujourd'hui. [24] C'est pourquoi, je te le déclare, au
jour du jugement il y aura moins de rigueur pour
le pays de Sodome que pour toi."

**Connaissance mutuelle du Père et du Fils.
Appel du Christ aux humbles et à ceux qui souffrent.** - [25] En ce temps-là, Jésus prit la parole et
dit: "Je te bénis, Père, Seigneur du ciel et de la
terre, d'avoir caché ces choses aux sages et aux

---

23. Jusqu'aux enfers, c'est-à-dire jusqu'à une ruine
complète.

habiles et de les avoir révélées aux petits. [26]Oui, Père, je te loue de ce que tu l'as voulu ainsi. [27]Tout m'a été remis par mon Père, et nul ne connaît le Fils sinon le Père; comme nul ne connaît le Père sinon le Fils et celui à qui le Fils veut bien le révéler.*

[28]Venez à moi vous tous qui êtes peinés et accablés; je vous soulagerai.* [29]Prenez mon joug sur vous, et recevez mes leçons,* car je suis doux et humble de cœur, et vous trouverez le soulagement pour vos âmes; [30]oui, mon joug est aisé et mon fardeau léger."

12 Les épis arrachés et l'observation du sabbat.

- [1]En ce temps-là Jésus vint à passer, un jour de sabbat, à travers les moissons; ses disciples, ayant faim, se mirent à arracher des épis et à les manger. [2]Les Pharisiens voyant cela lui dirent: "Voilà tes disciples qui font ce qu'il n'est pas permis de faire le jour du sabbat." [3]Mais il leur dit: "N'avez-vous pas lu ce que fit David,

26-27. Passage capital sur l'humilité nécessaire à la foi et sur l'égalité du Père et du Fils. Le style fait songer au quatrième évangile.

28-30. Jésus soulage toutes les misères et aide à les supporter. En ce sens les sacrifices qu'il exige sont légers.

29. Recevez mes leçons: c'est-à-dire: devenez mes disciples. La traduction courante: Apprenez de moi que je suis doux et humble de cœur, ne paraît pas exacte.

12. – 3-5. Cf. 1 Sam *21*,1-7; Lev *24*,7-9. 18-21. Citation d'Is *42*,1-4, annonçant la condescendance miséricordieuse du Messie et son aversion pour toute ostentation.

lorsqu'il eut faim, lui et ses compagnons, [4] comment il entra dans la maison de Dieu et comment ils mangèrent les pains de présentation, qu'il ne lui était pas permis de manger, ni à lui ni à ses compagnons, mais aux prêtres seuls? * [5] Ou n'avez-vous pas lu dans la Loi que les prêtres, aux jours de sabbat, violent le sabbat dans le Temple, et ne sont pourtant pas coupables? [6] Or je vous déclare qu'il y a ici plus grand que le Temple. [7] Si vous aviez compris cette parole: *C'est la miséricorde que je veux et non le sacrifice*, vous n'auriez pas condamné des innocents. [8] Car le Fils de l'homme est maître du sabbat."

L'homme à la main desséchée. - [9] Parti de là, il vint à leur synagogue. [10] Justement un homme était là, ayant une main desséchée, et ils lui demandèrent: "Est-il permis de guérir le jour du sabbat?" C'était pour l'accuser. [11] Mais il leur dit: "Qui d'entre vous, s'il n'a qu'une brebis, et qu'elle tombe dans un trou le jour du sabbat, n'ira la prendre et l'en retirer? [12] Or, combien l'homme vaut-il plus que la brebis! Il est donc permis de faire une bonne action le jour du sabbat." [13] Alors il dit à cet homme: "Étends la main." Il l'étendit et elle fut remise en état, saine comme l'autre.

Les pharisiens cherchent à perdre le Sauveur; sa modestie prédite par Isaïe (42,1-4). - [14] Les pharisiens, étant sortis, tinrent conseil contre lui sur les moyens de le perdre. [15] Jésus, l'ayant su, se retira de ce lieu. Beaucoup le suivirent et il les guérit tous. [16]Mais il leur défendit sévèrement de le faire connaître, [17]afin que la parole du prophète Isaïe fût accomplie: [18]*Voici mon serviteur, que j'ai choisi, mon bien-aimé, en qui j'ai mis toute mon affection; je ferai reposer sur lui mon Esprit, et il annoncera le jugement aux nations. [19]Il ne disputera point, il ne criera point, et on n'entendra pas sa voix sur les places. [20]Il ne brisera point le roseau froissé, et il n'éteindra point la mèche qui fume encore, jusqu'à ce qu'il ait fait triompher le jugement. [21]En son nom les nations mettront leur espérance.**

Jésus accusé de chasser les démons par Béelzéboul. - [22]Alors on lui présenta un possédé aveugle et muet; il le guérit, et le muet de parler et de voir. [23]Toutes les foules stupéfaites disaient: "N'est-ce pas là le Fils de David?" [24]Mais les pharisiens, entendant cela, dirent: "Il ne chasse les démons que par Béelzéboul, prince des démons." [25]Or, Jésus, connaissant leurs pensées, leur dit: "Tout royaume divisé contre lui-même sera ruiné, et toute ville ou maison divisée contre elle-même ne pourra subsister. [26]Si Satan chasse Satan, c'est qu'il est divisé contre lui-même: comment donc son royaume subsistera-t-il? [27]Et si c'est par Béelzéboul que je chasse les démons, par qui vos fils les chassent-ils? C'est pourquoi ils seront eux-mêmes vos juges. [28]Mais si c'est par l'Esprit de Dieu que je chasse les démons, le Royaume de Dieu est arrivé pour vous. [29]Comment quelqu'un peut-il entrer dans la maison d'un homme fort et piller ses biens, si auparavant il n'a ligoté cet homme fort? Alors seulement il mettra sa maison au pillage. ³⁰Qui n'est pas avec moi est contre moi; qui n'amasse pas avec moi dissipe.

Blasphème contre le Saint-Esprit. - ³¹"C'est pourquoi, je vous le déclare, tout péché et tout blasphème sera remis aux hommes; mais le blasphème contre l'Esprit ne leur sera pas remis. ³²Quiconque aura parlé contre le Fils de l'homme, cela lui sera remis; mais si quelqu'un a parlé contre le Saint-Esprit, cela ne lui sera remis ni en ce monde ni dans le monde à venir.*

Les paroles reflètent les dispositions du coeur. - ³³"Ou bien supposez l'arbre bon et son fruit sera bon; ou bien supposez l'arbre mauvais et son fruit sera mauvais, car c'est au fruit qu'on reconnaît l'arbre. ³⁴Race de vipères, comment pouvez-vous dire de bonnes paroles, vous qui êtes mauvais? Car c'est du trop-plein du coeur que la bouche parle. ³⁵L'homme bon tire de bonnes choses de son bon trésor, et l'homme mauvais en tire de mauvaises de son mauvais trésor. ³⁶Or, je

---

31-32. Le péché contre le Saint-Esprit consiste à attribuer au démon les exorcismes du Christ, et peut-être aussi ses miracles qui ne pouvaient être opérés que par la puissance divine. Ce péché est de soi irrémissible, à moins d'une extraordinaire miséricorde de Dieu, car il suppose que le pécheur a perdu la foi. Le péché contre le Fils de l'homme, méconnaissance de la mission divine de Jésus, n'a pas la même gravité, sa dignité étant voilée par l'humilité de son comportement terrestre.

vous le déclare, de toute parole qu'on aura dite, il faudra rendre compte au jour du jugement. [37] Car d'après tes paroles tu seras reconnu juste, et d'après tes paroles tu seras condamné."

Le signe de Jonas; mise en garde contre les retours offensifs du démon. - [38] Alors quelques-uns des scribes et des pharisiens lui dirent: "Maître, nous voudrions voir un signe de toi."* [39] Mais il leur répondit: "Cette génération méchante et adultère demande un signe et il ne lui en sera pas donné d'autre que celui du prophète Jonas. [40] Car comme Jonas fut trois jours et trois nuits dans le ventre du poisson, ainsi le Fils de l'homme sera dans le sein de la terre trois jours et trois nuits. [41] Les Ninivites se lèveront au jour du jugement* avec cette génération et la condamneront, parce qu'ils ont fait pénitence à la prédication de Jonas; or il y a ici plus que Jonas. [42] La reine du Midi se lèvera au jour du jugement avec cette génération, et la condamnera parce qu'elle est venue des extrémités de la terre pour

---

38-40. Les adversaires du Sauveur sollicitent de lui un prodige éclatant. Jésus repousse leur prétention. Le signe qu'il donnera, indiqué ici en termes voilés, sera sa propre résurrection, signe par excellence qui fondera pour toujours la foi de l'Église: Comparer 1 Cor *15*,1-28. Trois jours et trois nuits: expression stéréotypée; dans le langage rabbinique une fraction de jour compte pour un jour entier. Cf. Jon *2*,1.

41. Au lieu de: se lèveront, on peut traduire: ressusciteront. De même au v 42 sur la reine du Midi: cf. 1 Rois *10*,1-10.

écouter la sagesse de Salomon; or il y a ici plus que Salomon. [43] Lorsque l'esprit impur est sorti d'un homme, il va par des lieux arides cherchant du repos, et il n'en trouve pas. [44] Alors il dit: "Je retournerai dans ma maison d'où je suis sorti", et, revenant, il la trouve vide, nettoyée et en ordre. [45] Il va donc prendre avec lui sept autres esprits plus méchants que lui; ils reviennent et s'y installent; et l'état final de cet homme devient pire que le premier. Ainsi en sera-t-il de cette génération mauvaise."

Les véritables parents du Christ. - [46] Comme il parlait encore aux foules, sa mère et ses frères étaient dehors cherchant à lui parler.* [47] Quelqu'un lui dit: "Voilà ta mère et tes frères qui sont dehors, et qui cherchent à te parler." [48] Mais il répondit à celui qui lui disait cela: "Qui est ma mère, et qui sont mes frères?" [49] Puis, étendant sa main vers ses disciples: "Voici, dit-il, ma mère et mes frères. [50] Oui, quiconque fait la volonté de mon Père qui est dans les cieux, celui-là est mon frère et ma soeur et ma mère."

VII – LES PARABOLES DU LAC

13 **Occasion.** - [1] Ce jour-là, Jésus, étant sorti de la maison, s'assit auprès de la mer. [2] Il s'assembla autour de lui des foules nombreuses, au point qu'il monta dans une barque, où il s'assit, tout le peuple se tenant sur le rivage; [3] et il leur

---

46. Cf. *13*,55-56.

dit beaucoup de choses en paraboles, leur parlant ainsi:

Le semeur; but de l'enseignement en paraboles. - "Voici que le semeur sortit pour semer. [4]Pendant qu'il semait, des grains tombèrent au bord du chemin, les oiseaux vinrent et les mangèrent. [5]D'autres tombèrent sur un sol pierreux où ils n'avaient pas beaucoup de terre; ils levèrent aussitôt, car la terre n'avait pas de profondeur. [6]Mais, le soleil s'étant levé, la plante fut brûlée, et comme elle n'avait point de racine, elle sécha. [7]D'autres tombèrent dans les épines, et les épines, croissant, les étouffèrent. [8]D'autres tombèrent dans la bonne terre et produisirent du fruit, l'un cent, un autre soixante, et un autre trente. [9]Que celui qui a des oreilles entende! "

[10]Ses disciples, s'approchant, lui dirent: "Pourquoi leur parles-tu en paraboles? "* [11]Il leur répondit: "A vous il a été donné de connaître les mystères du Royaume des cieux, mais

---

13. – 10-17. La foule, aveuglée par l'attente d'un Messie temporel, s'étant montrée incapable de comprendre sa mission, le Maître recourt à des comparaisons qui piqueront la curiosité sans heurter de front les préjugés et seront pour les âmes droites une invitation à solliciter, comme le firent les apôtres, de nouvelles lumières. La citation d'Is 6,9-10 ne signifie pas que Dieu ait voulu endurcir les Israélites par la prédication du prophète, pas plus que le Sauveur les Juifs par le recours aux paraboles. De part et d'autre l'endurcissement, prévu par Dieu, n'est évidemment pas le but qu'il poursuivait. Il ne parle que pour apporter la lumière, mais il sait que trop souvent les hommes la rejetteront.

à eux cela n'a pas été donné. ¹²Car, à celui qui a, on donnera encore, et il sera dans l'abondance, mais à celui qui n'a pas, on ôtera même ce qu'il a.* ¹³C'est pourquoi je leur parle en paraboles: parce qu'ils voient sans voir et qu'ils entendent sans entendre ni comprendre. ¹⁴Pour eux s'accomplit la prophétie d'Isaïe qui dit: *Vous écouterez de vos oreilles, et vous ne comprendrez pas; vous regarderez de vos yeux, et vous ne verrez pas.* ¹⁵*Car le coeur de ce peuple s'est appesanti; ils ont endurci leurs oreilles et fermé leurs yeux de peur que leurs yeux ne voient, que leurs oreilles n'entendent, que leur coeur ne comprenne, qu'ils ne se convertissent et que je ne les guérisse.* ¹⁶Mais pour vous, heureux vos yeux parce qu'ils voient, heureuses vos oreilles parce qu'elles entendent! ¹⁷Vraiment, je vous le dis: beaucoup de prophètes et de justes ont souhaité voir ce que vous voyez et ne l'ont pas vu, entendre ce que vous entendez et ne l'ont pas entendu.

¹⁸"Écoutez donc, vous autres, ce que signifie la parabole du semeur. ¹⁹Un homme entend-il la parole du Royaume sans la comprendre, le Malin arrive et enlève ce qui avait été semé dans son coeur; c'est là celui qui a reçu la semence au bord du chemin. ²⁰Celui qui reçoit la semence sur un sol pierreux, c'est celui qui écoute la Paro-

---

12. Maxime familière au Sauveur: la lumière est donnée en abondance à celui qui la recherche loyalement. Celui qui la repousse en sera privé et deviendra incapable de la percevoir.

le et la reçoit aussitôt avec joie; [21] mais il n'a pas en soi de racine, il est inconstant; survienne l'épreuve ou la persécution à cause de la Parole, aussitôt il succombe. [22] Celui qui reçoit la semence dans les épines, c'est celui qui entend la Parole; mais ensuite le souci du monde et la séduction des richesses étouffent la Parole, qui reste sans fruit. [23] Celui qui reçoit la semence dans la bonne terre, c'est celui qui entend la Parole et la comprend; il porte du fruit et rend l'un cent, l'autre soixante, l'autre trente."

Le bon grain et l'ivraie. - [24] Il leur proposa une autre parabole, que voici: "Le Royaume des cieux est semblable à un homme qui avait semé du bon grain dans son champ. [25] Mais pendant que les hommes dormaient, son ennemi vint, sema de l'ivraie au milieu du blé, et s'en alla. [26] La tige ayant donc poussé et produit l'épi, alors apparut aussi l'ivraie. [27] Les serviteurs du propriétaire lui dirent: "Seigneur, n'as-tu pas semé du bon grain dans ton champ? D'où vient donc qu'il y a de l'ivraie? " [28] Il leur répondit: "C'est un ennemi qui a fait cela." Les serviteurs lui dirent: "Veux-tu que nous allions la ramasser? " [29] "Non, leur répondit-il, de peur qu'en ramassant l'ivraie, vous ne déraciniez en même temps le blé. [30] Laissez croître l'un et l'autre jusqu'à la moisson, et, au temps de la moisson, je dirai aux moissonneurs: ramassez d'abord l'ivraie, et liez-la en bottes pour la brûler; mais amassez le blé dans mon grenier." "

Le sénevé et le levain. - ³¹Il leur proposa une autre parabole, que voici: "Le Royaume des cieux est semblable à un grain de sénevé qu'un homme a pris et semé dans son champ. ³²C'est la plus petite de toutes les semences, mais, lorsqu'il a poussé, il est la plus grande des plantes potagères et il devient un arbre, de sorte que les oiseaux du ciel viennent s'abriter dans ses branches."*

³³Il leur dit encore une autre parabole: "Le Royaume des cieux est semblable au levain qu'une femme prend et cache dans trois mesures de farine, jusqu'à ce que le tout ait levé."*

³⁴Jésus dit toutes ces choses aux foules en paraboles, et il ne leur parlait pas sans parabole, ³⁵afin que cette parole du prophète fût accomplie: *J'ouvrirai ma bouche pour des paraboles; je révélerai des choses cachées depuis la création du monde.*

Explication de la parabole de l'ivraie. - ³⁶Alors Jésus, ayant renvoyé les foules, vint dans

31-32. Le sénevé: contraste entre les humbles commencements du Royaume et son développement ultérieur.

33. Le levain: force intérieure d'expansion et de transformation du Royaume.

35. Ps 78,2.

36-43. L'ivraie ne doit pas être arrachée prématurément, d'autant que les dispositions des âmes peuvent changer et qu'ainsi l'ivraie se transforme parfois en bon grain. Il y aura dans le Royaume coexistence de justes et de pécheurs, de croyants et d'incrédules, jusqu'au

la maison; ses disciples s'approchèrent de lui et lui dirent: "Explique-nous la parabole de l'ivraie dans le champ."* [37] Il leur répondit: "Celui qui sème le bon grain, c'est le Fils de l'homme. [38] Le champ, c'est le monde; le bon grain, ce sont les sujets du Royaume; l'ivraie, ce sont les sujets du Malin. [39] L'ennemi qui l'a semée, c'est le diable; la moisson, c'est la fin du monde; les moissonneurs, ce sont les anges. [40] Comme donc on ramasse l'ivraie et qu'on la brûle dans le feu, ainsi en sera-t-il à la fin du monde. [41] Le Fils de l'homme enverra ses anges; ils enlèveront de son Royaume tous les fauteurs de scandale et d'iniquité, [42] et ils les jetteront dans la fournaise du feu. Là seront les pleurs et les grincements de dents. [43] Alors les justes brilleront comme le soleil dans le Royaume de leur Père. Que celui qui a des oreilles entende! "

Le trésor caché et la perle. -* [44] "Le Royaume des cieux est semblable à un trésor caché dans un champ; l'homme qui le trouve le recache, puis dans sa joie il va vendre tout ce qu'il a et achète ce champ. [45] "Le Royaume des cieux est semblable encore à un marchand qui cherchait des perles fines; [46] en trouve-t-il une de grand prix, il s'en va vendre tout ce qu'il a et l'achète."

---

jour du jugement final. Il faut accepter cette juxtaposition, si pénible qu'elle puisse être.

44-46. Le trésor et la perle: excellence incomparable du Royaume; on ne saurait payer trop cher le privilège d'y entrer.

Le filet; conclusion. - [47]"Le Royaume des cieux est semblable encore à un filet jeté dans la mer, qui prend toutes sortes de poissons; [48]quand il est plein, les pêcheurs le tirent sur le rivage, où, s'étant assis, ils mettent ensemble tous les bons dans des paniers et jettent les mauvais. [49]Il en sera de même à la fin du monde: les anges viendront séparer les méchants d'avec les justes* [50]et ils les jetteront dans la fournaise du feu. Là seront pleurs et grincements de dents."

[51]"Avez-vous compris tout cela?" "Oui", répondirent-ils. [52]Et il ajouta: "C'est pourquoi tout scribe qui s'est mis à l'école du Royaume des cieux est semblable à un maître de maison, qui tire de son trésor du neuf et du vieux."*

VIII — VOYAGE DU CHRIST

Jésus à Nazareth. - [53]Lorsque Jésus eut achevé ces paraboles, il partit de là; [54]arrivé dans son pays, il les instruisait dans leur synagogue, de sorte que, saisis d'étonnement, ils disaient: "D'où lui viennent cette sagesse et ces miracles? [55]N'est-ce pas là le fils du charpentier? Sa mère ne s'appelle-t-elle pas Marie? Et ses frères, Jacques, Joseph, Simon et Jude? [56]Ses soeurs ne

---

47-49. Le filet: même leçon que la parabole de l'ivraie, avec insistance sur l'épisode final: le jugement.

52. Matthieu se peint sans y penser sous les traits de ce scribe avisé qui unit le respect de la tradition à la nouveauté de l'Évangile.

55-56. Frère et soeur signifient ici cousins ou proches parents, suivant un usage fréquent dans la Bible.

sont-elles pas toutes parmi nous? D'où lui viennent donc toutes ces choses?"* [57]Et ils étaient choqués à son sujet. Mais Jésus leur dit: "Un prophète n'est méconnu que dans son pays et dans sa maison." [58]Là il ne fit pas beaucoup de miracles à cause de leur incrédulité.

14 **Opinion d'Hérode sur Jésus. Captivité et meurtre de Jean-Baptiste.** - [1]En ce temps-là, Hérode le tétrarque* apprit la renommée de Jésus et il dit à ses serviteurs: [2]"C'est Jean le Baptiste; il est ressuscité des morts; de là ses pouvoirs miraculeux."

[3]Car Hérode, ayant fait arrêter Jean, l'avait enchaîné et mis en prison, à cause d'Hérodiade, femme de son frère Philippe; [4]Jean lui disait en effet: "Il ne t'est pas permis de l'avoir pour femme." [5]Il voulait le faire mourir, mais il craignait

---

C'est ainsi que dans Gen *13*,8 et *14*,16, Lot, neveu d'Abraham est appelé son frère. Il ressort de Mat *27*,56, rapproché de Marc *15*,40, que Jacques et Joseph étaient fils d'une Marie distincte de la Sainte Vierge. Plusieurs Pères et écrivains anciens (Hégésippe, Clément d'Alexandrie, Origène, saint Jérôme) ont complété ces données et montré, en dépit de quelques points demeurés obscurs, que les "frères" de Jésus étaient des cousins. Au surplus, le fait que le Christ mourant confie sa mère au disciple bien-aimé (Jean *19*,25-27) suppose qu'il n'avait ni frère ni sœur. Enfin dans Marc *6*,3, Jésus est appelé "le fils de Marie", locution qui indique le fils unique d'une veuve; les "frères" de Jésus ne reçoivent jamais cette appellation.

14. — 1. Il s'agit d'Hérode Antipas, fils d'Hérode le Grand tétrarque de Galilée.

le peuple, qui regardait Jean comme un prophète.
[6]Comme on célébrait l'anniversaire d'Hérode, la
fille d'Hérodiade dansa devant les convives et elle
plut tellement à Hérode [7]qu'il lui promit avec
serment de lui donner tout ce qu'elle demande-
rait. [8]Celle-ci, chapitrée par sa mère, lui dit:
"Donne-moi ici sur un plat la tête de Jean le
Baptiste." [9]Le roi fut attristé, mais à cause de
son serment et des convives, il ordonna de la lui
donner. [10]Il envoya décapiter Jean dans sa prison. [11]Sa tête apportée sur un plat fut donnée à
la fillette qui la porta à sa mère. [12]Ses disciples
vinrent prendre le corps et l'ensevelirent, puis ils
allèrent en informer Jésus.

Première multiplication des pains. - [13]A cette
nouvelle, Jésus partit de là dans une barque pour
se retirer à l'écart dans un endroit désert; les foules, l'ayant su, le suivirent à pied des villes voisines. [14]En sortant de la barque, il vit une grande
foule; il en eut compassion, et guérit leurs malades.
[15]Le soir venu, ses disciples s'approchèrent et
lui dirent: "Cet endroit est désert, et l'heure est
avancée; renvoie les foules, afin qu'elles aillent
dans les villages acheter de quoi manger." [16]Mais
Jésus leur dit: "Ils n'ont pas besoin de s'en aller;
donnez-leur vous-mêmes à manger." [17]Ils lui
répondirent: "Nous n'avons ici que cinq pains et
deux poissons." [18]"Apportez-les-moi ici, leur
dit-il." [19]Ayant donné l'ordre de faire étendre
les foules sur l'herbe, il prit les cinq pains et les

deux poissons, leva les yeux au ciel et dit la bénédiction; puis, rompant les pains, il les donna aux disciples, et les disciples à la foule. [20]Ils mangèrent tous à satiété, et l'on emporta douze corbeilles pleines de morceaux qui restaient. [21]Or ceux qui avaient mangé étaient environ cinq mille hommes, sans compter les femmes et les enfants.

Jésus marche sur la mer. - [22]Aussitôt Jésus força ses disciples à réembarquer et à passer avant lui sur l'autre rive, pendant qu'il renverrait les foules. [23]Après les avoir renvoyées, il gravit la montagne pour prier à l'écart; le soir venu, il était là, tout seul.

[24]Cependant la barque était déjà loin du rivage, battue par les flots, parce que le vent était contraire. [25]A la quatrième veille de la nuit, Jésus vint à eux, marchant sur la mer. [26]Les disciples, le voyant marcher sur la mer, furent troublés: "C'est un fantôme", dirent-ils, et ils poussèrent des cris de frayeur. [27]Aussitôt Jésus leur parla et leur dit: "Rassurez-vous, c'est moi; n'ayez pas peur." [28]Pierre lui répondit: "Seigneur, si c'est toi, ordonne que j'aille à toi sur les eaux." [29]Jésus lui dit: "Viens! " Et Pierre, descendant de la barque, marchait sur les eaux en allant vers Jésus. [30]Mais, devant la violence du vent, il eut peur; et, commençant à couler, il cria: "Seigneur, sauve-moi! " [31]Aussitôt Jésus étendit la main, le saisit et lui dit: "Homme de peu de foi, pourquoi as-tu douté? " [32]Lorsqu'ils

furent montés dans la barque, le vent tomba.
[33] Alors ceux qui étaient dans la barque se
prosternèrent à ses pieds en disant: "Vraiment,
tu es le Fils de Dieu."

Guérisons à Gennésareth. - [34] La traversée
achevée, ils touchèrent terre à Gennésareth.
[35] Les gens de l'endroit, l'ayant reconnu, firent
savoir la nouvelle dans tout le pays d'alentour, et
on lui amena tous les malades. [36] On le priait de
leur laisser seulement toucher la frange de son
manteau, et tous ceux qui la touchèrent furent
guéris.

15 **Controverse avec les pharisiens sur la tradition des anciens.** - [1] Alors des scribes et des
pharisiens de Jérusalem s'approchèrent de Jésus
et lui dirent: [2] "Pourquoi tes disciples violent-ils
la tradition des anciens? * Car ils ne se lavent pas
les mains lorsqu'ils prennent leurs repas." [3] Mais
Jésus leur répondit: "Pourquoi vous-mêmes vio-
lez-vous le commandement de Dieu pour suivre
votre tradition? [4] Car Dieu a dit: *Honore ton
père et ta mère*, et encore: *Que celui qui maudira
son père ou sa mère soit puni de mort.* * [5] Mais
vous, vous dites: Quiconque aura dit à son père
ou à sa mère: "Tout ce dont j'aurais pu t'assister,
j'en fais offrande à Dieu..." [6] est dispensé d'ho-

---

15. — 2. Il s'agit de traditions orales ajoutées à la Loi
par les rabbins et auxquelles ceux-ci attribuaient la même
autorité.
4. Ex *20*,12; *21*,17; Deut *5*,16.

norer son père et sa mère; ainsi avez-vous annulé le commandement de Dieu au nom de votre tradition. [7]Hypocrites, Isaïe a joliment bien prophétisé de vous, quand il a dit: [8]*Ce peuple m'honore des lèvres, mais son coeur est loin de moi. [9]C'est en vain qu'ils me rendent un culte, enseignant pour doctrines des ordonnances humaines."* [10]Puis, ayant appelé la foule, il lui dit: "Écoutez et comprenez! [11]Ce n'est pas ce qui entre dans la bouche qui rend l'homme impur, mais c'est ce qui sort de la bouche qui rend l'homme impur."

[12]Alors ses disciples s'approchant lui dirent: "Sais-tu que les pharisiens en entendant cette parole ont été choqués?" [13]Mais il répondit: "Toute plante que mon Père céleste n'a pas plantée sera arrachée. [14]Laissez-les: ce sont des aveugles qui guident des aveugles; si un aveugle en guide un autre, ils tomberont tous deux dans un trou."

[15]Pierre, prenant la parole, lui dit: "Tire-nous au clair cette parabole." [16]Jésus répondit: "Etes-vous encore, vous aussi, sans intelligence? [17]Ne comprenez-vous pas que tout ce qui entre dans la bouche passe dans le ventre et est rejeté aux lieux d'aisance? [18]Mais ce qui sort de la bouche vient du coeur, et c'est ce qui rend l'homme impur. [19]Car du coeur sortent mauvaises pensées, meurtres, adultères, fornications, vols, faux témoignages, blasphèmes. [20]Voilà ce qui rend l'homme impur, mais de manger sans se

---

8-9. Is 29,13.

laver les mains, cela ne rend pas l'homme impur."

**En Syro-Phénicie: guérison de la fille de la
Cananéenne.** - ²¹Jésus, partant de là, se retira
dans la région de Tyr et de Sidon. ²²Voici
qu'une Cananéenne sortie de ce territoire se mit
à crier: "Seigneur, fils de David, aie pitié de moi:
ma fille est cruellement tourmentée par un démon." ²³Mais il ne lui répondit pas un mot. Ses
disciples, s'approchant, lui firent cette prière:
"Renvoie-la parce qu'elle nous poursuit de ses
cris." ²⁴Il répondit: "Je n'ai été envoyé qu'aux
brebis perdues de la maison d'Israël." ²⁵Mais elle
vint se prosterner devant lui, disant: "Seigneur,
viens à mon secours." ²⁶Il lui répondit: "Il n'est
pas bien de prendre le pain des enfants pour le
jeter aux petits chiens." ²⁷Elle répliqua: "Il est
vrai, Seigneur; mais les petits chiens mangent des
miettes qui tombent de la table de leurs maîtres." ²⁸Alors Jésus lui répondit: "O femme, ta
foi est grande! Qu'il te soit fait comme tu le dé-
sires." A l'heure même, sa fille fut guérie.

**Guérisons sur les bords de la mer de Galilée;
seconde multiplication des pains.** - ²⁹Jésus, partant de là, vint le long de la mer de Galilée;
ayant gravi la montagne, il s'y assit. ³⁰Alors de
grandes foules vinrent le trouver, ayant avec elles
des boiteux, des estropiés, des aveugles, des
muets et beaucoup d'autres encore; on les déposa
à ses pieds et il les guérit. ³¹Et la foule de s'é-
merveiller, voyant les muets parler, les estropiés

guéris, les boiteux marcher, les aveugles recouvrer la vue; et elle glorifiait le Dieu d'Israël.

[32]Or, Jésus, ayant appelé ses disciples, leur dit: "J'ai compassion de cette foule, car voilà déjà trois jours qu'ils restent près de moi, et ils n'ont rien à manger; je ne veux pas les renvoyer à jeun: ils pourraient défaillir en route." [33]Ses disciples lui répondirent: "Comment pourrons-nous trouver dans ce désert assez de pains pour rassasier pareille foule?" [34]Jésus leur répartit: "Combien avez-vous de pains?" "Sept, lui dirent-ils, et quelques petits poissons." [35]Il ordonna à la foule de s'étendre à terre; [36]puis, prenant les sept pains et les poissons, il rendit grâces, les rompit, les donna aux disciples, et les disciples aux foules. [37]Tous en mangèrent à satiété, et l'on ramassa ce qui restait des morceaux: sept pleines corbeilles! [38]Or ceux qui mangèrent étaient au nombre de quatre mille, sans compter les femmes et les enfants.

Jésus refuse aux pharisiens un signe dans le ciel. - [39]Jésus, ayant renvoyé le peuple, monta dans la barque et vint dans le pays de Magadan.*

16 [1]Alors les pharisiens et les sadducéens vinrent à lui pour le mettre à l'épreuve: ils lui demandèrent de leur montrer un signe venant du ciel. [2]Il leur répondit: "Le soir, vous dites: Il

---

39. Magadan, localité inconnue, sans doute à l'ouest du lac.

fera beau, parce que le ciel est rouge; [3] et le matin: Il y aura aujourd'hui de l'orage, parce que le ciel est sombre et rougeâtre. Vous savez donc interpréter l'aspect du ciel, et les signes des temps vous ne le pouvez pas. [4] Cette engeance corrompue et adultère demande un signe, mais il ne lui en sera pas donné d'autre que celui de Jonas." Et, les plantant là, il partit.

Le levain des pharisiens et des sadducéens. - [5] Or les disciples, en passant sur l'autre rive, avaient oublié de prendre des pains. [6] Jésus leur dit: "Méfiez-vous avec soin du levain des pharisiens et des sadducéens." [7] Mais ils raisonnaient en eux-mêmes, disant: "C'est parce que nous n'avons pas pris de pains." [8] Jésus, s'en rendant compte, leur dit: "Hommes de peu de foi, pourquoi raisonnez-vous en vous-mêmes sur ce que vous n'avez pas de pains? [9] Ne comprenez-vous pas encore? Ne vous souvient-il pas des cinq pains pour cinq mille hommes, et combien vous avez remporté de paniers? [10] Ni des sept pains pour quatre mille hommes, et combien vous avez remporté de corbeilles? [11] Comment ne comprenez-vous pas que ce n'est pas pour des pains que je vous ai dit: Méfiez-vous du levain des pharisiens et des sadducéens?" [12] Alors ils comprirent qu'il ne leur avait pas dit de se méfier du levain des pains, mais de la doctrine des pharisiens et des sadducéens.

Dans la région de Césarée de Philippe. Profession de foi de Pierre. - [13] Jésus, étant venu dans la région de Césarée de Philippe, interrogea ses disciples et leur dit: "Au dire des gens, qui est le Fils de l'homme?" [14] Ils répondirent: "Les uns disent que tu es Jean le Baptiste, les autres Élie, les autres Jérémie ou quelqu'un des prophètes." [15] Jésus leur dit: "Et vous, qui dites-vous que je suis?" [16] Simon-Pierre, prenant la parole, répondit: "Tu es le Christ, le Fils du Dieu vivant."

[17] Jésus lui répondit: "Bienheureux es-tu, Simon, fils de Jean, parce que ce n'est pas la chair ni le sang qui t'ont révélé cela, mais mon Père qui est dans les cieux.* [18] Et moi je te dis que tu es Pierre. Sur cette pierre je bâtirai mon Église, et les portes de l'enfer ne prévaudront pas contre elle. [19] Je te donnerai les clefs du royaume des cieux; tout ce que tu lieras sur la terre

---

16. – 16-17. Épisode capital de l'Évangile. Pierre confesse la messianité et la filiation divine du Sauveur dont l'ensemble de l'Évangile montre qu'elle doit être entendue strictement et non comme une filiation adoptive: cf. *21,37* et *24,36*. Cette profession de foi dépasse les lumières de la chair et du sang, c'est-à-dire de l'intelligence humaine laissée à elle-même; elle n'a été possible que grâce à une révélation du Père céleste.

18-19. Primauté de Pierre: l'apôtre sera pour l'Église – nommée ici et en *18,17* – ce que le fondement est à l'édifice. Les portes de l'enfer, littéralement les portes de l'Hadès, c'est-à-dire les puissances du mal et de la mort, les forces qui s'opposent à Dieu, ne prévaudront pas contre elle; l'Église sera indéfectible et immortelle, toujours victorieuse dans sa résistance à l'enfer. Cela suppose que l'autorité de Pierre passera à ses successeurs. Cette autorité sera totale: Pierre est le majordome, l'intendant unique du Royaume des cieux. Tout ce qu'il liera ou déliera, tout ce qu'il déclarera défendu ou permis,

sera lié dans les cieux, et tout ce que tu délieras
sur la terre sera délié dans les cieux."*

²⁰En même temps il commanda à ses disciples
de ne dire à personne qu'il était le Christ.*

Première annonce explicite de la Passion. -
²¹Jésus commença dès lors à montrer à ses disciples qu'il devait aller à Jérusalem, y souffrir
beaucoup de la part des anciens, des grands prêtres et des scribes, être mis à mort, et ressusciter
le troisième jour. ²²Pierre, le prenant à part,
commença à le reprendre en lui disant: "A Dieu
ne plaise, Seigneur! cela ne t'arrivera pas."
²³Mais Jésus, se retournant, dit à Pierre: "Arrière
de moi, Satan! tu m'es un scandale, car tes vues
ne sont pas celles de Dieu, mais celles des hommes."*

**Il faut pour suivre Jésus se renoncer et porter
sa croix.** - ²⁴Alors Jésus dit à ses disciples: "Si
quelqu'un veut venir à ma suite, qu'il se renonce

en un mot, tout ce qu'il décidera, sera ratifié dans le
ciel.

20. Jésus défend de dire qu'il est le Christ le Messie,
ce qui aurait été imprudent à cause des préjugés populai-
res.

21-33. Tournant décisif dans l'enseignement du Sauveur. Désormais il parlera clairement aux apôtres de sa
passion et de sa résurrection, non sans rencontrer chez
eux les plus vives résistances et un aveuglement persis-
tant.

24-27. Enseignement d'une exceptionnelle gravité. Le
disciple du Christ doit être prêt à se renoncer, à porter
sa croix et à sacrifier, s'il le faut, la vie du corps pour
posséder la vie véritable, c'est-à-dire la vie spirituelle, la

lui-même, qu'il prenne sa croix, et qu'il me suive.
²⁵Car celui qui voudra sauver sa vie la perdra;
mais celui qui perdra sa vie à cause de moi, la
retrouvera. ²⁶Que sert à l'homme de gagner l'univers, s'il y laisse sa propre vie? Ou bien que donnera l'homme en échange de sa vie? ²⁷Car le
Fils de l'homme doit venir dans la gloire de son
Père avec ses anges: alors il rendra à chacun selon
ses oeuvres.* ²⁸Vraiment, je vous le dis, il y en a
parmi ceux qui sont ici qui ne goûteront pas la
mort avant d'avoir vu le Fils de l'homme venant
dans son Royaume."*

17 * **La transfiguration.** - ¹Six jours après,
Jésus prend avec lui Pierre, Jacques et
Jean son frère et les emmène à l'écart sur une
haute montagne. ²Alors il fut transfiguré devant
eux; son visage devint resplendissant comme le
soleil, et ses vêtements éblouissants comme la

---

vie de l'âme, plus précieuse que l'univers entier. Le jugement final manifestera si l'âme est sauvée ou non.

28. Allusion à la ruine de Jérusalem, dont plusieurs
des contemporains du Sauveur seront les témoins. Cet
événement sera comme une venue du Christ, inaugurant
une période nouvelle dans l'extension du Royaume messianique et la prédication de l'Évangile.

17. – 1-9. La transfiguration est la réponse du ciel à
la profession de foi de Pierre; le Père proclame solennellement que Jésus est son Fils bien-aimé. La voix céleste
affermit la foi des trois apôtres, témoins du prodige, et
réconforte l'âme sainte du Sauveur en vue de la Passion
dont, selon toute probabilité, sept ou huit mois seulement le séparent.

lumière. ³Et voici que leur apparurent Moïse et Élie qui s'entretenaient avec lui. ⁴Alors Pierre, prenant la parole, dit à Jésus: "Seigneur, quel bonheur que nous soyons ici; si tu veux, je vais y faire trois tentes, une pour toi, une pour Moïse, et une pour Élie." ⁵Comme il parlait encore, voici qu'une nuée lumineuse les couvrit de son ombre et une voix se fit entendre de la nuée, disant: "Celui-ci est mon Fils bien-aimé, en qui je me complais: écoutez-le." ⁶A ces mots, les disciples tombèrent la face contre terre et furent saisis d'une grande frayeur. ⁷Mais Jésus, s'approchant, les toucha et leur dit: "Levez-vous, n'ayez pas peur." ⁸Alors, levant les yeux, ils ne virent plus personne que Jésus seul. ⁹Comme ils descendaient de la montagne, Jésus leur fit cette défense: "Ne parlez à personne de cette vision jusqu'à ce que le Fils de l'homme soit ressuscité d'entre les morts."

Le retour d'Élie. -* ¹⁰Ses disciples l'interrogèrent alors et lui dirent: "Pourquoi donc les scribes disent-ils qu'Élie doit venir d'abord?" ¹¹Jésus leur répondit: "Il est vrai qu'Élie doit venir et remettre tout en ordre. ¹²Mais je vous déclare qu'Élie est déjà venu, et ils ne l'ont pas reconnu; mais ils l'ont traité comme il leur a plu. Et le Fils de l'homme aura de même à souffrir d'eux." ¹³Alors les disciples comprirent qu'il leur avait parlé de Jean le Baptiste.

─────────

10-13. Il n'y a donc pas à attendre une nouvelle venue d'Élie avant le second avènement du Christ.

Guérison d'un possédé. - [14]Lorsqu'ils furent arrivés près de la foule, un homme s'approcha de lui, tomba à ses genoux [15]et dit: "Seigneur, aie pitié de mon fils qui est épileptique et souffre beaucoup: il tombe, en effet, souvent dans le feu et souvent dans l'eau. [16]Je l'ai présenté à tes disciples, mais ils n'ont pu le guérir." [17]Jésus répondit: "Engeance incrédule et pervertie, jusques à quand serai-je avec vous? Jusques à quand vous supporterai-je? Amenez-le-moi ici." [18]Et Jésus l'ayant menacé, le démon sortit de l'enfant qui fut guéri au même instant.

[19]Alors les disciples, venant trouver Jésus en particulier, lui dirent: "Pourquoi n'avons-nous pu, nous, le chasser?" [20]Jésus leur répondit: "A cause de votre peu de foi. Vraiment, je vous le dis, si vous avez de la foi gros comme un grain de sénevé, vous direz à cette montagne: "Transporte-toi d'ici là-bas", elle s'y transportera, et rien ne vous sera impossible. [21]Mais cette sorte de démons ne se chasse que par la prière et le jeûne."

IX – NOUVELLE ANNONCE DE LA PASSION ET INSTRUCTIONS AUX DISCIPLES

Seconde annonce de la Passion. - [22]Pendant qu'ils parcouraient la Galilée, Jésus leur dit: "Le Fils de l'homme va être livré aux mains des hommes; [23]ils le feront mourir, mais le troisième jour il ressuscitera." Ils en furent tout consternés.

L'impôt du didrachme. - [24] Quand ils furent
arrivés à Capharnaüm, les collecteurs du didrachme s'approchèrent de Pierre et lui dirent:
"Votre maître ne paye-t-il pas les didrachmes?" *
[25] "Si", répondit-il. Lorsque Pierre fut arrivé à la
maison, Jésus le prévint et lui dit: "Simon, qu'en
penses-tu? De qui les rois de la terre reçoivent-ils
taxes et impôts? De leurs fils ou des étrangers?
[26] "Des étrangers", répondit Pierre. Jésus lui dit:
"Les fils en sont donc exempts. [27] Mais afin de
ne pas les scandaliser, va en mer jeter l'hameçon,
et le premier poisson qui montera, saisis-le. Ou-
vre-lui la bouche; tu y trouveras un statère;*
prends-le et donne-le-leur pour moi et pour toi."

18 * L'esprit de fraternité. Redevenir petit
enfant. Gravité du scandale. Parabole de la
brebis égarée. Correction fraternelle. Efficacité de
la prière en commun. - [1] En ce même temps les
disciples s'approchèrent de Jésus, et lui dirent:
"Qui donc est le plus grand dans le Royaume des
cieux? " [2] Jésus, ayant appelé un petit enfant, le
plaça au milieu d'eux, [3] et leur dit: "Vraiment, je
vous le dis, si vous ne changez et ne devenez

---

24. Le didrachme, taxe annuelle de deux drachmes,
que chaque Juif devait acquitter pour le service du Temple.

27. La valeur du statère était de quatre drachmes ou
deux didrachmes.

18. – Humilité et charité requises des membres du
Royaume. Ce chapitre est d'une haute portée morale et
spirituelle.

comme les petits enfants, vous n'entrerez pas
dans le Royaume des cieux. [4]Celui donc qui se
fera petit comme cet enfant, celui-là sera le plus
grand dans le Royaume des cieux; [5]et quiconque
accueille en mon Nom un tel enfant, c'est moi-
même qu'il accueille.

[6]"Mais quiconque scandalisera un de ces petits
qui croient en moi, il vaudrait mieux pour lui
qu'on lui suspende une meule d'âne* au cou, et
qu'on le précipite au fond de la mer. [7]Malheur
au monde à cause des scandales! Il est inévitable
qu'il arrive des scandales, mais malheur à l'homme par qui le scandale arrive! [8]Si ta main ou
ton pied t'incitent à pécher, coupe-les et jette-les
loin de toi: il vaut mieux pour toi entrer dans la
vie manchot ou boiteux que d'être jeté avec tes
deux mains ou tes deux pieds dans le feu éternel.
[9]Si ton oeil t'incite à pécher, arrache-le et jette-le
loin de toi: il vaut mieux pour toi entrer dans la
vie avec un seul oeil que d'être jeté avec tes deux
yeux dans la géhenne de feu.

[10]"Prenez garde de mépriser aucun de ces
petits: je vous déclare que dans le ciel leurs anges
voient sans cesse la face de mon Père qui est
dans les cieux. [11]Car le Fils de l'homme est venu
sauver ce qui était perdu. [12]Qu'en pensez-vous?
Si un homme a cent brebis et que l'une d'elles
vienne à s'égarer, ne laisse-t-il pas les quatre-
vingt-dix-neuf autres dans les montagnes pour
aller à la recherche de celle qui s'est égarée?

_____

6. Meule tournée par un âne.

¹³ Et s'il arrive qu'il la retrouve, vraiment, je vous le dis, il en aura plus de joie que des quatre-vingt-dix-neuf qui ne se sont pas égarées. ¹⁴ De même, ce n'est pas la volonté de votre Père qui est dans les cieux qu'un seul de ces petits se perde.

¹⁵ "Si ton frère vient à pécher contre toi, va, reprends-le en particulier; s'il t'écoute, tu auras gagné ton frère. ¹⁶ Mais s'il ne t'écoute pas, prends encore avec toi une ou deux personnes, afin que tout soit réglé sur la parole de deux ou trois témoins. ¹⁷ S'il ne les écoute pas non plus, dis-le à l'Église; et s'il n'écoute pas l'Église, qu'il soit pour toi comme le païen et le publicain. ¹⁸ Vraiment, je vous le dis, tout ce que vous lierez sur la terre sera lié dans le ciel, et tout ce que vous délierez sur la terre sera délié dans le ciel.

¹⁹ "Vraiment, je vous le dis, si deux d'entre vous s'accordent sur la terre pour demander quoi que ce soit, ils l'obtiendront de mon Père qui est dans les cieux. ²⁰ Car là où deux ou trois se trouvent assemblés en mon nom, je suis au milieu d'eux."

Pardon des injures. Parabole du serviteur impitoyable. - ²¹ Alors Pierre s'approcha et lui dit: "Seigneur, si mon frère pèche contre moi, combien de fois devrai-je lui pardonner? Jusqu'à sept fois?" ²² Jésus lui répondit: "Je ne te dis pas jusqu'à sept fois, mais jusqu'à soixante-dix fois sept fois."

²³"C'est pourquoi le Royaume des cieux peut être comparé à un roi, qui voulut régler ses comptes avec ses serviteurs. ²⁴Ayant commencé le règlement, on lui en amena un qui lui devait dix mille talents.* ²⁵Mais comme il n'avait pas de quoi rembourser, le maître commanda qu'on le vendît, lui, sa femme, ses enfants et tout ce qu'il avait, pour acquitter sa dette. ²⁶Le serviteur, se jetant à ses pieds, se prosterna devant lui en disant: "Seigneur, aie patience, et je te rendrai tout." ²⁷Alors le maître de ce serviteur, pris de pitié, le laissa aller et lui remit sa dette. ²⁸Mais ce serviteur, en sortant, rencontra un de ses compagnons qui lui devait cent deniers;* l'ayant saisi à la gorge, il l'étouffait, disant: "Rends ce que tu me dois." ²⁹Son compagnon, se jetant à ses pieds, le suppliait en disant: "Aie patience et je te rembourserai." ³⁰Mais il refusa et alla le faire mettre en prison jusqu'à ce qu'il eût remboursé ce qu'il devait. ³¹Ses compagnons, voyant ce qui se passait, furent profondément attristés et allèrent raconter toute l'affaire à leur maître. ³²Alors le maître le fit venir et lui dit: "Serviteur méchant, je t'avais remis toute ta dette, parce que tu m'en avais supplié. ³³Ne devais-tu pas, à ton tour, avoir pitié de ton compagnon, comme j'avais eu pitié de toi?" ³⁴Et le maître, saisi de colère, le livra aux bourreaux jusqu'à ce qu'il eût remboursé tout ce qu'il lui devait. ³⁵C'est ainsi

24. Dix milles talents: somme énorme; environ soixante millions or.

28. Cent deniers: moins de cent francs-or.

que mon Père céleste vous traitera, si chacun de vous ne pardonne à son frère du fond du coeur."

X – VOYAGE DE GALILÉE
EN JUDÉE

19 **Départ pour la Judée.** - [1] Jésus, ayant achevé ces discours, partit de Galilée et vint aux confins de la Judée, au-delà du Jourdain. [2] Des foules nombreuses le suivirent, et il guérit leurs malades.

Indissolubilité du mariage. - [3] Des pharisiens s'approchèrent de lui et, pour le mettre à l'épreuve, lui dirent: "Est-il permis à un homme de répudier sa femme pour n'importe quel motif?" [4] Il répondit: "N'avez-vous pas lu qu'au commencement le Créateur les fit homme et femme [5] et qu'il dit:* *C'est pourquoi l'homme quittera son père et sa mère pour s'attacher à sa femme, et à deux ils ne seront qu'une seule chair?* [6] Ainsi ils

19. – 5. Gen *1*,27; *2*,24. La loi mosaïque ne prescrivait pas, mais tolérait la répudiation: Deut *24*,1. Les rabbins interprétaient diversement les motifs pour lesquels on pouvait user de cette tolérance. Jésus restaure le mariage dans son indissolubilité primitive: les époux ne font plus qu'un seul être, littéralement une seule chair; l'homme n'a pas le droit de rompre cette union établie par Dieu lui-même. Comme dans *5*,32, le Sauveur met à part le cas d'union irrégulière ou d'infidélité; mais il est clair qu'il ne permet pas alors le divorce; ce serait se contredire. La réponse des apôtres montre bien qu'ils ont compris ainsi l'enseignement du Maître. Comparer 1 Cor *7*,10-11.

ne sont plus deux, mais un seul. Que l'homme donc ne sépare pas ce que Dieu a uni." [7]"Pourquoi donc, lui dirent-ils, Moïse a-t-il ordonné de délivrer un acte de divorce pour répudìer?" [8]Il leur répondit: "C'est à cause de la dureté de votre coeur que Moïse vous a permis de répudier vos femmes: mais au commencement il n'en fut pas ainsi. [9]Aussi, je vous le déclare, quiconque répudie sa femme, sauf pour fornication, et en épouse une autre, commet un adultère; et celui qui épouse la femme répudiée commet un adultère." [10]Ses disciples lui disent: "Si telle est la condition de l'homme à l'égard de la femme, mieux vaut ne pas se marier." [11]Il leur dit: "Tous ne comprennent pas ce langage, mais ceux-là seuls à qui il a été donné. [12]Car il y a des eunuques qui sont nés tels du sein maternel; il y a des eunuques qui le sont devenus par le fait des hommes; et il y a des eunuques qui se sont eux-mêmes rendus tels à cause du Royaume des cieux. Comprenne qui peut comprendre!"*

Jésus et les petits enfants. - [13]On lui présenta alors des petits enfants, afin qu'il leur imposât les mains et qu'il priât; et les disciples les rabrouaient. [14]Mais Jésus dit: "Laissez ces petits enfants et ne les empêchez pas de venir à moi, car le Royaume des cieux appartient à ceux qui

---

11-12. Dieu fait à quelques-uns la grâce de comprendre et de pratiquer la chasteté volontaire: grande nouveauté, infiniment féconde.

leur ressemblent." ¹⁵ Et leur ayant imposé les mains, il partit de là.

Le jeune homme riche. Danger des richesses. -
¹⁶ Alors quelqu'un s'approcha de lui et lui dit: "Maître, que dois-je faire de bon pour obtenir la vie éternelle? " ¹⁷ Jésus lui répondit: "Pourquoi m'interroger sur ce qui est bon? Il n'y a qu'un être bon. Si tu veux entrer dans la Vie, observe les commandements."* ¹⁸ "Lesquels? " lui dit-il. Jésus lui dit: *"Tu ne tueras pas; tu ne commettras pas d'adultère; tu ne voleras pas; tu ne porteras pas de faux témoignage;* ¹⁹ *honore ton père et ta mère; et aime ton prochain comme toi-même!* "* ²⁰ Ce jeune homme lui répondit: "J'ai observé tout cela dès ma jeunesse: que me manque-t-il encore? " ²¹ Jésus lui dit: "Si tu veux être parfait, va, vends ce que tu possèdes et donne-le aux pauvres, et tu auras un trésor dans le ciel; puis viens et suis-moi."* ²² Le jeune homme, entendant ces paroles, s'en alla tout triste, car il avait de grands biens. ²³ Jésus dit à ses disciples: "Vraiment, je vous le dis, il est difficile à un riche d'entrer dans le Royaume des cieux.

16-17. Texte quelque peu embarrassé. Cf. le passage parallèle de Marc *10*,18 qui est plus clair.

18-19. Ex *20*,12-16. Deut *5*,16-17. Lev *10*,18.

21-29. Après l'invitation à la chasteté, l'appel à la pauvreté. La pauvreté *effective* est un conseil de perfection que tous ne sont pas appelés à suivre; la pauvreté *affective,* le détachement des richesses est un précepte, une condition absolue pour entrer dans le Royaume des cieux. Le renoncement aux biens matériels sera récompensé par le centuple en biens spirituels. La participa-

[24] Je vous le répète: il est plus facile à un chameau de passer par un trou d'aiguille qu'à un riche d'entrer dans le Royaume de Dieu." [25] Ses disciples, entendant cela, étaient tout saisis et ils disaient: "Qui pourra donc être sauvé?" [26] Mais Jésus, fixant sur eux son regard, leur dit: "Cela est impossible aux hommes, mais à Dieu tout est possible."

Récompense de ceux qui quittent tout pour le Christ. - [27] Alors Pierre, prenant la parole, lui dit: "Voici que nous avons tout quitté, et nous t'avons suivi; qu'aurons-nous donc en retour?" [28] Jésus répondit: "Vraiment, je vous le dis, pour vous qui m'avez suivi, lorsqu'au temps de la Régénération le Fils de l'homme siégera sur son trône de gloire, vous siégerez vous aussi sur douze trônes, pour juger les douze tribus d'Israël. [29] Et quiconque aura laissé, à cause de mon Nom, maisons, ou frères, ou soeurs, ou père, ou mère (ou femme) ou enfants, ou terres, recevra le centuple, et aura en héritage la vie éternelle.

[30] "Bien des premiers seront derniers, et des derniers premiers."*

tion au jugement est la récompense spéciale des apôtres, mais tous les saints y seront associés en quelque manière: 1 Cor 6,2. Certains interprètes entendent la "Régénération" de l'établissement de l'Église, tel qu'il se manifeste surtout après la ruine de Jérusalem, plutôt que du jugement dernier.

30. Ce verset introduit la parabole qui suit.

20 Parabole des ouvriers envoyés à la vigne. -

¹"Le Royaume des cieux est semblable à un propriétaire qui sortit de grand matin afin d'embaucher des ouvriers pour sa vigne. ²Etant convenu avec les ouvriers d'un denier pour la journée, il les envoya à sa vigne. ³Il sortit encore vers la troisième heure* et en vit d'autres qui se tenaient sur la place sans rien faire; ⁴il leur dit: "Allez, vous aussi, à ma vigne, et je vous donnerai ce qui sera juste." ⁵Ils y allèrent. Il sortit encore vers la sixième, puis vers la neuvième heure et fit de même. ⁶Etant sorti enfin vers la onzième heure, il en trouva d'autres qui se tenaient là et leur dit: "Pourquoi êtes-vous restés ici toute la journée sans rien faire? " ⁷"C'est, lui dirent-ils, que personne ne nous a embauchés." Il leur dit: "Allez, vous aussi, à ma vigne." ⁸Le soir venu, le maître de la vigne dit à son intendant: "Appelle les ouvriers, et paye-les, en commençant par les derniers pour finir par les premiers." ⁹Ceux de la onzième heure, se présentant, reçurent chacun un denier. ¹⁰Quand vinrent les premiers, ils crurent qu'ils allaient recevoir davantage; mais ils re-

20. – 3sq. La troisième heure: neuf heures du matin; la onzième: cinq heures du soir. Le denier valait un peu moins d'un franc or. L'embauchage pour le travail à la vigne est le contrat d'alliance entre Dieu et les hommes: l'alliance est purement gratuite de la part de Dieu, et tous ceux qui y sont appelés participent aux mêmes promesses, figurées par le denier. La parabole est dirigée contre le particularisme juif et l'orgueil pharisien (comparer Luc *13*,22-30). Les premiers devenus derniers sont les juifs supplantés par les païens; car les Juifs sont,

çurent, eux aussi, chacun un denier. [11]En le recevant, ils murmuraient contre le propriétaire. [12]Ils disaient: "Ces derniers n'ont travaillé qu'une heure et tu les traites comme nous qui avons porté le poids du jour et de la chaleur." [13]Mais il répondit à l'un d'eux: "Mon ami, je ne te fais pas de tort: n'es-tu pas convenu avec moi d'un denier? [14]Prends ce qui te revient, et va-t'en. Je veux donner à ce dernier autant qu'à toi. [15]Ne m'est-il donc pas permis de faire de mon bien ce que je veux? Ou faut-il que ton oeil soit mauvais parce que je suis bon?" [16]Ainsi les derniers seront premiers, et les premiers derniers: (car il y a beaucoup d'appelés, mais peu d'élus.)"*

Troisième annonce de la Passion. - [17]Au moment de monter à Jérusalem, il prit à part les Douze et leur dit chemin faisant: [18]"Voici que nous montons à Jérusalem, le Fils de l'homme sera livré aux grands prêtres et aux scribes. Ils le condamneront à mort [19]et le livreront aux païens pour être tourné en dérision, flagellé et crucifié; mais il ressuscitera le troisième jour."

---

dans l'ensemble, incrédules, et il n'y aura parmi eux qu'un petit nombre d'élus. Les commentateurs qui rejettent comme inauthentique la dernière phrase du v 16 (reprise plus loin: *22*,14) voient dans cette parabole l'indication que la porte reste toujours ouverte au repentir et à la conversion. Tous reçoivent de Dieu la même récompense essentielle, c'est-à-dire l'entrée dans le Royaume, sans qu'une égalité absolue en soit pour autant la loi.

16. La phrase entre parenthèses est peut-être empruntée à *22*,14.

Demande des fils de Zébédée. - [20]*Alors la mère des fils de Zébédée s'approcha de lui avec ses fils et se prosterna pour lui présenter une requête. [21]Il lui dit: "Que veux-tu?" "Ordonne, lui dit-elle, que mes deux fils que voici soient assis, dans ton Royaume, l'un à ta droite et l'autre à ta gauche." [22]Mais Jésus répondit: "Vous ne savez ce que vous demandez: pouvez-vous boire le calice que je dois boire?" Ils lui dirent: "Nous le pouvons." [23]Il leur répondit: "Mon calice, vous le boirez; mais quant à être assis à ma droite ou à ma gauche, il ne m'appartient pas de l'accorder; cela revient à ceux pour qui mon Père l'a préparé." [24]Les dix autres, entendant cela, s'indignèrent contre les deux frères. [25]Et Jésus, les ayant appelés, leur dit: "Vous savez que les chefs des païens les dominent, et les grands font sentir leur pouvoir. [26]Il n'en doit pas être de même parmi vous. Au contraire, quiconque voudra être grand parmi vous devra être votre serviteur, [27]et quiconque voudra être le premier parmi vous devra être votre esclave. [28]C'est ainsi que le Fils de l'homme n'est pas venu se faire servir, mais servir, et donner sa vie en rançon pour les multitudes."

20-28. Épisode émouvant et suggestif par la leçon d'humilité et d'esprit de sacrifice que Jésus donne aux deux apôtres et, à travers eux, à tous les chrétiens. Jésus se fait le serviteur des hommes ses frères, au point de donner sa vie pour les racheter de l'esclavage du péché. Multitude désigne l'ensemble des hommes: aucun n'est exclu que par sa faute des fruits de la rédemption.

Les aveugles de Jéricho. - [29]Comme ils sortaient de Jéricho, une foule nombreuse le suivit. [30]Or voici que deux aveugles assis le long du chemin, ayant entendu dire que Jésus passait, se mirent à crier: "Seigneur, Fils de David, aie pitié de nous! "* [31]La foule les menaça pour les faire taire; mais eux crièrent plus fort: "Seigneur, Fils de David, aie pitié de nous! " [32]Alors Jésus s'arrêtant les appela et leur dit: "Que voulez-vous que je fasse pour vous? " [33]"Seigneur, lui dirent-ils, que nos yeux s'ouvrent! " [34]Jésus, pris de pitié, leur toucha les yeux; aussitôt ils recouvrèrent la vue, et le suivirent.

XI – DISCUSSIONS AVEC LES PHARISIENS À JÉRUSALEM

21 **L'entrée triomphale.** - [1]Lorsqu'ils approchèrent de Jérusalem et furent arrivés à Bethphagé, vers le mont des Oliviers, Jésus envoya deux disciples, [2]leur disant: "Allez au village d'en face, et aussitôt vous trouverez une ânesse attachée et un ânon avec elle; détachez-la et amenez-les-moi. [3]Si l'on vous dit quelque chose, répondez que le Seigneur en a besoin, mais qu'il les renverra vite." [4]Cela arriva afin que cette parole du prophète fût accomplie: [5]*Dites à la fille*

---

30. Matthieu affectionne le pluriel de catégorie, qui est sans doute chez lui purement littéraire. Comparer *4*,3; *27*,44. Marc *10*,46 et Luc *18*,35 ne mentionnent qu'un aveugle.

21. – 5. Zac *9*,9.

de Sion: Voici que ton Roi vient à toi, modeste, monté sur une ânesse et sur le petit d'une bête de somme.*

.^6 Les disciples allèrent donc, et firent ce que Jésus leur avait commandé. ^7 Ils amenèrent l'ânesse et l'ânon, les couvrirent de leurs manteaux, et Jésus s'assit dessus. ^8 Une foule très nombreuse étendit ses manteaux sur le chemin; d'autres coupaient des branches d'arbres, et en jonchaient le chemin. ^9 Toutes ces foules qui marchaient devant et derrière criaient: *"Hosanna au Fils de David! Béni soit celui qui vient au nom du Seigneur! Hosanna au plus haut des cieux!"**

^10 Lorsqu'il fut entré dans Jérusalem, toute la ville fut en émoi; on demandait: "Qui est-ce donc?" ^11 Et les foules disaient: "C'est le prophète Jésus, de Nazareth en Galilée."

Expulsion des vendeurs du Temple. - ^12 Jésus entra dans le Temple de Dieu et chassa tous ceux qui vendaient et achetaient dans le Temple;* il culbuta les tables des changeurs et les sièges des marchands de colombes; ^13 "Il est écrit, leur dit-il: *Ma maison sera appelée maison de prière* et vous, vous en faites *une caverne de brigands."**

---

9. Hosanna: Sauve donc! formule d'acclamation.

12sq. Les trois synoptiques, ne faisant venir le Seigneur à Jérusalem que pour la Passion, placent nécessairement en cet endroit l'expulsion des vendeurs. Jean, dont la chronologie est beaucoup plus complète, place cet épisode durant la première fête pascale de la vie publique.

13. Is 56,7; Jer 7,11.

[14] Des aveugles et des boiteux s'approchèrent de lui dans le Temple, et il les guérit.

[15] Mais les grands prêtres et les scribes, voyant les prodiges qu'il venait d'accomplir et les enfants qui criaient dans le Temple: "Hosanna au Fils de David! " s'indignèrent, [16] et lui dirent: "Entends-tu ce qu'ils disent?" "Oui, leur dit Jésus. Mais n'avez-vous jamais lu cette parole: *De la bouche des petits enfants et de ceux qui sont à la mamelle tu t'es préparé une louange?* * [17] Les ayant laissés là, il sortit de la ville et s'en alla à Béthanie, où il passa la nuit.

Le figuier maudit. - [18] Le matin, comme il revenait à la ville, il eut faim; [19] apercevant un figuier près du chemin, il s'en approcha, mais n'y trouva que des feuilles: "Que jamais plus, lui dit-il, ne naisse de toi aucun fruit! " Et, instantanément, le figuier sécha. [20] A cette vue, les disciples furent saisis d'étonnement et dirent: "Comment ce figuier s'est-il desséché instantanément? " [21] Alors Jésus leur répondit: "Vraiment, je vous le dis, si vous avez de la foi et que vous n'hésitiez pas, non seulement vous ferez comme je viens de faire à ce figuier, mais même si vous dites à cette montagne: "Ote-toi de là et jette-toi dans la mer", cela se fera; [22] et tout ce que vous demanderez avec foi dans la prière, vous l'obtiendrez."

La mission de Jésus et le baptême de Jean. -

---

16. Ps *8*,3.

²³ Quand il fut entré dans le Temple, les grands prêtres et les anciens du peuple vinrent le trouver alors qu'il enseignait, et lui dirent: "De quel droit fais-tu cela? Qui t'en a donné le pouvoir?" ²⁴ Jésus leur répondit: "Je vais, moi aussi, vous poser une question; si vous me répondez, je vous dirai par quelle autorité je fais ces choses. ²⁵ D'où venait le baptême de Jean, du ciel ou des hommes?" Mais eux raisonnaient ainsi en eux-mêmes: "Si nous répondons: "Du ciel", il nous dira: "Pourquoi donc n'avez-vous pas cru en lui?" ²⁶ Et si nous répondons: "Des hommes", nous avons à craindre la foule, car tous tiennent Jean pour un prophète." ²⁷ Ils répondirent donc à Jésus: "Nous ne savons pas." Il leur répliqua: "Moi non plus je ne vous dirai pas par quelle autorité je fais ces choses."

Parabole des deux fils. - ²⁸ "Que vous en semble? Un homme avait deux fils. S'adressant au premier, il lui dit: "Mon fils, va aujourd'hui travailler à ma vigne." ²⁹ Son fils lui répondit: "Je ne veux pas"; mais après, pris de remords, il y alla. ³⁰ Il vint ensuite trouver l'autre, et lui dit la même chose. Celui-ci répondit: "J'y vais, Seigneur"; et il n'y alla point.* ³¹ Lequel des deux a fait la volonté de son père?" "Le premier", lui dirent-ils. Et Jésus ajouta: "Vraiment, je vous le dis, les publicains et les prostituées vous devancent dans le Royaume de Dieu. ³² Car Jean est

---

29-30. L'ordre de ces deux versets est interverti dans **beaucoup de** manuscrits.

venu à vous dans la voie de la justice, et vous n'avez pas cru en lui; les publicains au contraire et les prostituées l'ont cru; et vous, après avoir vu cela, vous ne vous êtes pas davantage repentis par la suite pour croire en lui."

Allégorie des vignerons homicides. La pierre angulaire. -* [33]"Ecoutez une autre parabole. Il était un propriétaire qui, ayant planté une vigne, l'entoura d'une clôture, y creusa un pressoir et bâtit une tour; puis, l'ayant louée à des vignerons, il s'en alla dans un pays étranger. [34]Or, la saison des fruits étant proche, il envoya ses serviteurs aux vignerons pour recueillir le fruit de sa vigne. [35]Mais les vignerons, s'étant saisis de ses serviteurs, battirent l'un, tuèrent l'autre et en lapidèrent un troisième. [36]Il leur envoya encore d'autres serviteurs en plus grand nombre que les premiers, et ils les traitèrent de même. [37]Enfin il leur envoya son fils, se disant: "Ils respecteront mon fils." [38]Mais les vignerons, voyant le fils, dirent entre eux: "Voici l'héritier; allons-y, tuons-le, et emparons-nous de son héritage."

33-41. Admirable et dramatique allégorie. Le Sauveur y rappelle le sort fait par Israël aux prophètes, représentés par les serviteurs. Lui-même est le fils unique du propriétaire, c'est-à-dire de Dieu. Il montre à ses ennemis qu'il connaît leurs intentions et leur fait prévoir que le Royaume de Dieu, la vigne (voir Is 5,1-7), leur sera enlevé pour être donné à d'autres. La parabole de la pierre angulaire: 42-46 (rappel du Ps 118,22-23) complète l'allégorie. Les pharisiens comprennent, mais sont trop endurcis pour renoncer à leurs desseins homicides.

³⁹ Ainsi, s'étant saisis de lui, ils le jetèrent hors de la vigne et le tuèrent. ⁴⁰ Lors donc que le maître de la vigne reviendra, comment traitera-t-il ces vignerons? " ⁴¹ Ils lui répondirent: "Il fera périr misérablement ces misérables, et louera sa vigne à d'autres vignerons, qui lui en rendront les fruits en leur saison."

⁴² Jésus ajouta: "N'avez-vous jamais lu dans les Écritures: *La pierre qu'avaient rejetée ceux qui bâtissaient est devenue la pierre d'angle? * C'est là l'oeuvre du Seigneur, une merveille à nos yeux.* ⁴³ C'est pourquoi je vous le déclare: le Royaume de Dieu vous sera enlevé, et il sera donné à une nation qui en produira les fruits. ⁴⁴ Celui qui tombera sur cette pierre s'y brisera; celui sur qui elle tombera, elle l'écrasera". ⁴⁵ Les grands prêtres et les pharisiens, entendant ces paraboles, comprirent que c'était d'eux qu'il parlait. ⁴⁶ Mais, voulant se saisir de lui, ils craignirent les foules, car elles le tenaient pour un prophète.

22 **Parabole des noces royales.** - ¹ *Jésus, parlant de nouveau en paraboles, leur dit: ² "Le Royaume des cieux est semblable à un roi

---

42. Pierre d'angle, ou pierre de faîte couronnant l'édifice. Le Christ sera la pierre essentielle de l'édifice nouveau.

22. – 1-14. Il s'agit encore du rejet des Juifs. Leur incrédulité aura pour conséquence la ruine de Jérusalem et de leur nation et leur exclusion du festin messianique.

qui célébrait les noces de son fils. ³ Il envoya ses
serviteurs convier aux noces les invités; mais ils
refusèrent de venir. ⁴ Il envoya encore d'autres
serviteurs avec ce message: Dites aux invités:
"Voici que j'ai préparé mon festin, on a égorgé
les boeufs et les bêtes grasses; tout est prêt;
venez aux noces." ⁵ Mais eux, n'en tenant aucun
compte, s'en allèrent qui à son champ, qui à son
négoce. ⁶ Les autres se saisirent de ses serviteurs,
les maltraitèrent et les tuèrent. ⁷ Le roi courroucé
envoya ses armées, extermina les meurtriers et in-
cendia leur ville. ⁸ Alors il dit à ses serviteurs:
"Le festin des noces est prêt, mais les invités
n'en étaient pas dignes. ⁹ Allez donc aux carre-
fours, et tous ceux que vous trouverez, invitez-les
aux noces." ¹⁰ Ses serviteurs, s'en allant par les
chemins, rassemblèrent tous ceux qu'ils trouvèrent, mauvais et bons, et la salle des noces se
remplit de convives. ¹¹ Le roi, entrant pour voir
les convives, aperçut un homme qui n'était pas
revêtu de l'habit de noces; il lui dit: ¹² "Mon
ami, comment es-tu entré ici sans avoir l'habit de
noces? " Mais lui resta muet. ¹³ Alors le roi dit à
ses gens: "Liez-lui pieds et mains, et jetez-le dans
les ténèbres extérieures; là il y aura les pleurs et

Il faudra, en outre, pour y être définitivement admis,
être revêtu au jour du jugement de la robe de noces,
c'est-à-dire des dispositions requises. Le Royaume est offert à tous, mais tous ne sont pas élus, c'est-à-dire n'y
entrent pas effectivement, à cause de leur mauvaise volonté. Il est possible que le détail de la robe de noces
provienne d'une parabole distincte jointe par l'évangéliste à celle du festin.

les grincements de dents." [14]Car il y a beaucoup
d'appelés, mais peu d'élus."

Le tribut à César. - [15]Alors les pharisiens,
s'étant retirés, tinrent conseil en vue de le prendre au piège dans ses paroles. [16]Ils lui envoient
donc leurs disciples avec les hérodiens,* lui dire:
"Maître, nous savons que tu es véridique et que
tu enseignes la voie de Dieu selon la vérité, sans
avoir égard à qui que ce soit, car tu ne regardes
pas aux personnes. [17]Dis-nous donc ce qu'il t'en
semble: est-il permis ou non de payer le tribut à
César? " [18]Mais Jésus, connaissant leur perver-
sité, leur dit: "Hypocrites, pourquoi me tendez-
vous un piège? [19]Montrez-moi la monnaie du
tribut." Et ils lui présentèrent un denier. [20]Jésus
leur dit: "De qui est cette effigie? et l'inscription? " [21]"De César", lui répondirent-ils. Alors il
leur dit: "Rendez donc à César ce qui est à César, et à Dieu ce qui est à Dieu." [22]A cette réponse, ils furent tout étonnés, et, le laissant là,
s'en allèrent.

**Question sur la résurrection. La femme aux
sept maris.** - [23]Ce même jour, des sadducéens,
qui nient la résurrection, vinrent le trouver et lui
posèrent la question suivante: [24]"Maître, Moïse
a dit: *Si quelqu'un meurt sans enfants, son frère
épousera sa veuve et suscitera une postérité à son*

---

16. Les hérodiens partisans des deux tétrarques, Hérode Antipas et Hérode Philippe. Cf. Luc *3*,7.
24. Deut *25*,5-10.

frère. * [25]Or il y avait parmi nous sept frères. Le premier qui s'était marié, est mort, et n'ayant pas de postérité, il a laissé sa femme à son frère. [26]La même chose arriva au second, au troisième, et ainsi de suite jusqu'au septième. [27]Enfin cette femme est morte après eux tous. [28]A la résurrection donc, duquel des sept sera-t-elle la femme, puisqu'ils l'auront tous eue pour femme?" [29]Jésus leur répondit: "Vous êtes dans l'erreur; vous ne comprenez pas les Écritures ni la puissance de Dieu. [30]A la résurrection, en effet, on ne prendra ni femme ni mari; on sera comme des anges de Dieu dans le ciel. [31]Pour ce qui est de la résurrection des morts, n'avez-vous point lu ce que Dieu nous a dit: [32]*Je suis le Dieu d'Abraham, le Dieu d'Isaac et le Dieu de Jacob?* * Or Dieu n'est pas un Dieu de morts mais de vivants.*" [33]Entendant cela, les foules étaient vivement frappées de son enseignement.

Le plus grand commandement. - [34]Mais les pharisiens, ayant appris qu'il avait fermé la bouche aux sadducéens, s'assemblèrent, [35]et l'un d'eux, docteur de la Loi, lui demanda pour l'embarrasser: [36]"Maître, quel est le plus grand commandement de la Loi?" [37]Jésus lui répondit: "*Tu aimeras le Seigneur ton Dieu de tout*

32. Allusion a Ex *3*,6. Dieu est le Dieu des vivants; c'est donc que les patriarches survivent au-delà de la tombe et que leur âme retrouvera leur corps à la résurrection, de manière qu'ils soient pleinement vivants.

37. Deut *6*,5.

ton coeur, de toute ton âme, et de tout ton esprit. * ³⁸C'est là le plus grand et le premier commandement. ³⁹Le second est semblable au premier: *Tu aimeras ton prochain comme toi-même.* * ⁴⁰A ces deux commandements se rattache la Loi entière, ainsi que les Prophètes."

Le Christ, Fils et Seigneur de David. - ⁴¹Or, les pharisiens étant assemblés, Jésus leur posa cette question: ⁴²"Que pensez-vous du Christ? De qui est-il fils? " Ils lui répondirent: "De David." ⁴³"Et comment donc, leur dit-il, David, inspiré par l'Esprit, l'appelle-t-il Seigneur, par ces paroles: ⁴⁴*Le Seigneur a dit à mon Seigneur: Assieds-toi à ma droite jusqu'à ce que j'aie mis tes ennemis sous tes pieds?* * ⁴⁵Si donc David l'appelle son Seigneur, comment peut-il être son fils? " ⁴⁶Personne ne put rien lui répondre, et depuis ce jour-là nul n'osa plus lui poser de questions.

23 **Anathèmes contre les pharisiens,** - ¹Alors Jésus parla aux foules et à ses disciples, en disant: ²"Les scribes et les pharisiens occupent la chaire de Moïse. ³Faites donc et observez tout ce qu'ils vous disent, mais n'imitez pas leurs actions; car ils disent et ne font pas. ⁴Ils lient des fardeaux pesants et insupportables et les mettent sur les épaules des hommes, mais eux-mêmes ne

---

39. Lev *19*,18.
44. Ps *110*,1: l'un des plus importants oracles messianiques.

veulent pas les remuer du bout du doigt. [5] Ils font toutes leurs actions afin d'être vus des hommes; ils se font de larges phylactères et de longues franges.* [6] Ils aiment les premières places dans les festins et les premiers sièges dans les synagogues. [7] Ils aiment qu'on les salue sur les places publiques et que les gens les appellent Rabbi. [8] Pour vous, ne vous faites pas appeler Rabbi, car vous n'avez qu'un seul Maître, et vous êtes tous frères. [9] N'appelez personne sur terre votre père, parce que vous n'avez qu'un Père, le Père céleste. [10] Ne vous faites pas non plus appeler docteur, car vous n'avez qu'un docteur, le Christ. [11] Le plus grand parmi vous se fera votre serviteur. [12] Car quiconque s'élèvera sera abaissé; mais quiconque s'abaissera sera élevé.

[13] "Malheur à vous, scribes et pharisiens hypocrites, qui fermez aux hommes la porte du Royaume des cieux! Car vous n'y entrez pas vous-mêmes, et vous empêchez d'y entrer ceux qui le voudraient!

[14] (Malheur à vous,* scribes et pharisiens hypocrites, parce que, tout en affectant de faire de longues prières, vous dévorez les maisons des

---

23. – 5. Les phylactères étaient de petites boîtes contenant des parchemins où étaient inscrits des textes importants de la Loi. On les fixait par des courroies au front et à l'avant-bras gauche, en vertu d'une interprétation trop littérale de Deut 6,8.

14. Ce verset est une interpolation, provenant de Marc 12,40.

veuves; c'est pour cela que vous subirez une condamnation plus sévère.)

[15] "Malheur à vous, scribes et pharisiens hypocrites, parce que vous courez mers et continents
pour gagner un prosélyte; et, quand il l'est devenu, vous en faites un fils de géhenne deux fois
plus que vous!

[16] "Malheur à vous, guides aveugles, qui dites:
"Si l'on jure par le Temple, cela ne compte pas;
mais si l'on jure par l'or du Temple, on est tenu." [17] Insensés et aveugles! Lequel est le plus
digne, l'or ou le Temple qui sanctifie l'or?

[18] "Et encore: "Si l'on jure par l'autel, cela ne
compte pas, mais si l'on jure par l'offrande qui
est sur l'autel, on est tenu." [19] Aveugles! Lequel
est le plus digne, l'offrande ou l'autel qui sanctifie l'offrande? [20] Celui donc qui jure par l'autel
jure par l'autel et par tout ce qui est dessus.
[21] Celui qui jure par le Temple jure par le Temple et par Celui qui l'habite. [22] Celui qui jure par
le ciel jure par le trône de Dieu et par Celui qui
y est assis.

[23] "Malheur à vous, scribes et pharisiens hypocrites, qui payez la dîme de la menthe, du fe-
nouil et du cumin, et qui avez abandonné ce
qu'il y a de plus grave dans la Loi: la justice, la
miséricorde et la bonne foi! C'est cela qu'il fallait pratiquer, sans omettre le reste.

[24] "Guides aveugles, qui filtrez le moucheron
et avalez le chameau!

[25] "Malheur à vous, scribes et pharisiens hypocrites, parce que vous purifiez le dehors de la

coupe et du plat, tandis que le dedans est rempli de rapine et d'intempérance! [26]Pharisien aveugle, purifie d'abord le dedans de la coupe, afin que le dehors aussi soit pur.

[27]"Malheur à vous, scribes et pharisiens hypocrites, parce que vous êtes semblables à des sépulcres blanchis, qui au-dehors paraissent beaux, mais au-dedans sont pleins d'ossements de morts et de toute sorte de pourriture! * [28]Ainsi au-dehors vous paraissez justes aux hommes, mais au-dedans vous êtes pleins d'hypocrisie et d'iniquité.

[29]"Malheur à vous, scribes et pharisiens hypocrites, qui bâtissez des tombeaux aux prophètes et ornez les monuments des justes, [30]et qui dites: "Si nous avions vécu aux jours de nos pères, nous n'aurions pas trempé comme eux dans le sang des prophètes." [31]Ainsi vous témoignez contre vous-mêmes que vous êtes les enfants de ceux qui ont assassiné les prophètes. [32]Comblez donc la mesure de vos pères! [33]Serpents, engeance de vipères, comment échapperez-vous au châtiment de la géhenne? [34]C'est pourquoi, voici que je vais vous envoyer des prophètes, des sages et des scribes; vous tuerez les uns, vous crucifierez les autres, vous en flagellerez d'autres dans vos synagogues et vous les poursuivrez de ville en ville, [35]afin que retombe

27. Les tombeaux étaient blanchis à la chaux pour qu'on ne fût pas exposé à contracter une impureté légale en les touchant involontairement.

35. Cf. 2 Chron *24*,20-22. Les mots: fils de Barachie sont probablement une glose. Les meurtres d'Abel et de

sur vous tout le sang innocent répandu sur la terre, depuis le sang d'Abel le juste jusqu'au sang de
Zacharie, fils de Barachie, que vous avez assassiné
entre le sanctuaire et l'autel.* ³⁶Vraiment, je
vous le dis, tout cela retombera sur cette génération.

Apostrophe à Jérusalem. - ³⁷"Jérusalem, Jérusalem, toi qui tues les prophètes et qui lapides
ceux qui te sont envoyés, combien de fois* ai-je
voulu rassembler tes enfants, comme une poule
rassemble ses petits sous ses ailes, et vous ne
l'avez pas voulu! ³⁸Voici que votre maison va
vous être laissée déserte. ³⁹Car je vous déclare
que vous ne me verrez plus désormais, jusqu'à ce
que vous disiez: *Béni soit celui qui vient au nom
du Seigneur!* "*

XII – DISCOURS ESCHATOLOGIQUE
ET EXHORTATIONS À LA VIGILANCE

24 **Discours eschatologique.** -* ¹Jésus, sortant
du Temple, s'en allait, quand ses disciples
s'approchèrent pour lui faire remarquer les constructions du Temple. ²Mais, prenant la parole, il

---

Zacharie sont le premier et le dernier racontés par la
Bible, suivant l'ordre du canon juif.

37. Le Sauveur était donc venu plusieurs fois à Jérusalem, ainsi que le montre l'Évangile de saint Jean.

39. Ps *118*,26. Peut-être allusion à la conversion future d'Israël avant le retour glorieux du Christ.

24. – Discours eschatologique. Ce passage, avec les
passages parallèles de Marc et de Luc, est l'un des plus

leur dit: "Vous voyez tout cela? Vraiment, je vous le dis, il ne restera pas ici pierre sur pierre qui ne soit détruite! "

³ Lorsqu'il se fut assis sur le mont des Oliviers, ses disciples s'approchèrent de lui en particulier et lui dirent: "Dis-nous quand ces choses arriveront, et quel sera le signe de ton Avènement* et de la fin du monde."

⁴ Jésus répondit: "Prenez garde que personne ne vous induise en erreur. ⁵ Car beaucoup viendront sous mon nom disant: "Je suis le Christ," et ils en tromperont un grand nombre. ⁶ Vous en-

---

difficiles du Nouveau Testament. Il appartient au genre apocalyptique et recourt, de ce fait, à des images conventionnelles qui ne sont pas à prendre à la lettre, et au genre prophétique qui présente souvent les événements sans perspective chronologique. Deux catégories d'interprétations peuvent être acceptées. La première estime qu'il y a ici deux discours entremêlés, relatifs l'un à la ruine de Jérusalem, l'autre à la fin du monde – le premier de ces événements sera prévisible, précédé de signes avant-coureurs et se produira durant la génération présente – le second sera soudain, impossible à prévoir, et l'époque en est laissée par le Sauveur dans un mystère impénétrable. Le Sauveur les distingue nettement, tout en les mentionnant ensemble, parce que le premier est l'annonce et le prélude du second, et pour faire comprendre que la ruine de la cité sainte ne sera pas aussitôt suivie de la catastrophe finale, ainsi que le croyaient communément les Juifs. D'autres interprètes proposent une explication plus simple et qui n'est pas sans valeur: elle consiste à dire que le discours se rapporte uniquement à la ruine de Jérusalem. Notre Seigneur aurait formulé cette prophétie en langage apocalyptique.

3. L'Avènement, littéralement la Parousie, la présence glorieuse du Christ.

tendrez parler de guerres et de bruits de guerres;
mais gardez-vous de vous troubler, car il faut que
cela arrive, mais ce ne sera pas encore la fin. [7]On
se dressera peuple contre peuple et royaume contre royaume; il y aura des pestes, des famines et
des tremblements de terre en divers lieux. [8]Mais
tout cela ne sera que le commencement des douleurs.

[9]"Alors on vous livrera aux souffrances et on
vous fera mourir; vous serez haïs de toutes les
nations à cause de mon Nom. [10]Beaucoup alors
succomberont; ils se trahiront et se haïront les
uns les autres. [11]Il s'élèvera quantité de faux
prophètes, qui induiront beaucoup de monde en
erreur. [12]Et parce que l'iniquité abondera, la
charité d'un grand nombre se refroidira. [13]Mais
celui qui tiendra jusqu'au bout, celui-là sera
sauvé. [14]Cet Évangile du Royaume sera proclamé
dans le monde entier en témoignage pour toutes
les nations; alors viendra la fin.

[15]"Quand donc vous verrez *la sinistre In-
famie*,* prédite par le prophète Daniel, installée
dans le lieu saint — lecteur, comprends bien! —
[16]alors, que ceux qui seront en Judée s'enfuient
dans les montagnes. [17]Que celui qui sera sur la

---

15. Littéralement: l'abomination de la Désolation;
cf. Dan *9*,27; *11*,31; *12*,11. Il s'agit de l'invasion ro-
maine et de la profanation du Temple. Cf. Luc *21*,20,
qui est le plus explicite.

16-20. Les chrétiens de Jérusalem comprirent parfai-
tement en 70 cet avertissement et se réfugièrent au-delà
du Jourdain avant l'investissement de la ville.

terrasse n'en descende point pour emporter ce qu'il y a dans sa maison.* [18]Que celui qui sera aux champs ne retourne point pour emporter son manteau. [19]Mais malheur aux femmes qui seront enceintes ou qui allaiteront en ces jours-là! [20]Priez pour que votre fuite n'arrive pas en hiver ni un jour de sabbat. [21]Oui, il y aura alors une grande détresse, telle qu'il n'y en a pas eu de pareille depuis le commencement du monde jusqu'à présent, et qu'il n'y en aura jamais plus. [22]Si ces jours n'avaient été abrégés, personne n'aurait eu la vie sauve; mais à cause des élus, ces jours seront abrégés. [23]Alors si quelqu'un vous dit: "Voici, le Christ est ici", ou: "Il est là", ne le croyez point; [24]car il s'élèvera de faux christs et de faux prophètes, qui feront de grands signes et prodiges, capables d'égarer, s'il était possible, les élus mêmes. [25]Voilà, je vous ai prévenus! [26]Si donc on vous dit: "Le voici dans le désert", n'y allez pas; "le voici dans les pièces retirées", ne le croyez pas. [27]Car comme l'éclair part de l'orient et brille jusqu'à l'occident, ainsi sera l'Avènement du Fils de l'homme. [28]Où que soit le cadavre, là se rassembleront les vautours.

[29]"Aussitôt après ces jours de détresse, le soleil s'obscurcira, la lune ne donnera plus sa lumière, les astres tomberont du ciel, et les puissances des cieux seront ébranlées.* [30]Alors paraîtra

---

29. Les puissances des cieux sont les étoiles. Images apocalyptiques, inspirées des prophètes et à entendre d'une façon métaphorique.

30. Le signe du Fils de l'homme, peut-être la croix

dans le ciel le signe du Fils de l'homme;* toutes les tribus de la terre se frapperont la poitrine, et elles verront le Fils de l'homme venant sur les nuées du ciel avec grande puissance et gloire. [31] Il enverra ses anges avec la grande trompette; ils rassembleront ses élus des quatre points de l'horizon, d'une extrémité des cieux à l'autre.

[32] "Comprenez une comparaison prise du figuier. Quand ses branches sont déjà tendres et qu'il pousse des feuilles, vous savez que l'été est proche. [33] De même, lorsque vous verrez tout cela, sachez que l'événement est proche, à vos portes. [34] Vraiment, je vous le dis, cette génération ne passera pas que tout cela n'arrive. [35] Le ciel et la terre passeront, mais mes paroles ne passeront pas.

[36] "Quant à ce jour et à cette heure, personne n'en sait rien, non, pas même les anges des cieux, pas même le Fils, mais le Père seul.*

Exhortations à la vigilance. – [37] Tels furent les jours de Noé, tel sera l'avènement du Fils de l'homme. [38] Comme en effet dans les derniers jours avant le déluge les hommes mangeaient et buvaient, prenaient femme ou mari, jusqu'au jour où Noé entra dans l'arche,* [39] ne se doutant de

ou plutôt la vision du Fils de l'homme entendue métaphoriquement et manifestant sa gloire par le triomphe de l'Église. Les païens se frapperont la poitrine, c'est-à-dire se repentiront et se convertiront. Le Sauveur décrit sa venue en termes empruntés à Dan *17*,13 et qu'il reprendra devant Caïphe *26*,64.

36. Jésus ignore le jour et l'heure, en ce sens qu'il

rien jusqu'à la venue du déluge qui les emporta tous, ainsi en sera-t-il à l'Avènement du Fils de l'homme. [40]Alors de deux hommes qui seront dans un champ, l'un sera pris et l'autre laissé. [41]De deux femmes qui moudront à la meule, l'une sera prise et l'autre laissée. [42]Veillez donc parce que vous ne savez pas quel jour votre Maître doit venir. [43]Comprenez-le bien: si le propriétaire savait à quelle heure de la nuit le voleur doit venir, il veillerait et ne laisserait pas percer le mur de sa maison. [44]Tenez-vous donc, vous aussi, toujours prêts, parce que le Fils de l'homme viendra à l'heure que vous ne pensez pas.

[45]"Qui est le serviteur fidèle et avisé que son maître a établi sur ses domestiques pour leur distribuer dans le temps leur nourriture? [46]Heureux ce serviteur si son maître à son arrivée le trouve agissant de la sorte! [47]Vraiment, je vous le dis, il l'établira sur tous ses biens. [48]Mais si ce serviteur est mauvais, et se dit en son coeur: "Mon maître tarde", [49]et qu'il se mette à battre ses compagnons, à manger et à boire avec des ivrognes, [50]le maître de ce serviteur viendra le jour où il ne l'attend pas, et à l'heure qu'il ne connaît pas; [51]il le rejettera et lui assignera sa

---

n'a pas mission de les dévoiler, (comparer Act *1*,7) ou peut-être parce qu'en tant qu'homme la connaissance ne lui en a pas été communiquée par le Père, de manière qu'il puisse la transmettre. Ce passage, ainsi que le v *31*, montre que les anges sont à son service et qu'il leur est supérieur.

38. Gen *7*,7.

part avec les hypocrites. Là seront les pleurs et les grincements de dents.

25 Parabole des dix vierges. - * [1] "Alors le Royaume des cieux sera semblable à dix vierges, qui, ayant pris leurs lampes, s'en allèrent au-devant de l'époux. [2] Cinq d'entre elles étaient sottes et cinq étaient sensées. [3] Les sottes en prenant leurs lampes ne prirent pas d'huile avec elles. [4] Les sensées, au contraire, prirent de l'huile dans des fioles avec leurs lampes. [5] L'époux tardant à venir, elles s'assoupirent toutes et s'endormirent. [6] Au milieu de la nuit, un cri retentit: "Voici l'époux! Sortez à sa rencontre!" [7] Aussitôt toutes ces vierges se réveillèrent et préparèrent leurs lampes. [8] Les sottes dirent aux sensées: "Donnez-nous de votre huile car nos lampes s'éteignent." [9] Les sensées leur répondirent: "De peur qu'il n'y en ait pas assez pour nous et pour vous, allez plutôt chez les marchands et achetez-en pour vous." [10] Mais pendant qu'elles allaient en acheter, l'époux arriva; celles qui étaient prêtes entrèrent avec lui dans la salle des noces, et la porte fut fermée. [11] Finalement les autres vierges arrivèrent aussi, disant: "Seigneur, Seigneur, ouvre-nous!" [12] Mais il leur répondit: "Vraiment,

---

25. – 1-13. La parabole des dix vierges se réfère aux usages juifs: des jeunes filles faisaient cortège à la fiancée quand son fiancé venait la chercher pour l'emmener solennellement chez lui; c'est en cela que consistait la cérémonie du mariage. La leçon est qu'il faut toujours veiller et attendre la venue du Sauveur; celui qui ne per-

je vous le dis, je ne vous connais pas." [13]Veillez donc, car vous ne savez ni le jour ni l'heure.

Parabole des talents. -*. [14]"C'est comme un homme qui, partant en voyage, appela ses serviteurs et leur confia ses biens. [15]Il remit cinq talents à l'un, deux à un autre, et un à un autre, selon la capacité de chacun, puis il partit. [16]Aussitôt, celui qui avait reçu cinq talents alla les faire valoir et en gagna cinq autres. [17]Celui qui en avait reçu deux en gagna de même deux autres. [18]Mais celui qui n'en avait reçu qu'un alla faire un trou dans la terre et y cacha l'argent de son maître. [19]Longtemps après, le maître de ces serviteurs revient et leur fait rendre compte. [20]S'avançant, celui qui avait reçu cinq talents en présenta cinq autres en disant: "Seigneur, tu m'avais confié cinq talents; en voici cinq autres que j'ai gagnés." [21]Son maître lui répondit: "C'est bien; bon et fidèle serviteur! Parce que tu as été fidèle en peu de choses, je t'établirai sur beaucoup; entre dans la joie de ton maître." [22]Celui qui avait reçu deux talents s'avança à son tour et dit: "Seigneur, tu m'avais confié deux talents; en voici deux autres que j'ai gagnés." [23]Son maître lui répondit: "C'est bien, bon et fidèle serviteur! Parce que tu as été fidèle en peu de choses, je t'éta-

---

sévère pas jusqu'à la fin dans cette attente et dans le désir de sa présence lui deviendra étranger et sera séparé de lui pour toujours.

14-30. Parabole des talents; Luc lui donne une forme un peu différente. Cinq talents valaient environ trente mille francs or.

blirai sur beaucoup; entre dans la joie de ton
maître." ²⁴Enfin s'avança celui qui détenait un
seul talent et il dit: "Seigneur, je sais que tu es
un homme dur, qui moissonnes où tu n'as pas
semé, ramasses où tu n'as rien répandu. ²⁵Aussi,
pris de peur, je suis allé cacher ton talent dans la
terre; le voici, je te rends ton bien." ²⁶Mais son
maître lui répondit: "Mauvais serviteur, fai-
néant! Tu savais que je moissonne où je n'ai pas
semé, et que je ramasse où je n'ai rien répandu;
²⁷il fallait donc porter mon argent aux ban-
quiers, afin qu'à mon retour je recouvre mon
bien avec l'intérêt. ²⁸Enlevez-lui donc son talent
et donnez-le à celui qui en a dix. ²⁹Car à celui
qui a on donnera et il sera dans l'abondance;
mais pour celui qui n'a pas, on lui ôtera même ce
qu'il a. ³⁰Et qu'on jette ce serviteur propre à
rien dans les ténèbres extérieures. Là il y aura les
pleurs et les grincements de dents."

Le jugement dernier. -* ³¹"Quand le Fils de
l'homme viendra dans sa gloire, accompagné de
tous les anges, il siégera sur son trône glorieux.
³²Toutes les nations étant assemblées devant lui,
il séparera les uns d'avec les autres, comme le

31-46. Jésus juge et roi universel. Tandis que le discours eschatologique du chapitre *24* n'envisageait que les
élus, il est question ici des élus et des réprouvés. Chacun
sera jugé avant tout d'après l'exercice ou le refus de la
charité. Les frères du Christ lui sont si intimement unis
qu'il considère tout ce qu'on leur fait comme fait à lui-
même; c'est en germe la doctrine du corps mystique, dé-
veloppée par Paul.

berger sépare les brebis d'avec les boucs; [33] il placera les brebis à sa droite et les boucs à sa gauche. [34] Alors le Roi dira à ceux qui seront à sa droite: "Venez, les bénis de mon Père, recevez en héritage le Royaume qui vous a été préparé dès l'origine du monde. [35] Car j'ai eu faim, et vous m'avez donné à manger; j'ai eu soif, et vous m'avez donné à boire; j'étais étranger, et vous m'avez accueilli; [36] nu, et vous m'avez vêtu; malade, et vous m'avez visité; j'ai été en prison, et vous êtes venu me voir." [37] Alors les justes lui répondront: "Seigneur, quand est-ce que nous t'avons vu avoir faim et que nous t'avons donné à manger; ou avoir soif et que nous t'avons donné à boire? [38] Quand est-ce que nous t'avons vu étranger et que nous t'avons accueilli; ou nu et que nous t'avons vêtu? [39] Quand est-ce que nous t'avons vu malade ou en prison et que nous sommes venus te voir? " [40] Le Roi leur répondra: "Vraiment, je vous le dis, autant de fois que vous l'avez fait au moindre de mes frères que voici, c'est à moi que vous l'avez fait." [41] Il dira ensuite à ceux qui seront à sa gauche: "Retirez-vous loin de moi, maudits; allez au feu éternel qui a été préparé pour le diable et pour ses anges. [42] Car j'ai eu faim, et vous ne m'avez pas donné à manger; j'ai eu soif, et vous ne m'avez pas donné à boire; [43] j'étais étranger, et vous ne m'avez pas accueilli; nu, et vous ne m'avez pas vêtu; malade et en prison, et vous ne m'avez pas visité." [44] Alors eux aussi répondront: "Seigneur, quand est-ce que nous t'avons vu avoir faim, ou étranger, nu, mala-

de, en prison, sans que nous t'ayons assisté?"
[45] Alors il leur répondra: "Vraiment, je vous le
dis, chaque fois que vous ne l'avez pas fait au
moindre de ces petits que voici, c'est à moi que
vous ne l'avez pas fait." [46] Et ceux-ci iront au
châtiment éternel, et les justes à la vie éternelle."

XIII – LA PASSION

26 **Le complot contre Jésus.** - [1] Jésus, ayant
achevé tous ces discours, dit à ses disciples:
[2] "Vous savez que la Pâque tombe dans deux
jours, et que le Fils de l'homme sera livré pour
être crucifié." [3] Alors les grands prêtres et les anciens du peuple s'assemblèrent dans le palais du
grand prêtre appelé Caïphe* [4] et tinrent conseil,
afin de se saisir de Jésus par ruse et de le faire
mourir. [5] Mais ils disaient: "Pas pendant la fête,
de peur qu'il ne se produise du tumulte parmi le
peuple."

Onction de Béthanie et trahison de Judas. -
[6] Or, Jésus étant à Béthanie, dans la maison de
Simon le lépreux, [7] une femme s'approcha de lui
avec un vase d'albâtre rempli d'un parfum de
grand prix qu'elle lui répandit sur la tête pendant
qu'il était à table. [8] A cette vue, les disciples s'indignèrent et dirent: "A quoi bon ce gaspillage?

---

26. – 3. Caïphe fut grand prêtre de l'an 18 à l'an
36. Il était le gendre d'Anne, grand prêtre des années 6
à 15.

⁹On aurait pu vendre ce parfum fort cher et en donner le prix aux pauvres." ¹⁰Mais Jésus, s'en apercevant, leur dit: "Pourquoi faites-vous de la peine à cette femme? C'est une bonne action qu'elle a accomplie envers moi. ¹¹Car vous aurez toujours des pauvres avec vous; mais moi, vous ne m'aurez pas toujours. ¹²En répandant ce parfum sur mon corps, elle l'a fait en vue de ma sépulture. ¹³Vraiment, je vous le dis, partout où sera prêché cet Évangile – dans le monde entier – on redira aussi à sa mémoire, ce qu'elle vient de faire."

¹⁴Alors l'un des Douze, appelé Judas Iscariote, alla trouver les grands prêtres ¹⁵et leur dit: "Que voulez-vous me donner, et je vous le livrerai?" Ils lui assurèrent trente pièces d'argent. ¹⁶Depuis ce temps-là, il cherchait une occasion favorable pour le livrer.

Préparation du repas pascal et institution de l'Eucharistie. - ¹⁷Or, le premier jour des Azymes,* les disciples s'approchèrent de Jésus et lui dirent: "Où veux-tu que nous te préparions de quoi manger la pâque?" ¹⁸Jésus leur répondit: "Allez dans la ville chez un tel, et dites-lui: "Le Maître te fait dire: Mon temps est proche; je veux faire la pâque chez toi avec mes disciples."" ¹⁹Les disciples firent ce que Jésus leur

---

17. Le premier jour des Azymes, 14 du mois de nisan, on faisait disparaître le pain fermenté pour ne manger que du pain sans levain pendant la fête, soit du 15 au 21 nisan.

avait commandé, et préparèrent la pâque. [20]Le soir venu, il se mit à table avec les douze disciples. [21]Pendant qu'ils mangeaient, il leur dit: "Vraiment, je vous le dis, l'un de vous me trahira." [22]Profondément attristés, ils se mirent à lui dire l'un après l'autre: "Serait-ce moi, Seigneur? " [23]Il leur répondit: "Celui qui a mis avec moi la main au plat, c'est lui qui me trahira.* [24]Le Fils de l'homme s'en va selon ce qui a été écrit de lui; mais malheur à l'homme par qui le Fils de l'homme est trahi; il vaudrait mieux pour lui qu'il ne fût pas né! " [25]Judas, celui qui allait le trahir, prit la parole et dit: "Serait-ce moi, Rabbi? " Il lui répondit: "Tu l'as dit."*

[26]Tandis qu'ils mangeaient, Jésus prit du pain, dit la bénédiction, le rompit et le donna aux disciples, en disant: "Prenez, mangez: *CECI EST MON CORPS*." [27]Puis, prenant une coupe, il rendit grâces et la leur donna, en disant: "Buvezen tous, [28]car *CECI EST MON SANG*, le sang de la nouvelle alliance, qui sera répandu pour la multitude en rémission des péchés.* [29]Or, je vous le dis, je ne boirai plus désormais de ce fruit

23. Celui qui a mis avec moi la main au plat: un de ceux qui mangent avec moi, un de mes commensaux.

25. La réponse du Sauveur ne fut entendue que de Judas. Cf. Jean *13*,25-30.

26-29. L'Eucharistie inaugure une alliance nouvelle et universelle dans le sang rédempteur de Jésus et elle est le gage de la réunion éternelle dans le royaume du Père, décrit sous l'image d'un banquet.

de la vigne, jusqu'au jour où j'en boirai du nouveau avec vous dans le Royaume de mon Père."

[30]Et ayant chanté les psaumes,* ils partirent pour le mont des Oliviers.

Annonce de l'abandon des disciples et du reniement de Pierre. - [31]Alors Jésus leur dit: "Vous serez tous scandalisés cette nuit à mon sujet, car il est écrit: *Je frapperai le pasteur, et les brebis du troupeau seront dispersées.** [32]Mais après que je serai ressuscité, je vous ramènerai en Galilée."* [33]Pierre lui répondit: "Quand tous se scandaliseraient à ton sujet, moi je ne me scandaliserai jamais! " [34]Jésus lui répartit: "Vraiment, je te le déclare, cette nuit même, avant que le coq ne chante, tu me renieras trois fois." [35]Pierre lui dit: "Quand il me faudrait mourir avec toi, je ne te renierai pas." Tous les disciples en dirent autant.

L'agonie à Gethsémani. - [36]Alors Jésus arriva avec eux dans un domaine appelé Gethsémani; il dit aux disciples: "Asseyez-vous ici pendant que je m'en irai là-bas pour prier." [37]Puis, ayant pris avec lui Pierre et les deux fils de Zébédée, il commença à être en proie à la tristesse et à l'angoisse. [38]Alors il leur dit: "Mon âme est triste à mourir: demeurez ici et veillez avec moi." [39]S'étant un peu éloigné, il tomba le visage contre ter-

30. Les Ps *113*sq.

31. Zac *13*,7.

32. Je vous ramènerai en Galilée; traduction plus probable que: je vous précéderai. Cf. note *28*,7.

re, priant et disant: "Mon Père, s'il est possible, que ce calice passe loin de moi! Cependant non pas comme je veux, mais comme tu veux." [40]Il revint vers les disciples et, les trouvant endormis, il dit à Pierre: "Ainsi, vous n'avez pas eu la force de veiller une heure avec moi? [41]Veillez et priez afin de ne pas entrer en tentation; l'esprit est ardent, mais la chair est faible."* [42]Il s'en alla encore une seconde fois et fit cette prière: "Mon Père, si ce calice ne peut passer sans que je le boive, que ta volonté soit faite." [43]Puis il revint vers les disciples et les trouva encore endormis, car leurs yeux étaient appesantis de sommeil. [44]Il les laissa et s'en alla de nouveau prier pour la troisième fois, répétant les mêmes paroles. [45]Alors il revint vers ses disciples, et leur dit: "Dormez maintenant et reposez-vous: voici que l'heure est proche où le Fils de l'homme va être livré entre les mains des pécheurs. [46]Levez-vous, allons, voici tout proche celui qui me livre."

Trahison de Judas et arrestation de Jésus. - [47]Il parlait encore quand Judas, l'un des Douze, arriva, et avec lui une bande nombreuse armée d'épées et de bâtons, envoyée par les grands prêtres et les anciens du peuple. [48]Or le traître leur avait donné ce signe: "Celui que j'embrasserai, c'est lui; arrêtez-le." [49]Aussitôt donc, il s'approcha de Jésus et lui dit: "Salut, Rabbi." Et il l'embrassa. Jésus lui dit: "[50]Mon ami, voilà ce

---

41. Il faut veiller et prier pour éviter les occasions dangereuses; l'esprit est prompt à former de belles résolutions, mais la chair est faible et redoute l'effort.

que tu viens faire! " Alors ils s'avancèrent, mirent la main sur Jésus et l'arrêtèrent.

⁵¹ Et voici que l'un des compagnons de Jésus porta la main à son épée, la tira, frappa le serviteur du grand prêtre, et lui trancha l'oreille. ⁵² Alors Jésus lui dit: "Remets ton épée à sa place, car tous ceux qui prennent l'épée périront par l'épée. ⁵³ Crois-tu que je ne puisse pas prier mon Père qui m'enverrait aussitôt plus de douze légions d'anges? ⁵⁴ Comment donc s'accompliraient les Écritures, selon lesquelles il doit en être ainsi? " ⁵⁵ Au même moment, Jésus dit aux foules: "Comme pour un brigand, vous êtes venus avec des épées et des bâtons pour me saisir; j'étais tous les jours assis à enseigner dans le Temple, et vous ne m'avez pas arrêté. ⁵⁶ Mais tout cela est arrivé pour que s'accomplissent les écrits des prophètes." Alors les disciples l'abandonnèrent tous et s'enfuirent.

Comparution devant Caïphe. - ⁵⁷ Ceux qui avaient arrêté Jésus l'emmenèrent chez Caïphe, le grand prêtre, où les scribes et les anciens étaient assemblés. ⁵⁸ Or, Pierre le suivit de loin jusqu'au palais du grand prêtre; étant entré, il s'assit avec les valets pour voir la fin.

⁵⁹ Cependant les grands prêtres et le Sanhédrin tout entier cherchaient un faux témoignage contre Jésus pour le faire mourir; ⁶⁰ ils n'en trouvèrent point quoique beaucoup de faux témoins se fussent présentés. Enfin, il en vint deux qui déclarèrent: ⁶¹ "Cet homme a dit: Je puis détruire

le temple de Dieu, et le rebâtir en trois jours."
62 Alors le grand prêtre, se levant, lui dit: "Tu ne
réponds rien à ce que ceux-ci déposent contre
toi?" 63 Mais Jésus gardait le silence. Le grand
prêtre lui dit: "Je t'adjure par le Dieu vivant de
nous dire si tu es le Christ, le Fils de Dieu."
64 Jésus lui répondit: "Tu l'as dit; de plus, je
vous le déclare, vous verrez désormais le Fils de
l'homme assis à la droite de la Puissance et venant sur les nuées du ciel."*

65 Alors le grand prêtre déchira ses vêtements,* en disant: "Il a blasphémé! Qu'avons-
nous encore besoin de témoins? Vous venez
d'entendre le blasphème; 66 qu'en pensez-vous?"
Ils répondirent: "Il mérite la mort." 67 Alors ils
lui crachèrent au visage et le souffletèrent; d'autres lui donnèrent des coups, 68 en disant: "Pro-
phétise-nous, Christ, et dis qui t'as frappé!"

63-64. C'est peut-être le moment le plus solennel de
la vie du Sauveur; en termes qui rappellent le Ps 110,1
et Dan 7,13-14, il proclame sa filiation divine et revendique la même dignité que Dieu, sachant bien qu'il pro-
nonce ainsi son arrêt de mort et sera le premier martyr
de sa propre divinité. C'est là le "beau témoignage"
dont parle Paul: 1 Tim 2,6 et 6,13. Désormais, on verra,
c'est-à-dire on éprouvera le triomphe du Christ, dans sa
résurrection, dans l'établissement de son règne par l'E-
glise, dans la destruction de Jérusalem, en attendant son
retour glorieux à la fin des temps. La Puissance est une
périphrase pour éviter de prononcer le nom divin.
65. On déchirait ses vêtements d'une manière déter-
minée par la tradition quand on entendait un blasphème.

Reniement et repentir de Pierre. - [69]Pierre cependant était assis dehors dans la cour. Une servante, s'approchant, lui dit: "Toi aussi, tu étais avec Jésus le Galiléen!" [70]Mais il le nia devant tout le monde, en disant: "Je ne sais ce que tu dis." [71]Or, comme il sortait vers le portail, une autre servante le vit et dit à ceux qui étaient là: "Celui-ci était avec Jésus de Nazareth!" [72]Pierre nia une seconde fois, disant avec serment: "Je ne connais pas cet homme." [73]Peu après, ceux qui étaient là s'approchèrent et dirent à Pierre: "Certainement tu en es aussi; car ton accent te trahit!" [74]Il se mit alors à faire des imprécations et à jurer: "Je ne connais pas cet homme." Aussitôt un coq chanta. [75]Pierre se souvint de la parole que Jésus avait dite: "Avant que le coq ne chante, tu me renieras trois fois." Et, s'en allant dehors, il pleura amèrement.

27 **Jésus déféré à Pilate. Désespoir et suicide de Judas.** - [1]Le matin venu, tous les grands prêtres et les anciens du peuple tinrent conseil contre Jésus pour le faire mourir.* [2]L'ayant ligoté, ils l'emmenèrent et le remirent à Pilate, le gouverneur.

[3]Cependant Judas, qui l'avait livré, voyant qu'il était condamné, fut pris de remords; il rapporta les trente pièces d'argent aux grands prêtres et aux anciens. [4]"J'ai péché, dit-il, en livrant le

---

27. – 1. Seconde séance du Sanhédrin, la réunion nocturne étant illégale. C'est la seule que raconte Luc *22*,66-71. Pilate fut gouverneur de Judée de 26 à 36.

sang innocent." Ils lui répondirent: "Que nous importe? C'est ton affaire." ⁵ Alors, jetant l'argent dans le sanctuaire, il s'éloigna et alla se pendre. ⁶ Mais les grands prêtres, ramassant l'argent, se dirent: "Il n'est pas permis de le mettre dans le trésor, parce que c'est le prix du sang." ⁷ Ayant délibéré, ils en achetèrent le Champ du Potier pour la sépulture des étrangers. ⁸ C'est pour cela que ce champ est appelé encore aujourd'hui le Champ du Sang. ⁹ Ainsi fut accomplie la parole du prophète Jérémie: *Ils ont reçu les trente pièces d'argent, prix de celui qui avait été mis à prix, mis à prix par les enfants d'Israël.* * ¹⁰ *Ils les ont données pour acheter le Champ du Potier comme le Seigneur me l'a ordonné.*

Jésus devant Pilate. Barabbas. Condamnation à mort. - ¹¹ Jésus comparut devant le gouverneur. Le gouverneur l'interrogea en ces termes: "Tu es le roi des Juifs?" Jésus lui répondit: "Tu le dis." ¹² Aux accusations portées contre lui par les grands prêtres et les anciens, il ne répondit rien. ¹³ Alors Pilate lui dit: "N'entends-tu pas tout ce qu'ils déposent contre toi?" ¹⁴ Mais il ne lui répondit sur aucun point, de sorte que le gouverneur était fort étonné. ¹⁵ Or le gouverneur avait coutume, à chaque Fête, de relâcher à la foule un prisonnier, celui qu'elle voulait; ¹⁶ on détenait alors un prisonnier fameux, nommé Barabbas.

---

9. Citation libre, empruntée à la fois à Zac *11*,12-13 et à Jer *32*,6-9 et mise sous le nom du plus connu des deux prophètes.

[17]Comme ils étaient rassemblés, Pilate leur dit: "Lequel voulez-vous que je vous délivre, Barabbas ou Jésus qu'on appelle Christ?" [18]Car il savait bien que c'était par jalousie qu'ils l'avaient livré. [19]Pendant qu'il siégeait au tribunal, sa femme lui envoya dire: "Ne fais rien à ce juste; car j'ai été aujourd'hui très tourmentée en rêve à cause de lui."

[20]Mais les grands prêtres et les anciens persuadèrent au peuple de demander Barabbas et de réclamer la mort de Jésus. [21]Le gouverneur, prenant la parole, leur dit: "Lequel des deux voulez-vous que je vous relâche?" Ils répondirent: "Barabbas!" [22]Pilate leur dit: "Que ferai-je donc de Jésus qu'on appelle Christ?" Tous répondirent: "Qu'il soit crucifié!" Le gouverneur leur dit: [23]"Quel mal a-t-il donc fait?" Mais eux criaient encore plus fort: "Qu'il soit crucifié!"

[24]Pilate, voyant que cela n'aboutissait à rien, mais qu'il en résultait plutôt du tumulte, prit de l'eau et se lava les mains devant la foule en disant: "Je suis innocent du sang de ce juste: c'est votre affaire!" [25]Tout le peuple répondit: "Que son sang retombe sur nous et sur nos enfants!" [26]Alors il leur relâcha Barabbas; et, ayant fait flageller Jésus, il le livra pour être crucifié.

Le couronnement d'épines. - [27]Alors les soldats du gouverneur menèrent Jésus dans le prétoire et réunirent autour de lui toute la cohorte. [28]Ils le déshabillèrent et lui mirent un manteau écarlate; [29]puis tressant une couronne d'épines, ils la lui posèrent sur la tête, avec un roseau dans la main droite, et ployant le genou devant lui, ils se moquaient de lui, en disant: "Salut, roi des Juifs!" [30]Ayant craché sur lui, ils prirent le roseau et l'en frappaient à la tête. [31]Après s'être ainsi moqués de lui, ils lui ôtèrent le manteau, lui remirent ses vêtements et l'emmenèrent pour le crucifier.

Simon le Cyrénéen. - [32]En sortant ils trouvèrent un homme de Cyrène, nommé Simon, qu'ils requirent pour porter sa croix. [33]Arrivés au lieu appelé Golgotha, c'est-à-dire le lieu du Crâne, [34]ils lui donnèrent à boire du vin mêlé de fiel; mais, l'ayant goûté, il ne voulut point en boire.

Le crucifiement; railleries et outrages. - [35]Après qu'ils l'eurent crucifié, ils partagèrent ses vêtements qu'ils tirèrent au sort. [36]S'étant assis, ils restaient là à le garder. [37]Puis ils mirent au-dessus de sa tête le motif de sa condamnation ainsi libellé: *C'EST JÉSUS, LE ROI DES JUIFS.*
[38]Alors on crucifia avec lui deux brigands, l'un à droite et l'autre à gauche. [39]Les passants l'insultaient, hochant la tête [40]et disant: "Toi qui détruis le Temple et le rebâtis en trois jours, sauve-toi toi-même; si tu es le Fils de Dieu, descends de la croix!" [41]Pareillement les grands prêtres se moquaient avec les scribes et les anciens, disant: [42]"Il en a sauvé d'autres et il ne peut se sauver lui-même! Il est le roi d'Israël! Qu'il descende maintenant de la croix, et nous

croirons en lui. [43] Il a mis sa confiance en Dieu; qu'il le délivre maintenant, s'il l'aime, car il a dit: Je suis Fils de Dieu! "* [44] Même les brigands crucifiés avec lui l'outrageaient de la même manière.

Mort de Jésus. - [45] Depuis la sixième heure jusqu'à la neuvième, toute la terre* fut couverte de ténèbres. [46] Vers la neuvième heure, Jésus cria d'une voix forte: *Éli, Éli, lamma sabacthani.* C'est-à-dire: *Mon Dieu! Mon Dieu! Pourquoi m'as-tu abandonné?* * [47] Quelques-uns de ceux qui se tenaient là dirent en l'entendant: "Il appelle Élie! " [48] Et aussitôt l'un d'eux courut prendre une éponge qu'il imbiba de vinaigre, et, l'ayant mise au bout d'un roseau, il lui présenta à boire. [49] Les autres disaient: "Attends! Voyons si Élie viendra le délivrer! "

[50] Mais Jésus, ayant à nouveau poussé un grand cri, rendit l'esprit.

Le tremblement de terre: attitude des témoins. - [51] Et voici que le rideau du Temple se déchira* en deux, depuis le haut jusqu'en bas, la

43. Cf. Ps *22*,9; Sag *2*,13.18-30.

45. Toute la terre, c'est-à-dire le pays environnant.

46. Jésus cite le début du Ps *22* qui prophétisait sa passion, mais qui se termine en un chant de confiance et de triomphe. C'est au psaume tout entier que pense le Sauveur; on se tromperait en voyant ici une expression de désespoir.

51. Le rideau du Temple: probablement celui qui séparait le saint du Saint des saints; signe que l'ancienne Loi était abrogée.

terre trembla, les rochers se fendirent; [52] les tombeaux s'ouvrirent, et les corps de nombreux saints qui y reposaient ressuscitèrent; [53] puis, sortant de leurs tombeaux après sa résurrection, ils vinrent dans la Ville sainte et apparurent à un grand nombre.*

[54] Le centurion et ceux qui gardaient Jésus avec lui, à la vue du tremblement de terre et de ce qui se passait, furent saisis d'une grande frayeur et dirent: "Vraiment, cet homme était Fils de Dieu!"

[55] Il y avait là plusieurs femmes qui regardaient de loin, celles-là mêmes qui avaient suivi Jésus depuis la Galilée pour le servir, [56] entre autres Marie de Magdala, Marie mère de Jacques et de Joseph, et la mère des fils de Zébédée.

Sépulture de Jésus et garde du tombeau. -

[57] Sur le soir vint un homme riche d'Arimathie, nommé Joseph, qui était devenu, lui aussi, disciple de Jésus. [58] Il alla trouver Pilate et lui demanda le corps de Jésus. Pilate commanda qu'on le lui remît. [59] Joseph, ayant donc pris le corps, l'enveloppa dans un linceul blanc [60] et le plaça dans le tombeau neuf qu'il avait fait tailler pour lui dans le roc; puis, après avoir roulé une grande pierre à l'entrée du tombeau, il s'en alla. [61] Cependant Marie de Magdala et l'autre Marie étaient là, assises vis-à-vis du tombeau.

52-53. Un certain nombre de saints de l'ancienne alliance ressuscitèrent avec le Christ pour lui faire cortège et montèrent sans doute au ciel avec lui.

[62] Le lendemain qui était le jour après la Préparation,* les grands prêtres et les pharisiens se rendirent ensemble chez Pilate: [63] "Seigneur, lui dirent-ils, nous nous sommes souvenus que cet imposteur a dit, lorsqu'il était encore en vie: "Après trois jours je ressusciterai." [64] Commande donc que le tombeau soit bien gardé jusqu'au troisième jour, de peur que ses disciples ne viennent dérober son corps et ne disent au peuple: "Il est ressuscité d'entre les morts"; dernière imposture qui serait pire que la première! " [65] Pilate leur dit: "Vous avez une garde; prenez donc vos sûretés comme vous l'entendrez." [66] Ils s'en allèrent donc; et, pour s'assurer du sépulcre, ils en scellèrent la pierre et y mirent la garde.

28 Le tombeau vide. Message de l'ange. Apparition de Jésus aux saintes femmes. -*

[1] Après le sabbat, à l'aube du premier jour de la semaine, Marie de Magdala et l'autre Marie vinrent visiter le tombeau. [2] Voici qu'il se fit un grand tremblement de terre; l'ange du Seigneur descendit du ciel et, s'approchant, roula la pierre et s'assit dessus. [3] Son aspect était brillant comme

---

62. Le jour après la Préparation, c'est-à-dire le jour même du Sabbat, lendemain du jour mémorable sanctifié par la mort du Sauveur.

28. – On remarquera la discrétion des évangélistes: aucun ne décrit la sortie du Christ du tombeau. Chaque évangile raconte seulement quelques apparitions, choisies en fonction du but poursuivi, et par lesquelles le Sauveur a affermi la foi des apôtres.

l'éclair, son vêtement blanc comme la neige. [4]Les gardes en tremblèrent de frayeur et devinrent comme morts.

[5]Mais l'ange, s'adressant aux femmes, leur dit: "Pour vous, ne craignez pas; je sais que vous cherchez Jésus, le crucifié. [6]Il n'est pas ici; il est ressuscité comme il l'avait dit. Venez voir la place où il avait été déposé [7]et allez vite dire à ses disciples qu'il est ressuscité des morts. Voici qu'il vous précède en Galilée; là vous le verrez. Voilà, je vous l'ai dit!"*

[8]Elles sortirent aussitôt du tombeau avec crainte et grande joie et coururent porter la nouvelle aux disciples. [9]Mais voici que Jésus vint à leur rencontre et leur dit: "Salut!" Elles, s'approchant, lui saisirent les pieds et se prosternèrent devant lui. [10]Alors Jésus leur dit: "Ne craignez pas. Allez dire à mes frères qu'ils aillent en Galilée; là ils me verront."*

Les gardes. - [11]Pendant qu'elles étaient en chemin, voici que quelques-uns des gardes vinrent à la ville et rapportèrent aux grands prêtres tout

---

7. Cf. note 26,32. Le bon Pasteur va se remettre à la tête de son troupeau et le ramener pour quelques semaines en Galilée. Ce rendez-vous suppose, bien loin de les exclure, des apparitions préalables à Jérusalem pour regrouper le troupeau (elles sont racontées par Luc 24 et Jean 20); comparer plus bas 28,16. Les disciples regagneront la Ville sainte pour l'Ascension et la Pentecôte.

9-10. Cette apparition est peut-être la même que celle à Madeleine racontée par Jean 20,11-18. Matthieu aura eu recours encore une fois au pluriel de généralisation.

ce qui s'était passé. [12]Ceux-ci, s'étant réunis avec les anciens et en ayant délibéré ensemble, donnèrent une forte somme d'argent aux soldats, [13]en disant: "Vous direz que ses disciples sont venus la nuit et l'ont dérobé pendant que vous dormiez. [14]Si le gouverneur vient à le savoir, nous l'apaiserons, et nous vous mettrons hors de cause." [15]Les soldats prirent l'argent et se conformèrent à ces instructions; cette fable est encore répandue aujourd'hui parmi les Juifs.

Apparition en Galilée. Mission définitive des apôtres. - [16]Or les onze disciples s'en allèrent en Galilée sur la montagne que Jésus leur avait désignée.* [17]Le voyant, ils se prosternèrent, eux qui avaient d'abord douté. [18]Jésus, s'approchant, leur parla ainsi: "Toute puissance m'a été donnée au ciel et sur la terre. [19]Allez donc, et faites des disciples de toutes les nations, les baptisant au nom du Père, et du Fils, et du Saint-Esprit, [20]leur apprenant à observer tout ce que je vous ai prescrit. Et voici que je suis avec vous pour toujours, jusqu'à la fin du monde."*

---

16. Comparer 1 Cor *15*,6, où il s'agit peut-être de la même apparition.

20. L'Évangile, commencé dans l'atmosphère toute judaïque de la généalogie, s'achève dans la perspective la plus universaliste qui soit, par cette scène grandiose qui est bien dans la manière de Matthieu.

ÉVANGILE
SELON SAINT MARC

INTRODUCTION

1 **Préparation du ministère public. Prédication de Jean-Baptiste.** - [1] Commencement de l'Évangile de Jésus-Christ, Fils de Dieu.*

[2] Ainsi qu'il est écrit dans le prophète Isaïe: *Voici que j'envoie mon messager en avant de toi pour préparer ta route.* [3] *Voix de celui qui crie dans le désert: Préparez le chemin du Seigneur, rendez droits ses sentiers.**

[4] Jean le Baptiste parut dans le désert, proclamant un baptême de repentir pour la rémission des péchés. [5] Tout le pays de Judée et tous les habitants de Jérusalem venaient à lui, et ils se faisaient baptiser par lui dans le fleuve du Jourdain en confessant leurs péchés. [6] Jean portait un vêtement de poils de chameau et une ceinture de cuir autour des reins; il se nourrissait de sauterelles et de miel sauvage. [7] Il prêchait en ces termes: "Il vient après moi, celui qui est plus puissant que moi, et je ne suis pas digne de me baisser

---

1. – 1. Les mots: "Fils de Dieu" sont à maintenir, malgré leur omission dans quelques manuscrits. Évangile ne signifie pas ici écrit ou livre, mais, au sens étymologique, la Bonne Nouvelle du salut.

2-3. Mal 3,1 et Is 40,3, citation attribuée à Isaïe, le plus important des deux prophètes.

pour délier la courroie de ses sandales. [8]Moi, je vous ai baptisés dans l'eau, mais lui vous baptisera dans l'Esprit Saint."*

Baptême de Jésus. - [9]En ces jours-là, Jésus vint de Nazareth de Galilée et fut baptisé par Jean dans le Jourdain. [10]Aussitôt, en remontant de l'eau, il vit les cieux se fendre et l'Esprit, comme une colombe, descendre sur lui. [11]Et une voix vint des cieux: *"TU ES MON FILS BIEN-AIMÉ; EN TOI JE ME COMPLAIS."*

Tentation de Jésus au désert. - [12]Aussitôt l'Esprit le pousse au désert,* [13]où il demeura quarante jours, tenté par Satan. Il était avec les bêtes sauvages, et les anges le servaient.*

PREMIÈRE PARTIE

MINISTÈRE EN GALILÉE

I – COMMENCEMENT DE LA PRÉDICATION DE L'ÉVANGILE

Jésus prêche; appel des premiers disciples. - [14]Après que Jean eut été mis en prison, Jésus vint en Galilée, proclamant l'Évangile* de Dieu,

8. Cf. note Mat 3,6.

12. Le verbe est au présent historique, particularité très fréquente chez Marc.

13. Les tentations se sont échelonnées sur les quarante jours. Matthieu et Luc n'ont raconté que les dernières.

14-15. L'Évangile: la bonne nouvelle qui vient de Dieu. Pour le Royaume de Dieu, voir note sur Mat 5,3. Le premier Évangile dit: Royaume des cieux, pour éviter

¹⁵ et disant: "Le temps est accompli, et le Royaume de Dieu est tout proche; repentez-vous et croyez à l'Évangile." ¹⁶ Comme il passait le long de la mer de Galilée, il vit Simon et André son frère qui jetaient leurs filets dans la mer, car c'étaient des pêcheurs. ¹⁷ Jésus leur dit: "Suivez-moi et je ferai de vous des pêcheurs d'hommes." ¹⁸ Aussitôt, laissant leurs filets, ils le suivirent. ¹⁹ S'étant un peu avancé, il vit Jacques, fils de Zébédée et Jean son frère, eux aussi dans leur barque où ils raccommodaient leurs filets; aussitôt il les appela. Et laissant Zébédée, leur père, dans la barque avec les journaliers, ils partirent à sa suite.

Une journée à Capharnaüm; guérison d'un possédé, de la belle-mère de Pierre, et autres prodiges. - ²¹ Puis ils pénètrent dans Capharnaüm; aussitôt, le jour du sabbat, entrant à la synagogue, il se mit à enseigner. ²² On était frappé de son enseignement, car il enseignait avec autorité, et non comme les scribes.

²³ Il se trouvait justement dans leur synagogue un homme possédé d'un esprit impur, qui vociféra, disant: ²⁴ "Que nous veux-tu, Jésus de Nazareth? Es-tu venu pour nous perdre? Je sais

de prononcer le nom divin, Marc qui écrit pour des convertis du paganisme n'a pas ce scrupule. La première condition d'accès au Royaume est, avec la foi, le repentir, le renoncement total au péché.

24-25. Le démon est contraint de reconnaître l'exceptionnelle sainteté de Jésus. Mais Jésus n'accepte pas

qui tu es, le Saint de Dieu."* [25]Mais Jésus le menaça: "Tais-toi, et sors de cet homme."

[26]L'esprit impur, l'agitant avec violence et jetant un grand cri, sortit de lui. [27]Tous furent saisis de frayeur, tellement qu'ils se demandaient les uns aux autres: "Qu'est-ce que cela? Un enseignement nouveau, donné avec autorité! Il commande même aux esprits impurs, et ils lui obéissent! " [28]Sa renommée se répandit aussitôt de tous côtés, dans tout le pays de Galilée.

[29]Aussitôt qu'ils furent sortis de la synagogue, ils vinrent avec Jacques et Jean dans la maison de Simon et d'André. [30]Or la belle-mère de Simon était au lit avec la fièvre; immédiatement ils lui parlent d'elle. [31]S'approchant, il la prit par la main et la fit lever. La fièvre la quitta, et elle les servait. [32]Le soir venu, après le coucher du soleil, on lui amena tous les malades et les possédés; [33]la ville entière était rassemblée devant la porte. [34]Il guérit beaucoup de malades, atteints de diverses maladies, et chassa beaucoup de démons; mais il ne laissait pas parler les démons, car ils savaient qui il était.

Prédication en Galilée; guérison d'un lépreux. - [35]Le lendemain matin bien avant le jour, il se leva, sortit, s'en alla dans un lieu solitaire, et là il priait. [36]Simon et ses compagnons partirent à sa poursuite. [37]L'ayant trouvé, ils lui dirent: "Tout

---

son témoignage. On remarquera combien le récit est vivant et pittoresque: caractéristique habituelle de Marc.

le monde te cherche." [38] Il leur répondit: "Allons ailleurs, dans les villages voisins, afin que j'y prêche aussi, car c'est pour cela que je suis sorti."* [39] Il s'en alla donc prêcher dans leurs synagogues, par toute la Galilée, et il chassait les démons.

[40] Un lépreux vient à lui, le supplie, et se jetant à genoux, lui dit: "Si tu veux, tu peux me guérir." [41] Jésus, ému de compassion, étendit la main, le toucha et lui dit: "Je le veux, sois guéri."* [42] Aussitôt la lèpre le quitta et il fut guéri. [43] Jésus, prenant un air sévère, le renvoya aussitôt, [44] en lui disant: "Garde-toi de rien dire à personne; mais va te montrer au prêtre, et offre pour ta guérison ce que Moïse a ordonné: ce sera pour leur servir d'attestation."* [45] Mais lui, étant parti, se mit à proclamer partout et à divulguer la chose, de sorte que Jésus ne pouvait plus entrer ostensiblement dans une ville, mais se tenait à l'écart dans des lieux solitaires; et l'on venait à lui de tous côtés.

II – CONFLITS
AVEC LES PHARISIENS

2 **Le paralytique de Capharnaüm.** - [1] Quelques jours après il revint à Capharnaüm, et l'on apprit qu'il était dans la maison. [2] Il s'y rassembla tant de monde qu'il n'y avait plus de place,

---

38. C'est pour cela que Jésus est sorti: c'est l'objet de sa mission. Luc *4*,43: j'ai été envoyé.

41. Littéralement, sois purifié.

44. Cf. Lev *14*,1-32.

même près de la porte. Et il leur prêchait la Parole. ³ Alors on lui amène un paralytique porté par quatre hommes. ⁴ Ne pouvant le lui présenter à cause de la foule, ils défirent le toit au-dessus de l'endroit où il était, et par l'ouverture ils descendirent le grabat où gisait le paralytique. ⁵ Jésus, voyant leur foi, dit au paralytique: "Mon fils, tes péchés te sont remis." ⁶ Or il y avait là, assis, quelques scribes qui raisonnèrent ainsi dans leurs coeurs: ⁷ "Comment peut-il parler de la sorte? Il blasphème! Qui peut remettre les péchés, sinon Dieu seul?" ⁸ Jésus, connaissant aussitôt intérieurement qu'ils raisonnaient ainsi en eux-mêmes, leur dit: "Pourquoi raisonnez-vous ainsi dans vos coeurs? ⁹ Lequel est le plus facile, de dire à ce paralytique: Tes péchés te sont remis; ou de lui dire: Lève-toi, prends ton grabat et marche? ¹⁰ Or, afin que vous sachiez que le Fils de l'homme a sur la terre le pouvoir de remettre les péchés: ¹¹ Je te le commande, dit-il au paralytique, lève-toi, prends ton grabat et retourne chez toi." ¹² Il se leva et aussitôt, prenant son grabat, il sortit devant tout le monde; de sorte que tous étaient stupéfaits et glorifiaient Dieu, en disant: "Jamais nous n'avons rien vu de pareil."

Vocation de Lévi et discussion sur le jeûne. - ¹³ Jésus sortit de nouveau le long de la mer; tout le monde venait à lui, et ils les instruisait. ¹⁴ En passant, il vit Lévi, fils d'Alphée, assis au bureau de la douane. Il lui dit: "Suis-moi." Il se leva aussitôt et le suivit.

[15] Voici que Jésus s'étant mis à table dans sa maison, beaucoup de publicains et de pécheurs s'y trouvaient à table avec lui et ses disciples; car il y en avait beaucoup qui le suivaient. [16] Les scribes du parti des pharisiens, le voyant manger avec les pécheurs et les publicains, dirent à ses disciples: "Quoi! il mange et boit avec les publicains et les pécheurs!" [17] Mais Jésus, ayant entendu, leur dit: "Ce ne sont pas ceux qui se portent bien qui ont besoin de médecin, mais les malades. Je ne suis pas venu appeler les justes, mais les pécheurs."

[18] Or les disciples de Jean et les pharisiens jeûnaient. On vient dire à Jésus: "Pourquoi les disciples de Jean et ceux des pharisiens jeûnent-ils, alors que tes disciples ne jeûnent pas?" [19] Jésus leur dit: "Les compagnons de l'époux* peuvent-ils jeûner pendant que l'époux est avec eux? Aussi longtemps qu'ils ont l'époux avec eux, ils ne peuvent pas jeûner. [20] Mais viendront des jours où l'époux leur sera ôté; alors ils jeûneront, en ce jour-là.* [21] Personne ne coud une pièce de drap neuf à un vieil habit, autrement la pièce neuve emporte le morceau du vieil habit, et la déchirure devient pire; [22] personne ne met du vin nouveau dans de vieilles outres; autrement le vin fait éclater les outres et le vin est perdu, ainsi que les outres. Mais à vin nouveau outres neuves!"

---

2. – 19. Littéralement: les fils de la chambre nuptiale.

20. Première allusion à la passion future.

Les épis arrachés. - [23] Il arriva qu'un jour de sabbat il passait à travers les moissons, et ses disciples se mirent, chemin faisant, à arracher des épis.

[24] Les pharisiens lui dirent: "Vois donc! Pourquoi font-ils le jour du sabbat ce qui n'est pas permis?" [25] Il leur répondit: "N'avez-vous jamais lu ce que fit David lorsqu'il fut dans le besoin et qu'il eut faim, lui et ses compagnons, [26] comment il entra dans la maison de Dieu, du temps du grand prêtre Abiathar,* et mangea les pains de présentation qu'il n'est permis de manger qu'aux prêtres et en donna aussi à ses compagnons?" [27] "Le sabbat a été fait pour l'homme, leur dit-il, et non l'homme pour le sabbat; [28] ainsi donc, le Fils de l'homme est maître même du sabbat."*

3 Guérison de l'homme à la main desséchée. -
[1] Jésus entra de nouveau dans une synagogue. Il s'y trouvait un homme qui avait la main desséchée. [2] On l'observait pour voir s'il le guéri-

26. Le prêtre qui donna à David les pains de présentation était en réalité Ahimélek, père d'Abiathar (1 Sam *21*,2-7 et *22*,20). Le nom d'Abiathar est peut-être une glose ajoutée par un copiste, ou bien il n'y a là qu'une indication approximative; Abiathar ayant été le grand prêtre le plus notable du règne de David, la tradition avait tendance à l'associer ordinairement à ce roi. Les pains étaient placés dans le sanctuaire sur une table d'or et représentaient les douze tribus. On les renouvelait chaque sabbat; ils étaient alors consommés par les prêtres: 1 Rois *7*,48; Lev *24*,5-9.

28. Jésus qui revendiquait plus haut (*2*,10) le pouvoir de remettre les péchés se déclare ici maître du sab-

rait le jour du sabbat, afin de l'accuser. [3] Il dit à l'homme qui avait la main desséchée: "Mets-toi là, au milieu." [4] Puis il leur dit: "Est-il permis le jour du sabbat de faire du bien ou de faire du mal, de sauver une vie ou de la tuer?" Eux se taisaient. [5] Alors, promenant sur eux un regard de colère,* tout attristé de l'endurcissement de leur coeur, il dit à l'homme: "Etends la main." Il l'étendit, et elle redevint saine. [6] Aussitôt les pharisiens, étant sortis, tenaient conseil contre lui avec les hérodiens,* sur les moyens de le faire périr.

Empressement des foules; guérisons nombreuses. - [7] Puis Jésus se retira avec ses disciples vers la mer, et une foule nombreuse le suivit, venue de la Galilée. Egalement de la Judée, de [8] Jérusalem, de l'Idumée, d'au-delà du Jourdain, du pays de Tyr et de Sidon, ayant appris ce qu'il faisait, une foule nombreuse vint à lui. [9] Il dit à ses disciples de lui tenir prête une barque à cause de la foule, pour qu'on ne le pressât pas trop. [10] Car il avait guéri beaucoup de monde, si bien que tous ceux qui avaient quelque mal se précipitaient vers lui pour le toucher. [11] Les esprits impurs, en le voyant, tombaient à ses pieds et criaient: "Tu es le Fils de Dieu!" [12] Mais il leur

---

bat; il insinue d'une manière discrète et progressive qu'il possède la puissance même de Dieu.

3. – 5. Marc aime à noter les regards du Christ sur ses auditeurs.

6. Les hérodiens, partisans du tétrarque de Galilée, Hérode Antipas.

enjoignait avec force menaces de ne pas le faire
connaître.

Election des apôtres. - [13] Il gravit ensuite la
montagne, appelle à lui ceux qu'il voulait, et ils
vinrent à lui. [14] Il en établit douze pour être ses
compagnons, et pour les envoyer prêcher, [15] avec
pouvoir de chasser les démons. [16] Il établit donc
les douze: Simon, à qui il donna le nom de
Pierre, [17] Jacques, fils de Zébédée, et Jean, frère
de Jacques, leur donnant le nom de Boanergès,
c'est-à-dire fils du tonnerre; [18] André, Philippe,
Barthélemy, Matthieu, Thomas, Jacques, le fils
d'Alphée, Thaddée, Simon le Cananéen,* [19] et
Judas Iscariote, celui qui le trahit.

Le blasphème contre le Saint-Esprit. - [20] Puis
il revient à la maison, et de nouveau la foule s'y
rassemble, de sorte qu'ils ne pouvaient pas même
prendre leur repas. [21] Ce qu'ayant appris, les
siens partirent pour se saisir de lui; car ils disaient: "Il a perdu le sens." [22] Les scribes qui
étaient descendus de Jérusalem, disaient: "Il est
possédé de Béelzéboul"* et "C'est par le prince
des démons qu'il chasse les démons". [23] Les
ayant appelés, il leur dit en paraboles: "Comment Satan peut-il chasser Satan? [24] Si un royau-

---

18. Le Cananéen, c'est-à-dire le Zélé. Marc donne ici
le cadre du discours sur la montagne, mais omet le discours lui-même.

22. Béelzéboul, dieu des mouches, ou dieu du fumier: appellation ironique donnée au démon.

me se divise contre lui-même, ce royaume ne peut subsister; [25] et si une maison se divise contre elle-même, cette maison ne pourra tenir debout. [26] Si donc Satan se dresse contre lui-même et s'est divisé, il ne peut pas tenir; il est fini. [27] Nul ne peut entrer dans la maison du fort pour piller ses meubles si auparavant il ne ligote cet homme fort et alors il pillera sa maison.* [28] Vraiment, je vous le dis, tous les péchés seront remis aux enfants des hommes, ainsi que tous les blasphèmes qu'ils auront proférés; [29] mais si quelqu'un blasphème contre le Saint-Esprit, il n'aura jamais de pardon; il est coupable d'un péché éternel."* [30] Cela parce qu'ils disaient: "Il est possédé d'un esprit impur."

La véritable parenté de Jésus. - [31] Cependant sa mère et ses frères* arrivent et, se tenant dehors, le font demander. [32] Or, la foule était assise autour de lui; on lui dit: "Voilà ta mère et tes frères et tes soeurs dehors, qui te cherchent." [33] Mais il leur répond: "Qui est ma mère, et qui sont mes frères?" [34] Et, promenant son regard sur ceux qui étaient assis en cercle autour de lui: "Voici ma mère et mes frères, dit-il; [35] car quiconque fait la volonté de Dieu, celui-là est mon frère et ma soeur et ma mère."

---

27. L'homme fort est Satan, réduit à l'impuissance par le Christ.

29. Cf. note Mat *10*,31.

31. Pour les frères de Jésus, cf. note Mat *13*,55.

III – L'ENSEIGNEMENT
EN PARABOLES

4 **Occasion.** - [1] Il se mit de nouveau à enseigner au bord de la mer. Une telle foule s'assemble autour de lui qu'il monte dans une barque et s'y assied, en mer, tandis que la foule était à terre le long de la mer. [2] Il leur enseignait beaucoup de choses en paraboles, et leur disait dans son enseignement:

Parabole du semeur. But des paraboles. - [3] "Ecoutez! Voici que le semeur est allé semer. [4] Comme il semait, il est arrivé que du grain est tombé au bord du chemin; les oiseaux du ciel sont venus et l'ont mangé. [5] Il en est tombé d'autre sur le sol pierreux, où il n'avait pas beaucoup de terre; il a levé aussitôt parce qu'il n'avait pas de profondeur de terre. [6] Quand a paru le soleil, il a été brûlé, et, comme il n'avait pas de racines, il s'est desséché. [7] Il en est tombé d'autre dans les épines; les épines ont grandi, l'ont étouffé, et il n'a pas donné de fruit. [8] D'autres grains enfin sont tombés dans la bonne terre; montant et se développant ils ont produit du fruit et rendu l'un trente, l'autre soixante et l'autre cent." [9] Et il disait: "Entende bien qui a des oreilles pour entendre! "

[10] Lorsqu'il fut seul, ceux qui l'entouraient

---

4. – 11. Pour ceux qui ne sont pas dans les dispositions requises, tout se passe en paraboles et demeure incompris, non seulement les enseignements du Christ, mais sa vie, sa personne et même le monde naturel.

avec les Douze l'interrogèrent sur les paraboles, [11]et il leur disait: "A vous a été donné de connaître le mystère du Royaume de Dieu; mais pour ceux du dehors, tout arrive en paraboles;* [12]*afin que, regardant de tous leurs yeux, ils ne voient pas, écoutant de toutes leurs oreilles, ils ne comprennent pas, de peur qu'ils ne se convertissent et qu'il ne leur soit pardonné!* "* [13]Puis il leur dit: "Ne saisissez-vous pas cette parabole? Comment donc comprendrez-vous toutes les paraboles? [14]Le semeur sème la Parole. [15]Ceux qui sont au bord du chemin où la Parole est semée, sont ceux qui ne l'ont pas plus tôt entendue que Satan vient et enlève la Parole semée en eux. [16]De même ceux qui reçoivent la semence dans les endroits pierreux sont ceux qui, écoutant la Parole, la reçoivent aussitôt avec joie; [17]mais, n'ayant pas en eux de racine, ils sont les hommes d'un moment, et quand survient l'épreuve ou la persécution à cause de la Parole, ils succombent aussitôt. [18]Il y en a d'autres qui reçoivent la semence dans les épines; ce sont ceux qui ont écouté la Parole, mais les soucis du monde, la séduction de la richesse et les autres convoitises les envahissent et y étouffent la Parole, et elle demeure sans fruit. [20]Enfin ceux qui ont reçu la semence dans la bonne terre sont ceux qui écoutent la Parole, l'accueillent et portent du fruit, l'un trente, l'autre soixante, et l'autre cent."

---

12. Il est clair que Dieu ne veut pas l'endurcissement des hommes; il le permet seulement. Cf. note Mat *13*,10-17 et Is *6*,9-10.

La lampe et la mesure. – [21] Il leur disait encore: "Apporte-t-on la lampe pour la mettre sous le boisseau ou sous le lit? N'est-ce pas pour la mettre sur le lampadaire? [22] Car il n'y a rien de caché qui ne doive être découvert, rien de secret qui ne doive être manifesté. [23] Entende qui a des oreilles pour entendre! "

[24] Il leur disait encore: "Prenez garde à ce que vous entendez. De la mesure avec laquelle vous mesurez on se servira avec vous, et même on y ajoutera; [25] car à celui qui a on donnera, et à celui qui n'a pas, on enlèvera même ce qu'il a."*

La semence qui croît d'elle-même. – [26] Il disait aussi: "Le Royaume de Dieu est semblable à un homme qui aurait jeté de la semence en terre: [27] qu'il dorme ou qu'il se lève, nuit et jour, la semence germe et grandit sans qu'il sache comment. [28] Car la terre produit d'elle-même d'abord l'herbe, puis l'épi, puis du blé plein l'épi. [29] Lorsque le fruit est mûr, on y met aussitôt la faucille, car la moisson est à point."*

Le grain de sénevé. Conclusion. – [30] Il disait encore: "A quoi comparerons-nous le Royaume de Dieu, et par quelle parabole le représenter? [31] Il est semblable à un grain de sénevé; quand on le sème sur le sol, c'est la plus petite de toutes les semences qu'il y ait sur la terre; [32] mais une fois semé, il monte et devient la plus grande

---

25. Cf. note Mat *13*,12.
26-29. Croissance insensible du Royaume de Dieu.

de toutes les plantes potagères et pousse de si grandes branches que les oiseaux du ciel peuvent s'abriter sous son ombre."

[33] Par de nombreuses paraboles de ce genre il leur annonçait la Parole, selon qu'ils étaient capables de l'entendre. [34] Il ne leur parlait pas sans paraboles, mais en particulier il expliquait tout à ses disciples.

IV – MIRACLES ET ÉPISODES DIVERS DU MINISTÈRE GALILÉEN

La tempête apaisée. - [35] Ce même jour, sur le soir, il leur dit: "Passons sur l'autre rive." [36] Laissant la foule, ils l'emmènent comme il était, dans la barque; il y avait d'autres barques avec lui. [37] Survint un grand tourbillon de vent, et les vagues se jetaient dans la barque, de sorte qu'elle s'emplissait. [38] Lui, à la poupe, dormait sur le coussin. Ils le réveillent et lui disent: "Maître, ne te soucies-tu pas de ce que nous périssons?" [39] Alors, s'étant éveillé, il commanda avec force au vent et dit à la mer: "Tais-toi! Silence!" Le vent tomba, et il se fit un grand calme. [40] "Pourquoi êtes-vous si peureux? leur dit-il, N'avez-vous pas encore de foi?" [41] Saisis d'une grande crainte, ils se disaient entre eux: "Qui est-ce donc, que même le vent et la mer lui obéissent?"

5 * Le possédé du pays des Géraséniens. Les démons chassés dans les porcs. - [1] Ils arrivèrent de l'autre côté de la mer,* au pays des Géraséniens. [2]Comme Jésus sortait de la barque, un homme vint à lui des tombeaux, possédé d'un esprit impur. [3]Il avait sa demeure dans les tombeaux, et personne ne pouvait plus l'attacher, même avec une chaîne; [4]souvent, en effet, on l'avait attaché avec des entraves et des chaînes, mais il avait rompu les chaînes et brisé les entraves; personne n'était capable de le dompter. [5]Sans cesse, nuit et jour, il était dans les tombeaux et par les montagnes, criant et se tailladant avec des cailloux. [6]Apercevant Jésus de loin, il accourut, se prosterna devant lui [7]et cria d'une voix forte: "Que me veux-tu, Jésus, Fils du Dieu Très Haut? Je t'adjure par Dieu, ne me tourmente pas." [8]Car Jésus lui disait: "Esprit impur, sors de cet homme." [9]Il lui demanda: "Quel est ton nom?" "Mon nom est Légion, répondit-il, car nous sommes nombreux." [10]Et il le priait avec instance de ne pas les chasser du pays. [11]Or il y avait là sur la montagne un grand troupeau de porcs en train de paître. [12]Ils le supplièrent, en disant: "Envoie-nous vers les porcs, que nous y entrions." [13]Il le leur permit. Alors les esprits impurs sortirent et entrèrent dans les porcs; le troupeau, au nombre d'environ deux mille, se précipita dans la mer du haut de la falaise et ils se noyèrent dans la mer. [14]Ceux qui les gardaient s'enfuirent et portèrent la nouvelle dans la

---

5. – Ce chapitre est plein de vie, très caractéristique de la manière de Marc. Comparer les récits parallèles de Mat *8*,28-34 et *9*,18-26.

1. De l'autre côté de la mer, c'est-à-dire à l'est.

ville et dans les fermes; et les gens vinrent pour voir ce qui s'était passé. [15] Ils arrivent près de Jésus et voient le démoniaque, assis, vêtu et dans son bon sens, lui qui avait eu Légion, et ils furent saisis de crainte. [16] Les témoins leur racontèrent comment cela était arrivé au démoniaque, ainsi que l'aventure des porcs. [17] Ils se mirent à prier Jésus de s'éloigner de leur territoire. [18] Comme il remontait dans la barque, celui qui avait été possédé lui demanda de rester avec lui; [19] mais il ne le permit pas. "Retourne chez toi auprès des tiens, lui dit-il, rapporte-leur tout ce que le Seigneur a fait pour toi et comment il a eu pitié de toi." [20] Il s'en alla donc et se mit à publier dans la Décapole* tout ce que Jésus avait fait pour lui. Et tous étaient dans l'admiration.

Guérison de l'hémorroïsse et résurrection de la fille de Jaïre. - [21] Lorsque Jésus eut regagné en barque l'autre rive, une foule nombreuse s'assembla autour de lui, et il se tenait au bord de la mer. [22] Arrive un chef de synagogue, nommé Jaïre, qui, le voyant, se jette à ses pieds, [23] et le supplie avec instance, en disant: "Ma petite fille est à l'extrémité; viens lui imposer les mains pour qu'elle soit guérie et qu'elle vive." [24] Jésus s'en alla avec lui; une foule nombreuse le suivait et le pressait de tous côtés.

[25] Or il y avait là une femme affligée d'une perte de sang depuis douze ans. [26] Elle avait

---

20. La Décapole, confédération de dix villes au-delà du Jourdain.

beaucoup souffert du fait de nombreux médecins et avait dépensé tout son avoir sans aucun profit, mais plutôt pour aller de mal en pis. ²⁷Ayant entendu ce qu'on disait de Jésus, elle vint dans la foule par derrière et toucha son manteau. ²⁸Car elle se disait: "Si je puis seulement toucher ses vêtements, je serai guérie." ²⁹Aussitôt la source d'où elle perdait le sang fut tarie, et elle sentit dans son corps qu'elle était guérie de son infirmité. ³⁰Aussitôt Jésus, ayant conscience de la force sortie de lui, se retourna dans la foule et dit: "Qui a touché mes vêtements?" ³¹Ses disciples lui répondent: "Tu vois la foule qui te presse de tous côtés, et tu dis: Qui m'a touché?" ³²Et il regardait autour pour voir celle qui avait fait cela. ³³Alors la femme, saisie de crainte et tremblante, sachant bien ce qui était arrivé, vint se jeter à ses pieds et lui déclara toute la vérité. ³⁴Jésus lui dit: "Ma fille, ta foi t'a sauvée; va en paix et sois guérie de ton infirmité."

³⁵Il parlait encore, quand on vient de chez le chef de synagogue lui dire: "Ta fille est morte; pourquoi importunes-tu encore le Maître?" ³⁶Mais Jésus, ayant surpris cette parole, dit au chef de synagogue: "Ne crains pas, crois seulement." ³⁷Il ne permit à personne de l'accompagner, sinon à Pierre, à Jacques et à Jean, frère de Jacques. ³⁸Ils arrivent à la maison du chef de synagogue; il aperçoit du tumulte et des gens qui se lamentent et poussent de grands cris. ³⁹Il entre et leur dit: "Pourquoi ce tumulte et ces lamentations? L'enfant n'est pas morte, mais elle

dort." ⁴⁰Et ils se moquaient de lui. Mais lui, mettant tout le monde dehors, prend avec lui le père et la mère de l'enfant et ceux qui l'accompagnaient, et pénètre là où était l'enfant. ⁴¹Prenant l'enfant par la main, il lui dit: "Talitha koum", c'est-à-dire: "Fillette, je te l'ordonne, lève-toi." ⁴²Aussitôt la fillette se leva et se mit à marcher, car elle avait douze ans; ils furent aussitôt saisis d'une grande stupeur. ⁴³Il leur recommanda avec insistance que personne ne le sût; et il ordonna de lui donner à manger.

6 Jésus à Nazareth. - ¹Jésus, partant de là, vient dans sa patrie et ses disciples l'accompagnent. ²Le sabbat venu, il se mit à enseigner dans la synagogue; la multitude de ceux qui l'écoutaient étaient frappés d'étonnement et disaient: "D'où lui vient cela? Quelle est cette sagesse qui lui a été donnée et ces grands miracles opérés par ses mains? ³N'est-ce pas là le charpentier, le fils de Marie, le frère de Jacques, de José, de Jude et de Simon? * Ses soeurs ne sont-elles pas ici parmi nous? " Et ils étaient choqués à son sujet. ⁴Mais Jésus leur dit: "Un prophète n'est méconnu que dans sa patrie, parmi sa parenté et dans sa maison." ⁵Il ne put faire là aucun miracle, sauf qu'il y guérit quelques malades en leur imposant les mains; ⁶et il s'étonnait de leur incrédulité.

Les Douze envoyés en mission. - Il parcourait les villages à la ronde en enseignant.

---

6. – 3. Cf. note Mat *13*,55.

[7] Il appelle alors les Douze et se met à les envoyer deux à deux; il leur donne pouvoir sur les esprits impurs. [8] Il leur commande de ne rien prendre pour la route, si ce n'est un bâton; ni pain, ni besace, ni menue monnaie dans la ceinture; [9] mais d'aller chaussés de sandales, et: "Ne revêtez pas deux tuniques. [10] En quelque maison que vous entriez, leur disait-il, demeurez-y jusqu'à ce que vous partiez de ce lieu. [11] Si en quelque endroit on refuse de vous accueillir et de vous écouter, sortez de là et secouez la poussière de dessous vos pieds en témoignage contre eux."

[12] Etant donc partis, ils prêchaient qu'on se repentît. [13] Ils chassaient beaucoup de démons, faisaient des onctions d'huile à beaucoup de malades et les guérissaient.*

Hérode et Jésus. - [14] Cependant le roi Hérode entendit parler de Jésus, car son nom était devenu célèbre et l'on disait: "Jean le Baptiste est ressuscité des morts, c'est pourquoi le pouvoir des miracles se manifeste en lui." [15] D'autres disaient: "C'est Élie." D'autres encore: "C'est un prophète comme l'un des anciens prophètes." [16] Mais Hérode, entendant tout cela, disait: "C'est Jean, que j'ai fait décapiter; il est ressuscité! "

Captivité et martyre de Jean-Baptiste. - [17] Car c'était lui, Hérode, qui avait fait arrêter Jean et

13. Prélude de l'institution de l'Onction des malades.
17. Hérode avait emprisonné Jean dans la forteresse de Machéronte, à l'est de la mer Morte.

l'avait enchaîné en prison à cause d'Hérodiade, la femme de son frère Philippe, qu'il avait épousée.* [18]En effet Jean disait à Hérode: "Il ne t'est pas permis d'avoir la femme de ton frère." [19]Aussi Hérodiade lui gardait rancune et aurait voulu le faire mourir; mais elle ne le pouvait pas [20]parce qu'Hérode respectait Jean, sachant que c'était un homme juste et saint, et il le protégeait. En l'entendant, il était fort perplexe, et il l'écoutait volontiers.*

[21]Vint enfin un jour favorable où Hérode, pour son anniversaire, donna un banquet aux grands de sa cour, à ses officiers, et aux principaux personnages de la Galilée. [22]Or, la fille d'Hérodiade, étant entrée, dansa et plut à Hérode et aux convives. Le roi dit à la jeune fille: "Demande-moi tout ce que tu voudras et je te le donnerai." [23]Il ajouta avec serment: "Tout ce que tu me demanderas, je te le donnerai, fût-ce la moitié de mon royaume." [24]Elle sortit et dit à sa mère: "Que faut-il demander?" Celle-ci répondit: "La tête de Jean-Baptiste." [25]Rentrant bien vite auprès du roi, elle lui fit cette demande: "Je veux que tu me donnes à l'instant sur un plat la tête de Jean le Baptiste." [26]Le roi fut attristé, mais à cause de ses serments et des convives, il ne voulut pas le lui refuser. [27]Aussitôt le roi envoya un garde avec ordre d'apporter la tête de Jean. Celui-ci alla le décapiter dans la prison, [28]puis il apporta sa tête sur un plat, la donna à

---

20. Autres traductions: Hérode le redoutait; lui posait toutes sortes de questions.

la jeune fille, et la jeune fille la donna à sa mère.
²⁹Les disciples de Jean, l'ayant appris, vinrent
prendre son corps et le mirent au tombeau.

**Retour des apôtres et première multiplication
des pains.** - ³⁰Voici que les apôtres se rassemblent auprès de Jésus et lui racontent tout ce
qu'ils avaient fait et tout ce qu'ils avaient enseigné. ³¹Il leur dit: "Venez, vous autres, à l'écart,
en un endroit solitaire, et reposez-vous un peu."
Car les arrivants et les partants étaient si nombreux qu'on n'avait pas même le temps de manger. ³²Ils partirent donc en barque pour se retirer à l'écart, dans un lieu solitaire, ³³mais on les
vit s'en aller, et beaucoup devinèrent où ils allaient; on y accourut à pied de toutes les villes,
et l'on arriva avant eux. ³⁴En débarquant, Jésus
vit une foule nombreuse; il en eut pitié, parce
qu'ils étaient comme des brebis sans berger; et il
se mit à les instruire longuement. ³⁵Mais comme
l'heure était déjà avancée, ses disciples s'approchèrent de lui, et lui dirent: "L'endroit est désert, et l'heure est déjà avancée. ³⁶Renvoie-les,
afin qu'ils aillent dans les fermes et les villages
d'alentour s'acheter de quoi manger." ³⁷Il leur
répondit: "Donnez-leur vous-mêmes à manger."
Ils lui répartirent: "Faudra-t-il donc que nous allions acheter deux cents deniers de pain, pour
leur donner à manger?"* ³⁸Jésus leur dit:
"Combien avez-vous de pains? Allez voir." S'en

---

37. Le denier était le prix d'une journée de travail.
Comparer Mat 20,2.

étant informés, ils lui disent: "Cinq et deux poissons." [39] Alors il leur commanda de les faire tous s'étendre par groupes sur l'herbe verte. [40] Ils s'installèrent donc par groupes de cent et de cinquante. [41] Puis, prenant les cinq pains et les deux poissons, il leva les yeux au ciel, prononça la bénédiction, rompit les pains et les donna aux disciples pour les distribuer au peuple; il partagea aussi les deux poissons entre tous. [42] Tous mangèrent à satiété. [43] On emporta douze corbeilles pleines de morceaux de pain et des restes de poissons. [44] Or ceux qui avaient mangé étaient au nombre de cinq mille hommes.

Jésus marche sur la mer. - [45] Il obligea aussitôt ses disciples à remonter dans la barque et à le précéder sur l'autre rive, vers Bethsaïde, pendant qu'il renverrait la foule. [46] L'ayant congédiée, il s'en alla sur la montagne pour prier. [47] Le soir venu, la barque se trouvait au milieu de la mer, et lui était seul à terre. [48] Voyant qu'ils se fatiguaient à ramer, car le vent leur était contraire, vers la quatrième veille de la nuit,* il vint à eux, marchant sur la mer et il allait les dépasser. [49] Mais eux, le voyant marcher sur la mer, crurent que c'était un fantôme et se mirent à pousser des cris, [50] car ils l'avaient vu et étaient troublés. Mais aussitôt il leur parla et leur dit: "Rassurez-vous, c'est moi; n'ayez pas peur." [51] Il monta alors près d'eux dans la barque, et le vent tomba. Ils étaient intérieurement au comble de la

---

48. Entre trois et six heures du matin.

stupeur, [52] car ils n'avaient pas compris le miracle des pains: leur coeur était endurci.

Guérisons à Gennésareth et aux environs. - [53] Ayant traversé le lac, ils vinrent à terre à Gennésareth* et abordèrent. [54] Aussitôt qu'ils eurent débarqué, les gens le reconnurent. [55] Ils parcoururent toute cette région et se mirent à lui apporter les malades sur leurs grabats, partout où l'on apprenait qu'il était. [56] En quelque lieu qu'il entrât, villages, villes ou fermes, on déposait les malades sur les places, et on le priait de leur laisser toucher ne fût-ce que la frange de son vêtement. Et tous ceux qui le touchaient étaient guéris.

7 **Discussion avec les pharisiens.** - [1] Les pharisiens et quelques scribes venus de Jérusalem s'assemblent auprès de Jésus. [2] Voyant certains de ses disciples prendre leurs repas avec des mains impures, c'est-à-dire non lavées, ils les en blâmèrent. [3] Car les pharisiens et les Juifs en général ne mangent pas sans s'être lavé soigneusement les mains,* conformément à la tradition des anciens; [4] et au retour de la place publique, ils ne mangent pas avant de s'être aspergés d'eau. Il y a beaucoup d'autres pratiques qu'ils observent par tradition: lavages des coupes, des cruches, des plats d'airain, des lits. [5] Les pharisiens donc et les scribes lui demandent: "Pourquoi tes disciples

53. Gennésareth, plaine alors très fertile, au sud-ouest de Capharnaüm.

7. – 3. Soigneusement, ou: jusqu'aux coudes.

n'observent-ils pas la tradition des anciens, et prennent-ils leurs repas avec des mains impures? " [6]Il leur répondit: "Isaïe a joliment bien prophétisé de vous, hypocrites, ainsi qu'il est écrit: *Ce peuple m'honore des lèvres; mais leur coeur est bien loin de moi;* [7]*vain est le culte qu'ils me rendent, enseignant des doctrines qui ne sont que dès préceptes humains.** [8]Laissant de côté le commandement de Dieu, vous vous attachez à la tradition des hommes, (à des ablutions de vases et de coupes, et vous faites beaucoup d'autres choses semblables).** [9]Vous annulez bel et bien, ajouta-t-il, le commandement de Dieu pour garder votre tradition. [10]Car Moïse a dit: *Honore ton père et ta mère; et: Que celui qui maudit son père ou sa mère soit puni de mort.** [11]Mais vous, vous dites: "Si quelqu'un dit à son père ou à sa mère: Je déclare corban, c'est-à-dire offrande sacrée, le bien dont tu aurais pu être secouru par moi", [12]vous ne le laissez plus rien faire pour son père ou pour sa mère, [13]annulant la parole de Dieu pour la tradition que vous vous êtes transmise. Et vous faites beaucoup d'autres choses semblables."

[14]Ayant appelé de nouveau la foule, il lui dit: "Ecoutez-moi tous et comprenez. [15]Il n'y a rien d'extérieur à l'homme qui, pénétrant en lui, puisse le rendre impur; mais ce qui sort de l'homme,

---

6-7. Is *29*,13.

8. Ces mots sont absents d'un certain nombre de manuscrits.

10. Ex *20*,12; *21*,15.

voilà ce qui rend l'homme impur. [16]Entende qui
a des oreilles pour entendre! " [17]Quand il fut
rentré à la maison, loin de la foule, ses disciples
l'interrogèrent sur cette parabole. [18]"Vous aussi,
leur dit-il, vous êtes à ce point sans intelligence?
Ne comprenez-vous pas que rien de ce qui vient
du dehors dans l'homme ne peut le rendre impur,
[19]parce que cela n'entre pas dans son coeur,
mais dans son ventre et s'en va aux lieux d'aisance." Ainsi il déclarait purs tous les aliments. [20]Et
il ajoutait: "Ce qui sort de l'homme, voilà ce qui
rend l'homme impur. [21]Car du dedans, du coeur
de l'homme, sortent les pensées mauvaises: fornications, vols, meurtres, [22]adultères, cupidités,
méchancetés, fourberie, débauche, envie, blasphème, orgueil, déraison. [23]Toutes ces mauvaises
choses sortent du dedans et rendent l'homme impur."

DEUXIÈME PARTIE

VOYAGES DE JÉSUS APRÈS
LA RUPTURE AVEC LA GALILÉE

En Phénicie: la Cananéenne. [24]Partant de là
il se rendit dans le territoire de Tyr et de Sidon.
Etant entré dans une maison, il ne voulait pas
qu'on le sût, mais il ne put rester ignoré. [25]Aus-
sitôt qu'une femme, dont la petite fille était possédée d'un esprit impur, eut entendu parler de
lui, elle vint se jeter à ses pieds. [26]Cette femme
était païenne,* syrophénicienne de naissance. Et

---

26. Païenne, littéralement: grecque.

elle le priait de chasser le démon hors de sa fille.
²⁷Il lui dit: "Laisse d'abord se rassasier les enfants, car il ne convient pas dé prendre le pain des enfants pour le jeter aux petits chiens."
²⁸Elle lui répondit: "Il est vrai, Seigneur; mais les petits chiens sous la table mangent les miettes des enfants." ²⁹Alors il lui dit: "A cause de cette parole, va, le démon est sorti de ta fille."
³⁰De retour chez elle, elle trouva l'enfant étendue sur son lit et le démon parti.

En Décapole: guérison d'un sourd-bègue. -
³¹En repartant du territoire de Tyr, il se rendit par Sidon vers la mer de Galilée, au milieu du territoire de la Décapole. ³²On lui amène un sourd-bègue et on le prie de lui imposer la main.
³³Jésus, le prenant à part, hors de la foule, lui mit ses doigts dans les oreilles et de sa salive lui toucha la langue; ³⁴puis levant les yeux au ciel, il poussa un gémissement et lui dit: "Ephphatha", c'est-à-dire: "Ouvre-toi!" ³⁵Aussitôt ses oreilles s'ouvrirent, le lien de sa langue se dénoua et il parlait correctement. ³⁶Il leur recommanda de ne rien dire à personne; mais plus il le leur recommandait, plus ouvertement ils le proclamaient. Ils disaient, ³⁷au comble de l'admiration: "Il a bien fait toutes choses; il fait entendre les sourds et parler les muets."

8 **Seconde multiplication des pains.** - ¹En ces jours-là, comme il y avait de nouveau une grande foule et qu'elle n'avait rien à manger, il appelle ses disciples, et leur dit: ²"J'ai pitié de cette foule, car voilà déjà trois jours qu'ils restent près de moi, et ils n'ont rien à manger; [3] si je les renvoie à jeun chez eux, ils vont défaillir en route, car il y en a qui sont de loin." [4] Ses disciples lui répondirent: "Comment pourrait-on les rassasier de pain, ici, dans un désert?" [5] Il leur demanda: "Combien avez-vous de pains?" "Sept", dirent-ils. [6] Alors il commanda à la foule de s'étendre à terre; il prit les sept pains, rendit grâces, les rompit et les donna à ses disciples pour les distribuer, et ils les distribuèrent à la foule. [7] On avait aussi quelques petits poissons; il les fit distribuer également. [8] Ils mangèrent à satiété et l'on emporta sept corbeilles des morceaux qui restaient. [9] Or ils étaient environ quatre mille. Puis il les renvoya.

Refus d'un signe du ciel. - [10] Aussitôt il s'embarqua avec ses disciples, et vint dans la région de Dalmanoutha.* [11] Survinrent des pharisiens qui se mirent à discuter avec lui, demandant, pour l'éprouver, un signe du ciel. [12] Gémissant du fond de l'âme, il dit: "Pourquoi cette génération demande-t-elle un signe? Vraiment, je vous le dis, il ne sera pas donné de signe à cette génération." [13] Et, les quittant, il s'embarqua de nouveau pour l'autre rive.

Le levain des pharisiens et le levain d'Hérode. - [14] Or, ils avaient oublié de prendre des pains: ils

8. – 10. Dalmanoutha: région non identifiée; peut-être transcription fautive d'un copiste.

n'avaient qu'un pain avec eux dans la barque.
[15] Jésus leur fit cette recommandation: "Attention! Gardez-vous du levain des pharisiens, et du levain d'Hérode." [16] Et ils discutaient entre eux sur ce qu'ils n'avaient pas de pains. [17] S'en rendant compte, Jésus leur dit: "Pourquoi discutez-vous sur ce que vous n'avez pas de pains? Ne comprenez-vous pas encore? Ne saisissez-vous pas? [18] Avez-vous donc le coeur endurci? Avec des yeux vous ne voyez pas et avec des oreilles vous n'entendez pas? [19] Ne vous rappelez-vous pas? Lorsque j'ai rompu les cinq pains pour les cinq mille hommes, combien avez-vous emporté de paniers pleins de morceaux?" "Douze", lui disent-ils. [20] "Et lorsque j'ai rompu les sept pains pour les quatre mille hommes, combien de corbeilles pleines de morceaux avez-vous emportées?" "Sept", répondirent-ils. [21] Et il leur dit: "Ne comprenez-vous pas encore?"

L'aveugle de Bethsaïde. - [22] Ils arrivent à Bethsaïde. On lui amène alors un aveugle, qu'on le prie de toucher. [23] Prenant l'aveugle par la main, il le mena hors du bourg, lui mit de la salive sur les yeux, lui imposa les mains et lui demanda: "Vois-tu quelque chose?" Alors il leva les yeux et [24] dit: "Je vois des hommes, car j'aperçois comme des arbres qui marchent." [25] Jésus lui mit de nouveau les mains sur les yeux, et il vit clair; il fut si bien guéri qu'il voyait tout distinctement. [26] Puis il le renvoya chez lui, en lui disant: "N'entre même pas dans le bourg."

Dans la région de Césarée de Philippe: profession de foi de Pierre. - [27]Jésus partit avec ses disciples, vers les bourgs de Césarée de Philippe et, en chemin, il demanda à ses disciples: "Qui suis-je, au dire des gens?" [28]Ils lui répondirent: "Pour les uns, Jean le Baptiste, pour d'autres, Élie, pour d'autres, un des prophètes." [29]"Mais vous, leur demanda-t-il, qui dites-vous que je suis?" Pierre, prenant la parole, répond: "Tu es le Christ!"* [30]Il leur enjoignit avec force de ne rien dire de lui à personne.

Première annonce de la Passion. - [31]Alors il commença à leur enseigner que le Fils de l'homme devait souffrir beaucoup, être rejeté par les anciens, les grands prêtres et les scribes, être mis à mort et ressusciter trois jours après. [32]Il leur disait cela avec assurance. Alors Pierre, le tirant à part, se mit à le réprimander. [33]Mais lui, se retournant et voyant ses disciples, réprimanda Pierre: "Arrière de moi, Satan! lui dit-il. Car tes vues ne sont pas celles de Dieu, mais celles des hommes."

Conditions pour suivre Jésus. - [34]Puis, appelant la foule avec ses disciples, il leur dit: "Si quelqu'un veut venir après moi, qu'il se renonce lui-même, qu'il prenne sa croix, et qu'il me suive.

---

29. Marc donne un texte bref de la profession de foi de Pierre. Cependant le titre de Christ donné à Jésus équivaut à peu près à celui de Fils de Dieu qui le complète dans Mat *16,16*, étant donné le sens transcendant dans lequel le Sauveur revendique la qualité de Messie.

[35] Car celui qui veut sauver sa vie la perdra, mais celui qui perdra sa vie, à cause de moi et de l'Évangile, la sauvera.* [36] En effet, que sert à l'homme de gagner le monde entier, s'il y laisse sa propre vie? [37] Que peut donner l'homme en échange de sa vie? [38] Celui qui aura rougi de moi et de mes paroles dans cette génération adultère et pécheresse, le Fils de l'homme à son tour rougira de lui, lorsqu'il viendra dans la gloire de son Père avec les saints anges."

9 [1] Il leur disait: "Vraiment, je vous le dis, il en est parmi ceux qui sont ici qui ne goûteront pas la mort avant d'avoir vu le Royaume de Dieu venu en puissance."*

La Transfiguration. - [2] Six jours après, Jésus prend avec lui Pierre, Jacques et Jean et les emmène seuls, à l'écart, sur une haute montagne. Il fut alors transfiguré devant eux. [3] Ses vêtements devinrent resplendissants, d'une telle blancheur qu'il n'y a point de foulon sur la terre qui puisse blanchir ainsi. [4] Élie leur apparut avec Moïse et ils s'entretenaient avec Jésus. [5] Pierre, prenant la parole, dit à Jésus: "Maître, quel bonheur que nous soyons ici! Faisons donc trois tentes: une pour toi, une pour Moïse et une pour Élie." [6] Il ne savait que dire, car ils étaient saisis de frayeur. [7] Survint une nuée qui les couvrit de son ombre, et de la nuée sortit une voix: *"CELUI-CI EST*

35-36. Cf. la note Mat *16*,24-27.
9.– 1. Dans le grec = *8,39* dans la Vulgate. Cf. la note Mat *16*,28.

MON FILS BIEN-AIMÉ; ÉCOUTEZ-LE." [8]Soudain, regardant tout autour, ils ne virent plus personne que Jésus, seul avec eux. [9]Comme ils descendaient de la montagne, il leur recommanda de ne raconter à personne ce qu'ils avaient vu, si ce n'est quand le Fils de l'homme serait ressuscité des morts. [10]Ils gardèrent pour eux la chose, tout en se demandant entre eux ce que signifiait "ressusciter des morts".

Le retour d'Élie. - [11]Alors ils lui demandèrent: "Pourquoi les scribes disent-ils qu'il faut qu'Élie vienne d'abord? " [12]Il leur répondit: "Élie, en effet, doit venir d'abord et remettre en ordre toutes choses; mais comment donc est-il écrit du Fils de l'homme qu'il doit souffrir beaucoup et être méprisé? [13]Eh bien! je vous le dis, Élie est déjà venu, et ils lui ont fait tout ce qu'ils ont voulu, ainsi qu'il est écrit sur lui."*

Guérison de l'enfant épileptique. - [14]*Retournés vers les disciples, ils virent autour d'eux une foule nombreuse et des scribes discutant avec eux. [15]Toute la foule, aussitôt qu'elle aperçut Jésus, fut dans la stupeur et accourut le saluer. [16]Alors, il leur demanda: "De quoi discutez-vous avec eux? " [17]Un homme de la foule lui répondit: "Maître, je t'ai amené mon fils, possédé d'un esprit muet. [18]En quelque lieu qu'il le saisisse, il

13. Élie est venu en la personne de Jean-Baptiste. Cf. Mat *17*,10-13.
14-29. On admirera la vie et le pittoresque de ce récit.

le jette à terre: l'enfant écume, grince des dents et devient tout raide. J'ai demandé à tes disciples de le chasser, et ils n'en ont pas été capables." [19] Jésus leur répondit: "Génération incrédule, jusques à quand serai-je avec vous? Jusques à quand vous supporterai-je? Amenez-le-moi." [20] Ils le lui amenèrent. Dès qu'il vit Jésus, l'esprit agita violemment l'enfant qui tomba à terre et se roulait en écumant. [21] Jésus demanda au père: "Combien y a-t-il de temps que cela lui arrive?" "Depuis son enfance, répondit-il. [22] Souvent il l'a jeté dans le feu et dans l'eau pour le faire périr; mais si tu peux quelque chose, viens-nous en aide, par compassion pour nous." Jésus lui répondit: [23] "Si tu peux! Tout est possible à celui qui croit." [24] Aussitôt le père de l'enfant s'écria: "Je crois! Viens en aide à mon peu de foi." [25] Jésus, voyant la foule accourir, menaça l'esprit impur et lui dit: "Esprit muet et sourd, je te l'ordonne, sors de cet enfant et n'y rentre plus." [26] L'esprit jeta un cri, et ayant agité l'enfant avec violence, sortit; l'enfant devint comme mort, de sorte que la plupart disaient: "Il a trépassé." [27] Mais Jésus, le prenant par la main, le releva et il se tint debout.

[28] Lorsque Jésus fut entré à la maison, ses disciples lui demandèrent en particulier: "Pourquoi donc, nous autres n'avons-nous pu le chasser?" [29] Il leur répondit: "Cette espèce-là ne peut être chassée que par la prière et par le jeûne."

Seconde annonce de la Passion. – [30] Partis de

là, ils allaient à travers la Galilée; il ne voulait pas qu'on le sût. ³¹Car il instruisait ses disciples et leur disait: "Le Fils de l'homme va être livré aux mains des hommes; ils le feront mourir et trois jours après sa mort il ressuscitera." ³²Mais ils ne comprenaient pas ces paroles et craignaient de l'interroger.

Qui est le plus grand? - ³³Ils arrivèrent à Capharnaüm; une fois à la maison, il leur demanda: "De quoi discutiez-vous en chemin?" ³⁴Mais ils gardaient le silence: en chemin, ils avaient discuté entre eux pour savoir qui était le plus grand. ³⁵S'étant assis, il appela les Douze et leur dit: "Si quelqu'un veut être le premier, il devra être le dernier de tous, et le serviteur de tous." ³⁶Puis il prit un petit enfant, le plaça au milieu d'eux, et, le serrant dans ses bras, il leur dit: ³⁷"Qui reçoit en mon Nom un de ces petits enfants, c'est moi qu'il reçoit; qui me reçoit, ce n'est pas moi qu'il reçoit, mais Celui qui m'a envoyé."

Instructions diverses aux apôtres. - ³⁸Jean lui dit: "Maître, nous avons vu quelqu'un qui ne nous suit pas chasser les démons en ton Nom; nous avons voulu l'en empêcher parce qu'il ne nous suivait pas." ³⁹Mais Jésus répondit: "Ne l'en empêchez pas; car il n'y a personne qui, faisant un miracle en mon Nom, puisse sitôt après parler mal de moi. ⁴⁰Qui n'est pas contre nous est pour nous. ⁴¹Quiconque en effet vous donnera à boire un verre d'eau parce que vous êtes au Christ, vraiment, je vous le dis, il ne perdra pas sa récompense. [42]Quiconque scandalise un de ces petits qui croient, mieux vaudrait pour lui qu'on lui attache au cou une meule d'âne et qu'on le jette à la mer. [43]Si ta main t'incite à pécher, coupe-la; il vaut mieux que tu entres manchot dans la vie, que d'aller avec tes deux mains dans la géhenne, dans le feu qui ne s'éteint pas [44](où leur ver ne meurt pas et où le feu ne s'éteint pas).* [45]Si ton pied t'incite à pécher, coupe-le; il vaut mieux que tu entres dans la vie boiteux, que d'être jeté avec tes deux pieds dans la géhenne [46]*(où leur ver ne meurt pas, et où le feu ne s'éteint pas). [47]Si ton oeil t'incite à pécher, arrache-le; il vaut mieux que tu entres avec un seul oeil dans le Royaume de Dieu, que d'être jeté avec tes deux yeux dans la géhenne [48]*où leur ver ne meurt pas, et où le feu ne s'éteint pas:* [49]Car tous doivent être salés par le feu. [50]Le sel est bon; mais si le sel devient fade, avec quoi l'assaisonnerez-vous? Ayez du sel en vous et vivez en paix entre vous."

TROISIÈME PARTIE

VOYAGE DE GALILÉE À JÉRUSALEM

10 **Indissolubilité du mariage.** - [1]Partant de là, il se rend dans le territoire de la Judée et au-delà du Jourdain. De nouveau les foules se ras-

---

44. Glose probable, suggérée par le v 48.
46. Même remarque qu'au v 44.
48. Is 66,24.

semblent autour de lui, et de nouveau, selon sa coutume, il les instruisait. [2] Des pharisiens vinrent à lui, et, pour le mettre à l'épreuve, lui demandèrent s'il était permis à un homme de répudier sa femme. [3] Il leur répondit: "Que vous a ordonné Moïse?" [4] Ils dirent: "Moïse a permis de dresser un acte de divorce et de répudier."* [5] Jésus leur dit: "C'est à cause de votre dureté de coeur qu'il a écrit pour vous ces préceptes. [6] Mais au commencement de la création Dieu *les fit homme et femme,* [7] *c'est pourquoi l'homme quittera son père et sa mère et s'attachera à sa femme;* [8] *et à eux deux ils ne seront plus qu'un seul être.** Ainsi ils ne sont plus deux, mais un seul. [9] Que l'homme ne sépare donc pas ce que Dieu a uni."

[10] A la maison, ses disciples l'interrogèrent de nouveau sur ce point. [11] "Quiconque, leur dit-il, répudie sa femme et en épouse une autre, commet un adultère à l'égard de la première; [12] et si une femme répudie son mari et en épouse un autre, elle commet un adultère."

Jésus bénit les enfants. - [13] On lui présentait des petits enfants, afin qu'il les touchât; mais les disciples réprimandaient ceux qui les présentaient. [14] Ce que voyant, Jésus se fâcha et leur dit: "Laissez venir à moi les petits enfants et ne les empêchez pas, car c'est à ceux qui leur ressemblent qu'appartient le Royaume de Dieu.

---

10. – 4. Deut *24*,1.
8. Gen *1*,27; *2*,24. Un seul être: littéralement, une seule chair.

¹⁵Vraiment, je vous le dis, quiconque n'accueillera pas le Royaume de Dieu comme un petit enfant, n'y entrera pas." ¹⁶Et, les prenant dans ses bras, il les bénissait en leur imposant les mains.

Danger des richesses. - ¹⁷Comme il se mettait en route, quelqu'un accourut et, se jetant à ses genoux, lui demanda: "Bon Maître, que dois-je faire pour avoir en héritage la vie éternelle?" ¹⁸Jésus lui répondit: "Pourquoi m'appelles-tu bon? Nul n'est bon que Dieu seul.* ¹⁹Tu connais les commandements: *Tu ne tueras pas. Tu ne commettras pas d'adultère. Tu ne voleras pas. Tu ne porteras pas de faux témoignage. Tu ne feras pas de tort. Honore ton père et ta mère.** ²⁰Il lui répondit: "Maître, j'ai observé tout cela depuis ma jeunesse." ²¹Jésus, fixant alors son regard sur lui, se prit à l'aimer et lui dit: "Il te manque quelque chose: va, vends ce que tu as, donne-le aux pauvres, et tu auras un trésor dans le ciel; puis viens et suis-moi." ²²Mais lui s'assombrit à ces mots et s'en alla tout triste, car il avait de grands biens. ²³Promenant alors son regard autour de lui, Jésus dit à ses disciples: "Qu'il sera difficile à ceux qui ont des richesses d'entrer dans le Royaume de Dieu!" ²⁴Les disciples étaient stupéfaits de ces paroles. Jésus reprend et leur dit: "Mes enfants, qu'il est difficile à ceux qui mettent leur confiance dans les riches-

---

18. Jésus invite son interlocuteur à porter son regard vers Dieu, qui seul est la bonté absolue.

19. Ex *20*,12-16.

ses d'entrer dans le Royaume de Dieu! [25] Il est plus facile à un chameau de passer par le trou d'une aiguille qu'à un riche d'entrer dans le Royaume de Dieu." [26] Leur étonnement augmenta encore et ils se disaient entre eux: "Mais alors, qui peut être sauvé?" [27] Mais Jésus, fixant sur eux son regard, leur dit: "Cela est impossible aux hommes, mais non pas à Dieu, car tout est possible à Dieu."

Récompense de ceux qui quittent tout pour Jésus. - [28] Pierre se mit à lui dire: "Et nous, voici que nous avons tout quitté pour te suivre!" [29] Jésus répondit: "Vraiment, je vous le dis, nul n'aura quitté maison, ou frères, ou soeurs, ou père, ou mère, ou enfants, ou terres, à cause de moi et à cause de l'Évangile, [30] qu'il ne reçoive au centuple, dès maintenant, au temps présent, maisons, frères, soeurs, mères, enfants, terres, avec des persécutions, et dans le monde à venir la vie éternelle. [31] Beaucoup de premiers seront derniers; beaucoup de derniers, premiers."

Troisième annonce de la Passion. - [32] Ils étaient en route, montant à Jérusalem, et Jésus, marchait devant eux; ils étaient frappés de stupeur et ceux qui suivaient étaient effrayés. Prenant à nouveau les Douze avec lui, Jésus se mit à leur dire ce qui allait lui arriver: [33] "Voici que nous montons à Jérusalem; le Fils de l'homme sera livré aux grands prêtres et aux scribes; ils le condamneront à mort et le livreront aux païens; [34] ils le bafoueront, cracheront sur lui, le flagelleront et le tueront; mais trois jours après il ressuscitera.”

Demande des fils de Zébédée. - [35] Alors Jacques et Jean, fils de Zébédée, viennent à lui et lui disent: “Maître, nous voudrions que tu fasses pour nous ce que nous allons te demander.” [36] Il leur dit: “Que voulez-vous que je fasse pour vous?” [37] “Accorde-nous, lui dirent-ils, de siéger l’un à ta droite et l’autre à ta gauche dans ta gloire.” [38] Mais Jésus leur répondit: “Vous ne savez ce que vous demandez. Pouvez-vous boire le calice que je dois boire et être baptisés du baptême dont je dois être baptisé?” [39] Ils répondirent: “Nous le pouvons.” “Le calice que je dois boire, leur dit Jésus, vous le boirez, et vous serez baptisés du baptême dont je dois être baptisé. [40] Mais quant à siéger à ma droite ou à ma gauche, il ne m’appartient pas de l’accorder; c’est pour ceux à qui cela est destiné.” [41] Les dix autres, entendant cela, se mirent à s’indigner contre Jacques et Jean.

[42] Mais Jésus les appelle et leur dit: “Vous le savez, ceux qu’on regarde comme les chefs des païens font peser leur domination et les grands leur pouvoir. [43] Il ne doit pas en être ainsi parmi vous. [44] Au contraire, celui qui veut devenir grand parmi vous devra être votre serviteur; celui qui veut être le premier parmi vous devra être l’esclave de tous. [45] Aussi bien le Fils de l’homme n’est pas venu se faire servir, mais servir, et donner sa vie en rançon pour les multitudes.”

L'aveugle de Jéricho. - [46]Ils arrivent à Jéricho. Comme il sortait de Jéricho avec ses disciples et une foule considérable, un mendiant aveugle, le fils de Timée, Bartimée, était assis au bord du chemin. [47]Ayant appris que c'était Jésus de Nazareth, il se mit à crier: "Fils de David, aie pitié de moi!" [48]Plusieurs le menaçaient pour le faire taire: mais lui n'en criait que plus fort: "Fils de David, aie pitié de moi!" [49]Alors Jésus s'arrête et dit: "Appelez-le." On appela donc l'aveugle et on lui dit: "Courage! Lève-toi, il t'appelle." [50]Lui, jetant son manteau, fut d'un bond auprès de Jésus. [51]Jésus lui adressa la parole: "Que veux-tu que je fasse pour toi?" L'aveugle répondit: "Maître,* que j'y voie!" [52]"Va, lui dit Jésus, ta foi t'a sauvé." Aussitôt il recouvra la vue et il suivait Jésus sur le chemin.

QUATRIÈME PARTIE

MINISTÈRE DE JÉSUS
À JÉRUSALEM

11 **L'entrée triomphale**. - [1]Comme ils approchaient de Jérusalem, vers Bethphagé et Béthanie, près du mont des Oliviers, il envoie deux de ses disciples [2]et leur dit: "Allez au village, en face de vous. Dès que vous y serez entrés, vous trouverez un ânon attaché, sur lequel personne n'est encore monté; détachez-le et amenez-le. [3]Si quelqu'un vous dit: Que faites-vous

---

51. Maître; littéralement: Rabbouni.
11. – 9. Ps *118*,26.

là? Répondez: Le **Seigneur** en a besoin; aussitôt
après il vous le renvoie ici." [4]S'en étant donc
allés, ils trouvèrent l'ânon attaché à une porte de
hors, sur la rue, et ils le détachèrent. [5]Quel-
ques-uns de ceux qui se trouvaient là leur dirent:
"Qu'est-ce qui vous prend de détacher cet
ânon?" [6]Ils leur répondirent comme avait dit
Jésus, et on les laissa faire. [7]Puis ils amènent l'â-
non à Jésus, mettent sur lui leurs manteaux et il
s'assit dessus. [8]Beaucoup étendirent leurs manteaux sur le chemin, d'autres des branches d'arbres coupées dans les champs. [9]Ceux qui marchaient devant, comme ceux qui suivaient, criaient: *"Hosanna, béni soit celui qui vient au nom
du Seigneur!* * [10]Béni soit le règne qui arrive,
celui de notre père David! Hosanna, au plus
haut des cieux! " [11]Puis il entra à Jérusalem,
dans le Temple. Après avoir tout regardé autour
de lui, comme il était déjà tard, il sortit avec les
Douze pour aller à Béthanie.

Le figuier maudit. -* [12]Le lendemain, comme
ils sortaient de Béthanie, il eut faim. [13]Aperce-
vant de loin un figuier qui avait des feuilles, il
alla voir s'il n'y trouverait pas quelque fruit; s'en
étant approché, il n'y trouva que des feuilles, car
ce n'était pas la saison des figues. [14]Alors, prenant la parole, il dit au figuier: "Que jamais nul
ne mange de ton fruit! " Ce que ses disciples entendirent.

12-14. Le figuier stérile symbolise la stérilité et l'endurcissement d'Israël infidèle.

Expulsion des vendeurs du Temple. - [15]*Ils arrivent à Jérusalem. Entré dans le Temple, il se mit à chasser ceux qui vendaient et ceux qui achetaient dans l'enceinte; il culbuta les tables des changeurs, et les sièges des marchands de colombes; [16]et il ne permettait à personne de traverser le Temple avec un fardeau. [17]Il les enseignait en ces termes: "N'est-il pas écrit: *Ma maison sera appelée une maison de prière pour toutes les nations?* * *Et vous en avez fait, vous, une caverne de brigands.*" [18]Les grands prêtres et les scribes l'apprirent et ils cherchaient comment le faire périr; ils le craignaient en effet, car toute la foule était en admiration devant son enseignement. [19]Le soir venu, ils sortirent de la ville.

Entretien à propos du figuier; la foi et la prière. - [20]Repassant le lendemain matin, ils virent le figuier desséché jusqu'aux racines. [21]Pierre, se ressouvenant, dit à Jésus: "Maître, vois: le figuier que tu as maudit est desséché." [22]Jésus leur répartit: "Ayez foi en Dieu! [23]Vraiment, je vous le dis, si quelqu'un dit à cette montagne: "Ote-toi de là, et jette-toi dans la mer", et que sans hésiter dans son coeur, il croie que ce qu'il dit arrivera, il l'obtiendra. [24]C'est pourquoi je vous dis: Quoi que vous demandiez dans vos prières, croyez que vous l'avez reçu et vous l'obtiendrez. [25]Lorsque vous êtes debout pour prier, si vous avez quelque chose contre quelqu'un, pardonnez,

15-17. Cf. note Mat *21*,12.
17. Is *56*,7; Jer *7*,11.

afin que votre Père, qui est dans les cieux, vous pardonne aussi vos offenses. [26]Si vous ne pardonnez pas, votre Père qui est dans les cieux ne vous pardonnera pas non plus vos offenses."

La mission de Jésus et le baptême de Jean. - [27]Ils reviennent à Jérusalem. Comme Jésus circulait dans le Temple, les grands prêtres, les scribes et les anciens s'approchent de lui [28]et lui disent: "De quel droit fais-tu ces choses, ou qui t'a donné le droit de les faire?" [29]Jésus leur répondit: "Je vous poserai une seule question. Répondez-moi et je vous dirai de quel droit je fais cela. [30]Le baptême de Jean venait-il du ciel ou des hommes? Répondez-moi." [31]Or ils raisonnaient ainsi en eux-mêmes: "Si nous répondons: "Du ciel", il dira: "Pourquoi n'avez-vous pas cru en lui?" [32]Allons-nous au contraire répondre: "Des hommes?..."" Ils craignaient la foule, car tous tenaient que Jean avait été un vrai prophète. [33]Ils répondent donc à Jésus: "Nous ne savons pas." Jésus leur répliqua: "Moi non plus je ne vous dis pas de quel droit je fais cela."

12 **Allégorie des vignerons homicides.** -* [1]Il se mit à leur parler en paraboles. "Un homme, dit-il, planta une vigne, l'entoura d'une clôture, creusa un pressoir, bâtit une tour, puis il l'afferma à des vignerons et partit pour l'étranger. [2]En temps voulu, il envoya un serviteur aux vignerons, pour recevoir d'eux sa part du fruit de la

---

12. – 1-12. Cf. note Mat *21*,33sq.

vigne. [3]Mais ils le saisirent, le battirent et le renvoyèrent les mains vides. [4]Il leur envoya alors un
autre serviteur, et celui-là aussi, ils le frappèrent à
la tête et l'outragèrent. [5]Il en envoya un autre,
et celui-là ils le tuèrent; puis plusieurs autres,
dont ils battirent les uns et tuèrent les autres. [6]Il
lui restait encore quelqu'un, son fils bien-aimé. Il
le leur envoya le dernier, se disant: "Ils respecteront mon fils." [7]Mais ces vignerons se dirent
entre eux: "Voici l'héritier; allons-y, tuons-le, et
l'héritage sera à nous! " [8]Et, le saisissant, ils le
tuèrent et le jetèrent hors de la vigne. [9]Que fera
le maître de la vigne? Il viendra, fera périr les
vignerons et donnera la vigne à d'autres. [10]N'a-
vez-vous donc pas lu cette parole de l'Écriture:
*La pierre qu'avaient rejetée ceux qui bâtissaient,
est devenue tête d'angle:* [11]*c'est l'oeuvre du Seigneur, et c'est une merveille à nos yeux!"* * [12]Ils
cherchaient donc à l'arrêter, mais ils craignirent
le peuple; car ils avaient compris que c'était pour
eux qu'il avait dit cette parabole. Et, le laissant,
ils s'en allèrent.

Le tribut à César. - [13]Puis ils envoient des
pharisiens et des hérodiens pour le prendre au
piège par une question. [14]Ils viennent donc et lui
disent: "Maître, nous savons que tu es véridique
et que tu n'as égard à qui que ce soit: car tu ne
regardes pas aux personnes, mais tu enseignes la
voie de Dieu en toute vérité. Est-il permis ou non
de payer le tribut à César? Devons-nous payer

---

11. Ps *118*,22-23.

ou ne pas payer?" [15]Mais, connaissant leur hypocrisie, il leur dit: "Pourquoi me tendez-vous un piège? Apportez-moi un denier, que je le voie." [16]Ils le lui apportèrent. "De qui est cette effigie? leur dit-il. Et l'inscription?" "De César", lui répondirent-ils. [17]Jésus leur dit: "Rendez donc à César ce qui est à César, et à Dieu ce qui est à Dieu." Et ils étaient tout étonnés à son sujet.

La femme aux sept maris et la résurrection. - [18]Des sadducéens, ces gens qui nient la résurrection, viennent à lui et lui posent cette question: [19]"Maître, Moïse nous a fait cette prescription: *Si quelqu'un a un frère qui meurt, laissant une femme sans enfants, que le frère survivant épouse la veuve et suscite une postérité à son frère.** [20]Or il y avait sept frères. Le premier prit femme et mourut sans laisser de postérité. [21]Le second prit à son tour la veuve et mourut aussi sans laisser de postérité. Et le troisième de même. [22]Aucun des sept ne laissa de postérité. Après eux tous, la femme mourut aussi. [23]A la résurrection, quand ils ressusciteront, duquel d'entre eux sera-t-elle la femme? Car les sept l'auront eue pour femme?" [24]Jésus leur dit: "N'êtes-vous pas dans l'erreur? Car vous ne comprenez ni les Écritures ni la puissance de Dieu. [25]Une fois ressuscité des morts, on ne prend ni femme ni mari, on est comme des anges dans le ciel. [26]Quant à

---

19. Deut *25*,5-6.
26-27. Cf. Ex *3*,1sq. et note Mat *22*,32.

la résurrection des morts, n'avez-vous pas lu dans le livre de Moïse, au passage du Buisson, comment Dieu lui parla: *Je suis le Dieu d'Abraham, le Dieu d'Isaac et le Dieu de Jacob?* * ²⁷Or, il n'est pas le Dieu des morts, mais des vivants. Vous êtes grandement dans l'erreur! "

Le premier des commandements. – ²⁸Alors s'approche un scribe qui les avait entendus discuter. Voyant que Jésus leur avait bien répondu, il lui demanda: "Quel est le premier de tous les commandements? " ²⁹Jésus répondit: "Le premier, c'est: *Écoute, Israël! Le Seigneur ton Dieu est le seul Seigneur.* ³⁰*Tu aimeras le Seigneur ton Dieu de tout ton coeur, de toute ton âme, de tout ton esprit et de toutes tes forces.* * ³¹Et voici le second: *Tu aimeras ton prochain comme toi-même.* * Il n'y a pas de plus grand commandement que ceux-là." ³²Le scribe lui dit: "Fort bien, Maître. En toute vérité, *il est Unique; il n'y en a pas d'autre que lui;* ³³*l'aimer de tout son coeur, de toute son intelligence et de toutes ses forces, et aimer le prochain comme soi-même,* * vaut bien mieux que tous les holocaustes et les sacrifices." ³⁴Jésus, voyant qu'il avait répondu judicieusement, lui dit: "Tu n'es pas loin du Royaume de Dieu." Et personne n'osait plus lui poser de questions.

Le Christ, Fils et Seigneur de David. – ³⁵Jésus,

29-30. Deut. *6*,4-5.
31. Lev *19*,18.
32-33. Deut *4*,35.

prenant la parole, dit en enseignant dans le Temple: "Comment les scribes peuvent-ils dire que le Christ est le fils de David? [36] Car David lui-même a dit, inspiré par l'Esprit Saint: *Le Seigneur a dit à mon Seigneur: Assieds-toi à ma droite jusqu'à ce que j'aie fait de tes ennemis l'escabeau de tes pieds.** [37] David lui-même l'appelle Seigneur; comment donc peut-il être son fils? " Et la masse du peuple l'écoutait avec plaisir.

Jugement sur les scribes. - [38] Il disait dans son enseignement: "Gardez-vous des scribes qui aiment à se promener en longues robes, à recevoir des salutations sur les places publiques, [39] à occuper les premiers sièges dans les synagogues et les premiers divans dans les festins; [40] qui dévorent les maisons des veuves et affectent de prier longuement. Ces gens-là subiront une condamnation plus sévère."

L'obole de la veuve. - [41] Assis vis-à-vis du Trésor, il regardait la foule qui y mettait de la menue monnaie et de nombreux riches en mettaient beaucoup. [42] Vint une pauvre veuve, qui mit deux petites pièces, la valeur du quart d'un as. [43] Jésus, appelant ses disciples, leur dit: "Vraiment, je vous le dis, cette pauvre veuve a plus donné que tous ceux qui ont mis dans le Trésor; [44] car tous ont mis de leur superflu, mais elle, de son indigence, a mis tout ce qu'elle possédait, tout ce qu'elle avait pour vivre."

---

36. Ps *110*,1.

13 **Discours eschatologique.** - [1]Comme Jésus sortait du Temple, un de ses disciples lui dit: "Maître, regarde quelles pierres et quelles constructions! " [2]Jésus lui répondit: "Tu vois ces grandes constructions! Il n'en restera pas pierre sur pierre qui ne soit renversée."

[3]Lorsqu'il se fut assis sur la montagne des Oliviers, vis-à-vis du Temple, Pierre, Jacques, Jean et André lui demandèrent en particulier: [4]"Dis-nous quand cela arrivera et quel sera le signe que tout cela est près de s'accomplir."

[5]Jésus se mit à leur dire:* "Prenez garde que personne ne vous égare. [6]Car beaucoup viendront sous mon Nom, qui diront: "C'est moi le Christ", et ils en égareront un grand nombre. [7]Lorsque vous entendrez parler de guerre et de bruits de guerre, ne vous troublez pas; il faut que cela arrive, mais ce ne sera pas encore la fin. [8]On se dressera peuple contre peuple et royaume contre royaume: il y aura des tremblements de terre en divers lieux, et des famines. Ce sera le commencement des douleurs.

[9]"Soyez bien sur vos gardes. On vous traduira devant les sanhédrins et vous serez battus dans les synagogues. Vous comparaîtrez devant des gouverneurs et des rois, à cause de moi, pour rendre témoignage devant eux.

---

13. – 5-9.11-13. Ces prédictions se sont réalisées peu de temps après la Pentecôte. Cf. Act 4,1-31; 5,17-42, etc.

¹⁰"Il faut d'abord que l'Évangile soit prêché à toutes les nations.* ¹¹Lors donc qu'on vous emmènera pour vous livrer, ne vous préoccupez pas d'avance de ce que vous aurez à dire, mais dites ce qui vous sera donné au moment même. Ce n'est pas vous qui parlerez, mais l'Esprit Saint. ¹²Le frère livrera son frère à la mort et le père son enfant; les enfants se dresseront contre leurs parents et les feront mourir. ¹³Vous serez en butte à la haine de tous à cause de mon Nom, mais celui qui tiendra bon jusqu'à la fin, celui-là sera sauvé.

¹⁴"Quand vous verrez la sinistre Infamie* établie là où elle ne doit pas être — lecteur, comprends bien! – alors que ceux qui seront dans la Judée s'enfuient dans les montagnes; ¹⁵que celui qui sera sur la terrasse ne descende pas et ne rentre pas pour prendre quoi que ce soit dans sa maison; ¹⁶que celui qui sera aux champs ne retourne pas en arrière pour prendre son manteau. ¹⁷Malheur à celles qui seront enceintes et à celles qui allaiteront en ces jours-là! ¹⁸Priez pour que cela n'arrive pas en hiver! ¹⁹Il y aura en ces jours-là une détresse telle qu'il n'y en a pas eu de

---

10. Au moment de la ruine de Jérusalem, l'Évangile avait été prêché sur tout le pourtour de la Méditerranée. Cf. Rom *10*,18.

14-18. Littéralement: l'abomination de la désolation (Dan *9*,7); elle signifie l'invasion de la Palestine et l'investissement de Jérusalem: Luc *19*,43. La fuite s'imposera alors pour échapper aux calamités de la guerre.

19-25. La rigueur et l'universalité de la calamité sont de style chez les prophètes dans l'annonce de tous les

semblable depuis qu'à l'origine Dieu a créé le monde jusqu'à maintenant, et comme il n'y en aura jamais.* [20] Si le Seigneur n'avait abrégé ces jours, personne n'aurait échappé; mais à cause des élus qu'il a choisis, il les a abrégés. [21] Si l'on vous dit alors: "Voici, le Christ est ici"; ou: "Le voilà", ne le croyez pas. [22] Car il s'élèvera de faux christs et de faux prophètes; ils feront des miracles et des prodiges afin d'égarer, s'il était possible, les élus eux-mêmes. [23] Prenez donc garde; je vous ai tout prédit!

[24] "Mais en ces jours-là et après cette détresse, le soleil s'obscurcira et la lune ne donnera plus sa lumière; [25] les astres se mettront à tomber du ciel, et les puissances dans les cieux seront ébranlées. [26] Alors on verra le Fils de l'homme venant dans les nuées avec grande puissance et gloire.* [27] Il enverra ses anges et rassemblera ses élus des quatre vents, de l'extrémité de la terre à l'extrémité du ciel.*

[28] "Comprenez cette comparaison tirée du

---

châtiments divins; il n'y a pas lieu de les prendre à la lettre, non plus que les bouleversements cosmiques des vv 24-25.

26. La venue dans les nuées est, comme dans l'Ancien Testament, le symbole d'une intervention, d'un jugement divin. Le jugement dont il s'agit ici est le châtiment d'Israël incrédule. Le rapprochement avec la réponse du Sauveur à Caïphe est éclairant (*14*,62); dès la résurrection, le triomphe du Christ commence; dès ce moment, il est "environné de nuées".

20-27. Les "élus" sont les élus du peuple juif, le "petit reste" si souvent mentionné par les prophètes, qui croira en Jésus et entrera dans le Royaume messianique.

figuier. Dès que ses branches deviennent tendres, et que ses feuilles poussent, vous savez que l'été est proche. [29] De même, lorsque vous verrez arriver toutes ces choses, sachez que c'est proche, aux portes. [30] Vraiment, je vous le dis, cette génération ne passera pas que toutes ces choses ne soient arrivées. [31] Le ciel et la terre passeront, mes paroles ne passeront pas. [32] Quant à ce jour ou à cette heure, nul n'en sait rien, ni les anges dans le ciel ni même le Fils, mais le Père seul.*

[33] "Prenez garde, veillez: vous ne pouvez en savoir le moment. [34] C'est comme un homme parti en voyage, qui a laissé sa maison et a remis tout pouvoir à ses serviteurs, assignant à chacun sa tâche, et au portier il a recommandé de veiller. [35] Veillez donc, car vous ne savez pas quand le maître de maison doit revenir, le soir, à minuit, au chant du coq, ou au matin, [36] de peur que, survenant à l'improviste, il ne vous trouve endormis. [37] Ce que je vous dis, je le dis à tous: Veillez! "

CINQUIÈME PARTIE
LA PASSION

14 **Complot contre Jésus.** - [1] Or c'était la Pâque et les Azymes deux jours après; les grands prêtres et les scribes cherchaient comment se saisir de Jésus par ruse afin de le mettre à

---

32. Cf. note Mat *24*,36.

14. – 3sq. Jean précise que cette femme était Marie, soeur de Marthe et de Lazare.

mort. [2]Mais ils disaient: "Pas pendant la Fête, de peur qu'il n'y ait de l'agitation dans le peuple."

Onction de Béthanie et trahison de Judas. - [3]Comme Jésus était à Béthanie, dans la maison de Simon le lépreux, pendant qu'il était à table une femme vint avec un flacon d'albâtre plein d'un parfum de nard pur d'un grand prix; brisant le flacon, elle lui versa le parfum sur la tête.* [4]Quelques-uns s'indignaient en eux-mêmes! "A quoi bon gaspiller ainsi ce parfum? [5]On aurait pu le vendre plus de trois cents deniers et les donner aux pauvres." Et ils murmuraient contre elle. [6]Mais Jésus leur dit: "Laissez là cette femme; pourquoi la tracassez-vous? C'est une bonne action qu'elle a accomplie envers moi. [7]Vous aurez toujours des pauvres avec vous et, quand vous voudrez, vous pourrez leur faire du bien; mais moi, vous ne m'aurez pas toujours. [8]Elle a fait ce qui était en son pouvoir: elle a d'avance embaumé mon corps pour la sépulture. [9]Vraiment, je vous le dis, partout où sera proclamé l'Évangile, dans le monde entier, on racontera à sa mémoire ce qu'elle vient de faire."

[10]Judas Iscariote, l'un des Douze, alla trouver les grands prêtres pour leur livrer Jésus. [11]L'ayant écouté, ils se réjouirent et promirent de lui donner de l'argent. Et il cherchait une occasion favorable pour le livrer.

Le repas pascal et l'institution de l'Eucharistie. - [12]Le premier jour des Azymes, où l'on immolait la pâque, ses disciples lui disent: "Où veux-tu que nous allions faire les préparatifs pour que tu manges la pâque? " [13]Alors il envoie deux de ses disciples et leur dit: "Allez à la ville; vous rencontrerez un homme portant une cruche d'eau. Suivez-le. [14]Là où il entrera, dites au propriétaire: "Le Maître te fait dire: Où est la salle où je pourrai manger la pâque avec mes disciples? " [15]Il vous montrera à l'étage une grande salle, garnie de divans et toute prête; faites-nous les préparatifs." [16]Les disciples partirent, allèrent à la ville, trouvèrent tout comme il le leur avait dit et préparèrent la pâque.

[17]Le soir venu, il arrive avec les Douze. [18]Pendant qu'ils étaient à table et mangeaient, Jésus leur dit: "Vraiment, je vous le dis, l'un de vous me livrera, un qui mange avec moi." [19]Il se mirent à s'attrister et à lui demander l'un après l'autre: "Serait-ce moi? " [20]Il leur répondit: "C'est l'un des Douze, quelqu'un qui met la main avec moi dans le plat. [21]Le Fils de l'homme s'en va selon ce qui est écrit de lui, mais malheur à l'homme par qui le Fils de l'homme est livré! Il aurait mieux valu pour lui qu'il ne fût pas né, cet homme-là! "

[22]Pendant qu'ils mangeaient il prit du pain, et, ayant prononcé la bénédiction, il le rompit, le leur donna et dit: "Prenez: *CECI EST MON CORPS*." [23]Puis, prenant une coupe et rendant grâces, il la leur donna, et ils en burent tous; [24]et il leur dit: "*CECI EST MON SANG*, le sang de l'Alliance, répandu pour les multitudes. [25]Vraiment, je vous le dis, je ne boirai plus du

produit de la vigne jusqu'au jour où je le boirai, nouveau, dans le Royaume de Dieu."

Annonce du reniement de Pierre. - [26]Puis après avoir chanté les psaumes,* ils partirent pour le mont des Oliviers. [27]Jésus leur dit: "Vous allez tous trouver une occasion de chute, car il est écrit: *Je frapperai le pasteur, et les brebis seront dispersées.* * [28]Mais après que je serai ressuscité, je vous ramènerai en Galilée."* [29]Alors Pierre lui dit: "Quand même tous succomberaient, moi pas! " [30]Jésus lui répond: "Vraiment, je te le dis, toi, aujourd'hui, cette nuit même, avant que le coq n'ait chanté deux fois, tu me renieras trois fois." [31]Mais lui n'en disait que de plus belle: "Quand il me faudrait mourir avec toi, je ne te renierai pas! " Et tous en disaient autant.

Agonie et arrestation de Jésus à Gethsémani. - [32]Puis ils arrivent à un domaine appelé Gethsémani. Il dit à ses disciples: "Tenez-vous ici pendant que je prierai." [33]Prenant avec lui Pierre, Jacques et Jean, il commença à être saisi de frayeur et d'angoisse. [34]Il leur dit: "Mon âme est triste à en mourir, restez ici et veillez." [35]Allant un peu plus loin, il tombait à terre et priait pour que, si c'était possible, cette heure passât loin de lui. [36]Il disait: "Abba, Père, tout t'est possible, éloigne de moi ce calice; cependant, non pas ce

26. Ps *113,118*.
27. Zac *13*,7.
28. Cf. notes Mat *26*,32; *28*,7.

que je veux, mais ce que tu veux." [37]Puis il revient et trouve les disciples endormis, et il dit à Pierre: "Simon, tu dors! Tu n'as pu veiller seulement une heure! [38]Veillez et priez, afin de ne pas entrer en tentation: l'esprit est ardent, mais la chair est faible." [39]Il s'en alla de nouveau et pria, répétant les mêmes mots. [40]En revenant, il les trouva endormis, car leurs yeux étaient appesantis et ils ne surent que lui répondre. [41]Il revint une troisième fois et leur dit: "Dormez maintenant et reposez-vous! C'en est fait: l'heure est venue; le Fils de l'homme va être livré aux mains des pécheurs. [42]Levez-vous, allons; celui qui me livre est tout près."

[43]Au même instant, comme il parlait encore, Judas, l'un des Douze, survient, et avec lui une troupe armée d'épées et de bâtons, envoyée par les grands prêtres, les scribes et les anciens. [44]Or le traître était convenu avec eux de ce signe: "Celui que j'embrasserai, c'est lui, arrêtez-le et emmenez-le sous bonne garde." [45]Aussitôt arrivé, il s'approcha de lui et lui dit: "Maître."* Et il l'embrassa. [46]Eux mirent la main sur lui et l'arrêtèrent.

[47]Un de ceux qui étaient là, tirant l'épée, frappa le serviteur du grand prêtre et lui coupa l'oreille. [48]Mais Jésus, prenant la parole, leur dit: "Suis-je un brigand, que vous soyez venus pour me prendre avec des épées et des bâtons? [49]Tous les jours j'étais parmi vous, enseignant

---

45. "Maître", littéralement: Rabbi.

dans le Temple, et vous ne m'avez pas arrêté. Mais c'est pour que les Écritures s'accomplissent." [50] Alors, l'abandonnant, ils s'enfuirent tous. [51] Or un jeune homme le suivait, n'ayant sur le corps qu'un drap, et on l'arrête. [52] Mais lui, lâchant le drap, s'enfuit tout nu.*

Comparution devant le grand prêtre. - [53] Alors ils emmenèrent Jésus chez le grand prêtre, et tous les grands prêtres, les scribes et les anciens s'assemblent. [54] Pierre le suivit de loin jusque dans la cour intérieure du grand prêtre, où s'étant assis avec les gardes, il se chauffait auprès du feu.

[55] Cependant les grands prêtres et tout le Sanhédrin cherchaient contre Jésus un témoignage pour le faire mourir; et ils n'en trouvaient pas. [56] Plusieurs déposaient faussement contre lui, mais les témoignages n'étaient pas concordants. [57] Enfin quelques-uns se levèrent et portèrent contre lui ce faux témoignage: [58] "Nous lui avons entendu dire: Je détruirai ce Temple fait de main d'homme, et en trois jours j'en rebâtirai un autre qui ne sera pas fait de main d'homme." [59] Mais sur cela même, leur témoignage n'était pas concordant.

[60] Alors le grand prêtre se leva au milieu de l'assemblée et interrogea Jésus: "Tu ne réponds rien? Qu'est-ce que ces gens-là déposent contre

---

52. Ce jeune homme pourrait avoir été Marc lui-même.

toi? " [61]Mais il se taisait et ne répondit rien. Le grand prêtre l'interrogea de nouveau et lui dit: "Es-tu le Christ, le Fils du béni? " [62]Jésus répondit: "Je le suis; vous verrez le Fils de l'homme siéger à la droite de la Puissance et venir parmi les nuées du ciel."* [63]Aussitôt le grand prêtre déchira ses tuniques et dit: "Qu'avons-nous encore besoin de témoins? [64]Vous avez entendu, le blasphème. Qu'en pensez-vous? " Tous prononcèrent qu'il méritait la mort. [65]Alors quelques-uns se mirent à cracher sur lui, à lui voiler le visage et à le souffleter, en lui disant: "Prophétise! " Et les gardes le bourrèrent de coups.

Reniement et repentir de Pierre. - [66]Or Pierre étant en bas dans la cour, une des servantes du grand prêtre survient. [67]Voyant Pierre qui se chauffait, elle le dévisagea et lui dit: "Toi aussi, tu étais avec Jésus le Nazaréen! " [68]Mais lui de le nier, en disant: "Je ne sais ni ne comprends ce que tu dis." Il sortit vers le vestibule, et un coq chanta. [69]La servante, l'ayant vu, recommença à dire à ceux qui se trouvaient là: "Celui-là en est! " [70]Une seconde fois, il le nia. Peu de temps après, ceux qui étaient là disaient à leur tour à Pierre: "Pour sûr, tu en es, car tu es Galiléen! " [71]Il se mit alors à faire des imprécations et à jurer: "Je ne connais pas cet homme dont vous parlez." [72]Aussitôt, pour la seconde fois, un coq chanta. Pierre se ressouvint de la parole que Jésus lui avait dite: "Avant que le coq n'ait chanté

62. Cf. note Mat 26,63.

deux fois, tu me renieras trois fois." Alors il éclata en sanglots.

15 Nouvelle séance du Sanhédrin. Jésus devant Pilate.

- [1]Dès qu'il fit jour, les grands prêtres tinrent conseil, avec les anciens et les scribes: tout le Sanhédrin. Ayant fait ligoter Jésus, ils l'emmenèrent et le livrèrent à Pilate. [2]Pilate l'interrogea: "Es-tu le Roi des Juifs?" Jésus lui répondit: "Tu le dis." [3]Comme les grands prêtres l'accusaient de beaucoup de choses, [4]Pilate l'interrogea de nouveau: "Tu ne réponds rien? Vois tout ce dont ils t'accusent!" [5]Mais Jésus ne répondit plus rien, de sorte que Pilate était dans l'étonnement. [6]A chaque fête, il leur relâchait un prisonnier, celui qu'ils demandaient. [7]Il y en avait un alors, nommé Barabbas, emprisonné avec des émeutiers qui avaient commis un meurtre au cours d'une sédition. [8]La foule monta donc et se mit à réclamer la grâce accoutumée. [9]Pilate leur répondit: "Voulez-vous que je vous relâche le Roi des Juifs?" [10]Car il savait que c'était par jalousie que les grands prêtres l'avaient livré. [11]Mais les grands prêtres excitèrent la foule à demander qu'il leur relâchât plutôt Barabbas. [12]Pilate, reprenant la parole, leur dit: "Que voulez-vous donc que je fasse de celui que vous appelez le Roi des Juifs?" [13]Mais ils poussèrent de nouvelles clameurs: "Crucifie-le!" Pilate leur dit: [14]"Qu'a-t-il donc fait de mal?" Ils crièrent encore plus fort: "Crucifie-le!" [15]Alors Pilate, vou-

---

15. – 16. Le prétoire, la forteresse Antonia, au nord-ouest du Temple ou l'ancien palais d'Hérode le Grand.

lant satisfaire la foule, leur relâcha Barabbas, puis, ayant fait flageller Jésus, il le livra pour être crucifié.

Le couronnement d'épines. - [16]Les soldats l'emmenèrent à l'intérieur de la cour, c'est-à-dire dans le prétoire,* et ils rassemblent toute la cohorte. [17]Ils le revêtent de pourpre, et, ayant tressé une couronne d'épines, ils la lui mettent sur la tête; [18]puis ils se mirent à le saluer: "Salut, Roi des Juifs!" [19]Ils lui frappaient la tête avec un roseau, crachaient sur lui, et, pliant les genoux devant lui, ils lui rendaient hommage. [20]Après s'être moqués de lui, ils lui ôtèrent la pourpre et lui remirent ses habits.

Portement de croix et crucifiement. - Puis ils l'emmenèrent dehors pour le crucifier. [21]Ils réquisitionnèrent, pour porter sa croix, un certain Simon de Cyrène, père d'Alexandre et de Rufus,* qui passait, revenant des champs. [22]Ils le conduisent au lieu dit Golgotha, ce qui signifie lieu du Crâne. [23]Ils lui présentèrent du vin mêlé de myrrhe, mais il n'en prit pas. [24]Ils le crucifient et partagent ses vêtements, tirant au sort ce que chacun emporterait.* [25]C'était la troisième heure quand ils le crucifièrent.* [26]L'inscription

21. Alexandre et Rufus devaient être connus des chrétiens de Rome pour qui Marc écrivait. Cf. Rom *16*,13.

24. Cf. Ps *22*,19.

25. C'était la troisième heure, approximativement entre neuf heures et midi. Jean *19*,14 dit: environ la sixième heure.

indiquant la cause de sa condamnation était ainsi conçue: *LE ROI DES JUIFS.*

[27]Ils crucifient aussi avec lui deux brigands, l'un à sa droite, et l'autre à sa gauche. [28](Afin que s'accomplisse cette parole de l'Écriture: *Il a été mis au rang des malfaiteurs.*)*

Outrages des ennemis du Sauveur. - [29]Les passants l'insultaient en hochant la tête et en disant: "Eh bien! toi qui détruis le Temple de Dieu et qui le rebâtis en trois jours, [30]sauve-toi toi-même et descends de la croix! " [31]Pareillement les grands prêtres avec les scribes se gaussaient entre eux et disaient: "Il en a sauvé d'autres et il ne peut se sauver lui-même! [32]Que le Christ, le roi d'Israël, descende maintenant de la croix pour que nous voyions et que nous croyions! " Même ceux qui étaient crucifiés avec lui l'insultaient.

Derniers instants et mort de Jésus. - [33]Quand vint la sixième heure, des ténèbres se firent sur toute la terre jusqu'à la neuvième heure.* [34]A la neuvième heure, Jésus cria d'une voix forte: "Eloï, Eloï, lamma sabacthani? " c'est-à-dire: "Mon Dieu, mon Dieu, pourquoi m'as-tu abandonné? "* [35]Quelques-uns de ceux qui se tenaient là dirent en l'entendant: "Voilà qu'il appelle Élie." [36]L'un d'eux court emplir une

---

28. Ps *22*,8. Mais ce verset manque dans les meilleurs manuscrits.

33. "Toute la terre": expression hyperbolique. Cf. notes Mat *27*,45sq.

34. Ps *22*,2.

éponge de vinaigre, et, l'ayant mise au bout d'un roseau, lui présenta à boire, disant: "Laissez, voyons si Élie va venir le descendre."* [37] Jésus, ayant jeté un grand cri, expira.

[38] Alors le voile du Temple se déchira en deux, du haut en bas. [39] Le centurion qui se tenait en face de lui dit en le voyant expirer ainsi: "Vraiment, cet homme était le Fils de Dieu." [40] Il y avait aussi des femmes qui regardaient de loin,* entre autres Marie de Magdala, Marie mère de Jacques le petit et de José, et Salomé, [41] qui le suivaient et le servaient lorsqu'il était en Galilée ainsi que plusieurs autres encore qui étaient montées avec lui à Jérusalem.

Sépulture de Jésus. - [42] Le soir étant déjà venu, comme c'était la Préparation, c'est-à-dire la veille du sabbat, [43] Joseph d'Arimathie, membre notable du conseil, et qui attendait, lui aussi, le Royaume de Dieu, s'en vint hardiment trouver Pilate et demanda le corps de Jésus. [44] Pilate s'étonna qu'il fût déjà mort et, ayant fait venir le centurion, il lui demanda s'il était déjà mort. [45] Informé par le centurion, il accorda le corps à Joseph. [46] Puis, ayant acheté un linceul, il descendit Jésus de la croix, l'enveloppa dans le linceul, dans le roc et roula une pierre à l'entrée du tombeau. [47] Cependant Marie de Magdala et Marie, mère de José, regardaient bien où on l'avait mis.

---

36. Comparer Ps 69,22.
40. Cf. Mat 27,56.

ÉPILOGUE
LA RÉSURRECTION ET L'ASCENSION

16
Le tombeau vide et le message de l'ange. - [1] Le sabbat passé, Marie de Magdala, Marie mère de Jacques, et Salomé achetèrent des aromates pour aller embaumer Jésus. [2] De très grand matin, le premier jour de la semaine, elles se rendent au tombeau au lever du soleil. [3] Elles se disaient entre elles: "Qui roulera pour nous la pierre hors de l'entrée du tombeau?" [4] Et, ayant regardé, elles voient que la pierre avait été roulée de côté; or elle était fort grande. [5] Pénétrant dans le tombeau, elles virent un jeune homme assis à droite, vêtu d'une robe blanche; elles furent saisies de frayeur. [6] Mais il leur dit: "Ne vous effrayez pas. Vous cherchez Jésus de Nazareth, le crucifié; il est ressuscité, il n'est pas ici; voici la place où on l'avait mis. [7] Mais allez dire à ses disciples et à Pierre qu'il vous ramène en Galilée; là vous le verrez, comme il vous l'a dit."* [8] Elles sortirent alors et s'enfuirent du tombeau, saisies de tremblement et de stupeur, mais elles ne dirent rien à personne, car elles avaient peur. . .

Apparitions de Jésus ressuscité. - [9] *Jésus, étant ressuscité le matin du premier jour de la semaine, apparut d'abord à Marie de Magdala, dont il avait chassé sept démons. [10] Elle s'en alla le dire à ceux qui avaient été ses compagnons et qui étaient dans le deuil et les larmes. [11] Mais eux,

16. – 7. Cf. notes Mat 26,32; 28,7.
9sq. Cette finale est un résumé qui se relie mal à ce

entendant dire qu'il vivait et qu'elle l'avait vu, restèrent incrédules.

[12] Après cela il se manifesta sous d'autres traits à deux d'entre eux qui s'en allaient à la campagne. [13] Ils revinrent l'annoncer aux autres: mais on ne les crut pas non plus.

[14] Enfin, il se manifesta aux Onze, alors qu'ils étaient à table. Il leur reprocha leur incrédulité et leur dureté de coeur, parce qu'ils n'avaient pas cru ceux qui l'avaient vu ressuscité. [15] Puis il leur dit: "Allez par le monde entier, proclamez l'Évangile à toute créature. [16] Celui qui croira et qui sera baptisé sera sauvé; celui qui ne croira pas sera condamné. [17] Voici les miracles qui accompagneront ceux qui auront cru: ils chasseront les démons en mon Nom; ils parleront des langues nouvelles; [18] ils prendront des serpents à la main; et s'ils boivent quelque poison mortel, il ne leur fera pas de mal; ils imposeront les mains aux malades, et ils seront guéris."

Ascension. - [19] Or le Seigneur Jésus, après leur avoir ainsi parlé, fut enlevé au ciel et s'assit à la droite de Dieu. [20] Pour eux, ils s'en allèrent prêcher partout, le Seigneur agissant avec eux et confirmant la Parole par les miracles qui l'accompagnaient.

---

qui précède. Elle est certainement canonique, c'est-à-dire qu'elle fait partie de l'Écriture inspirée. L'attribution à Marc présente des difficultés. La finale a dû être ajoutée après coup à l'Évangile resté inachevé. On trouve dans quelques manuscrits deux autres finales, l'une très courte, l'autre très longue.

ÉVANGILE
SELON SAINT LUC

PRÉFACE

1 ¹Puisqu'un certain nombre ont entrepris de composer un récit des événements qui se sont accomplis parmi nous, ²d'après ce que nous ont transmis ceux qui furent dès le début témoins oculaires, et sont devenus serviteurs de la Parole, ³il m'a paru bon à moi aussi, après m'être informé avec soin de tout depuis l'origine, d'en écrire pour toi, illustre Théophile, un récit suivi, ⁴afin que tu reconnaisses la solidité des enseignements que tu as reçus.*

PROLOGUE
ÉVANGILE DE L'ENFANCE

Annonce de la naissance de Jean-Baptiste. - ⁵*Il y avait au temps d'Hérode, roi de Judée, un prêtre nommé Zacharie, de la section d'Abia, et sa femme, descendante d'Aaron, s'appelait Élisabeth. ⁶Ils étaient tous deux justes devant Dieu; ils suivaient, irréprochables, tous les commande-

---

1. — 1-4. Belle période grecque dans laquelle l'évangéliste expose son dessein: écrire après enquête diligente un exposé suivi, depuis l'origine.

5-33. Brusquement le style change, et Luc imite le grec des Septante. La narration est très bien ordonnée: les deux annonciations, reliées par la visitation aux deux nativités; enfin la présentation au Temple et Jésus-

ments et préceptes du Seigneur. [7] Ils n'avaient pas
d'enfant, car Élisabeth était stérile, et tous deux
étaient âgés. [8] Or il arriva que, remplissant devant
Dieu suivant le tour de sa section les fonctions
sacerdotales,* [9] Zacharie fut désigné par le sort,
selon l'usage liturgique, pour entrer dans le sanctuaire du Seigneur et brûler l'encens.* [10] Toute la
multitude du peuple se tenait en prière au-dehors
à l'heure de l'encensement, [11] quand un ange du
Seigneur lui apparut, debout à la droite de l'autel
de l'encens. [12] A sa vue, Zacharie fut troublé, et
la crainte l'envahit. [13] Mais l'ange lui dit: "Sois
sans crainte, Zacharie, parce que ta supplication a
été exaucée; ta femme Élisabeth t'enfantera un
fils, et tu lui donneras le nom de Jean. [14] Tu en
auras joie et allégresse, et beaucoup se réjouiront
de sa naissance; [15] car il sera grand devant le Seigneur: *il ne boira ni vin ni boisson fermentée,**
et il sera rempli de l'Esprit Saint dès le sein de sa
mère. [16] Il ramènera de nombreux enfants d'Israël au Seigneur, leur Dieu. [17] Lui-même le précé-
dera avec l'esprit et la puissance d'Élie, pour
*ramener les coeurs des pères vers leurs enfants**

Enfant parmi les docteurs à Jérusalem. Le récit est fait
du point de vue de Marie et complète, sans le contredire, l'évangile de l'enfance de Matthieu, écrit du point
de vue de Joseph.

8. Chaque classe faisait successivement pendant la semaine le service du Temple.

9. L'encens était offert chaque jour dans le sanctuaire sur l'autel des parfums avant le sacrifice du matin
et après celui du soir.

15. Nomb 6,23.

17. Mal 3,24.

et les rebelles aux sentiments des justes, pour préparer au Seigneur un peuple bien disposé." [18] Alors Zacharie dit à l'ange: "Qu'est-ce qui m'en assurera? Je suis vieux et ma femme âgée." [19] L'ange lui répondit: "Je suis Gabriel, qui me tiens devant Dieu; j'ai été envoyé pour te parler et pour t'apporter cette bonne nouvelle. [20] Voici que tu seras réduit au silence et ne pourras parler jusqu'au jour où arriveront ces événements parce que tu n'as pas cru à mes paroles, qui s'accompliront en leur temps." [21] Cependant le peuple attendait Zacharie et s'étonnait qu'il s'attardât dans le sanctuaire. [22] Mais, quand il sortit, il ne pouvait leur parler. Ils comprirent qu'il avait eu une vision dans le sanctuaire: il leur faisait des signes et demeurait muet. [23] Les jours de son service achevés, il s'en retourna chez lui. [24] Quelque temps après, Élisabeth, sa femme, conçut et se tint cachée durant cinq mois, disant: [25] "Voilà donc ce que le Seigneur a fait pour moi, au temps où il lui a plu d'effacer ma honte aux yeux des hommes."

Annonce de la naissance de Jésus. - [26] Au sixième mois,* l'ange Gabriel fut envoyé par Dieu dans une ville de Galilée appelée Nazareth, [27] auprès d'une vierge fiancée à un homme de la maison de David, nommé Joseph, et le nom de la

---

26. Il s'agit du sixième mois après la conception de Jean. Nazareth, à la limite de la haute et de la basse Galilée, était alors une bourgade insignifiante et de médiocre renom: Jean *1*,46.

vierge était Marie. [28]L'ange, étant entré chez elle, lui dit: "Salut, comblée de grâce:* le Seigneur est avec toi, (tu es bénie entre les femmes)." [29]Toute troublée à cette parole, elle se demandait ce que signifiait cette salutation. [30]Mais l'ange lui dit: "Sois sans crainte, Marie, car tu as trouvé grâce auprès de Dieu. [31]Voici que tu concevras et tu enfanteras un fils, et tu lui donneras le nom de JÉSUS. [32]Il sera grand; on l'appellera le Fils du Très-Haut. Le Seigneur Dieu lui donnera le trône de David son père; [33]il régnera sur la maison de Jacob à jamais, et son règne n'aura pas de fin."* [34]Mais Marie dit à l'ange: "Comment cela se fera-t-il puisque je n'ai pas de relations conjugales?"* [35]L'ange lui répondit: "Le Saint-Esprit viendra sur toi et la puissance du Très-Haut te couvrira de son ombre; c'est pourquoi l'enfant saint qui naîtra de toi se-

---

28. Ce texte est l'un des fondements de la doctrine de l'Immaculée Conception. La fin du verset est absente des meilleurs manuscrits.

31-33. Les paroles de l'ange sont empruntées presque mot pour mot aux prophéties messianiques les plus importantes: Is 7,14; 9,5-6; 2 Sam 7,12sq; Ps 2,7-9; Dan 7,13-14. Marie a compris aussitôt que Dieu la destinait à être la mère du Messie. Les vv 32 et 69 insinuent peut-être qu'elle était comme Joseph d'origine davidique.

34. Littéralement: je ne connais pas d'homme. La réponse de Marie exprime la résolution de demeurer vierge. Ses fiançailles la mettaient à l'abri des demandes importunes et sauvegardaient son honneur. Bientôt son mariage (Mat 1,24) lui donnera en Joseph un soutien pour elle-même et pour l'enfant divin.

35. L'Esprit Saint couvrira Marie de son ombre comme la nuée qui accompagnait les manifestations divines:

ra appelé FILS DE DIEU.* [36]Voici qu'Élisabeth, ta parente, a conçu, elle aussi, un fils dans sa vieillesse, et celle qu'on appelait la stérile en est à son sixième mois, [37]car rien n'est impossible à Dieu." [38]Alors Marie lui dit: "Je suis la servante du Seigneur, qu'il me soit fait selon ta parole." Puis l'ange la quitta.

La Visitation et le Magnificat. – [39]En ces jours-là Marie partit et s'en alla en hâte vers la montagne, dans une ville de Juda. [40]Elle entra chez Zacharie et salua Élisabeth. [41]Aussitôt qu'Élisabeth entendit la salutation de Marie, l'enfant tressaillit en son sein et Élisabeth fut remplie du Saint-Esprit. [42]Poussant un grand cri, elle dit: "Bénie es-tu entre les femmes et béni le fruit de ton sein! [43]Comment m'est-il donné que la mère de mon Seigneur vienne vers moi? [44]Car, vois-tu, dès que ta salutation a frappé mes oreilles, l'enfant a tressailli de joie en mon sein. [45]Bienheureuse celle qui a cru que s'accomplirait ce qui lui a été dit de la part du Seigneur." [46]Marie dit alors:*

"Mon âme glorifie le Seigneur,

Ex *16*,10; *40*,35, etc. Comparer Luc *9*,34. L'enfant sera saint en vertu de sa conception surnaturelle et méritera d'autant mieux ce titre qu'il sera en réalité Fils de Dieu. Première révélation du mystère de l'Incarnation, dont le sentiment commun est qu'il s'accomplit aussitôt.

46-55. Le Magnificat doit être placé sur les lèvres de Marie; les manuscrits, peu nombreux et tardifs, qui l'attribuent à Élisabeth ne sauraient prévaloir contre l'ensemble des autres témoins. La Vierge exprime les senti-

47 mon esprit tressaille de joie
en Dieu mon sauveur,
48 parce qu'il a jeté les yeux
sur son humble servante.
Voici que désormais
toutes les générations
me diront bienheureuse.
49 Car le Tout-Puissant a fait
pour moi de grandes choses.
Saint est son Nom.
50 Sa miséricorde se répand d'âge
en âge sur ceux qui le craignent.
51 Il a déployé la force de son bras;
il a dispersé les hommes
au coeur orgueilleux.
52 Il a renversé les potentats
de leurs trônes:
il a élevé les humbles.
53 Il a rassasié de biens les affamés,
et renvoyé les riches les mains vides.
54 Il a secouru Israël son serviteur,
se souvenant de sa miséricorde,
ainsi qu'il l'avait promis à nos pères,
55 en faveur d'Abraham
et de sa postérité, à jamais."

Naissance de Jean-Baptiste. - 56 Marie demeura avec Élisabeth environ trois mois, puis s'en retourna chez elle.

---

ments dont son coeur est rempli en un langage inspiré du cantique d'Anne, mère de Samuel (1 Sam 2,1-10) et d'autres passages bibliques.

⁵⁷Cependant le terme d'Élisabeth arriva, et elle enfanta un fils. ⁵⁸Ses voisins et ses parents apprirent que le Seigneur avait fait éclater sa miséricorde à son égard et ils s'en réjouissaient avec elle. ⁵⁹Or, le huitième jour, ils vinrent pour circoncire l'enfant, et ils voulaient l'appeler Zacharie, du nom de son père. ⁶⁰Mais sa mère, prenant la parole, dit: "Non, il s'appellera Jean." ⁶¹Ils demandèrent par signes au père comment il voulait qu'on le nomme. ⁶³Celui-ci, s'étant fait donner une tablette, écrivit: "Jean est son nom." Tous furent dans l'étonnement. ⁶⁴Au même instant sa bouche se délia ainsi que sa langue, et il parlait bénissant Dieu. ⁶⁵Tous les voisins furent saisis de crainte; partout dans la montagne de Judée on se racontait tous ces événements. ⁶⁶Tous ceux qui en entendaient parler les gravaient dans leur coeur, en se disant: "Que sera donc cet enfant? " Car la main du Seigneur était avec lui.

Le Benedictus

⁶⁷Alors Zacharie, son père, fut rempli de l'Esprit Saint, et prophétisa en ces termes:

⁶⁸"Béni soit le Seigneur,
le Dieu d'Israël,*
de ce qu'il a visité
et délivré son peuple,
⁶⁹et nous a suscité

---

68. Tant dans le *Benedictus* que dans le *Magnificat*, la carrière humaine du Messie est laissée dans l'ombre,

une puissance de salut
dans la maison de David,
son serviteur,
[70] comme il l'avait promis
par la bouche
de ses saints prophètes
des temps anciens;
[71] pour nous sauver de nos ennemis,
et de la main de tous ceux
qui nous haïssent;
[72] faisant ainsi miséricorde
à nos pères,
et se souvenant
de son alliance sainte,
[73] du serment qu'il a juré
à Abraham notre père,
[74] de nous accorder que sans crainte,
délivrés de la main de nos ennemis,
[75] nous le servions
en sainteté et justice,
sous ses yeux
tous les jours de notre vie.

[76] Et toi, petit enfant,
tu seras appelé
prophète du Très-Haut,
car tu marcheras
devant la face du Seigneur,

---

indice de l'antiquité de la source suivie par Luc. Les vv
76.78 semblent identifier l'action du Messie à celle de
Dieu: insinuation de la divinité du Christ. La révélation
du grand mystère a été progressive; l'évangéliste respecte
cette économie providentielle.

pour préparer ses voies,
[77] pour donner à son peuple
la connaissance du salut,
dans la rémission de ses péchés;
[78] à cause de la tendre
miséricorde de notre Dieu,
qui nous amènera d'en haut
la visite du Soleil levant,
[79] pour éclairer ceux qui
sont assis dans les ténèbres
et l'ombre de la mort,
pour guider nos pas
dans le chemin de la paix."

[80] L'enfant grandissait et son esprit se développait; il demeura dans les déserts jusqu'au jour de sa manifestation à Israël.

2 Naissance de Jésus à Bethléem. Cantique des anges et visite des bergers. -

[1] En ces jours-là parut un édit de César Auguste, pour le recensement de toute la terre. [2] Ce premier recensement eut lieu quand Quirinius était gouverneur de Syrie.* [3] Tous allaient se faire recenser, chacun dans sa ville. [4] Joseph aussi monta de Galilée, de la ville de Nazareth, en Judée, à la ville de David, appelée Bethléem, parce qu'il était de la maison

---

2. – 2. Les circonstances du recensement de Quirinius demeurent partiellement obscures; il faut faire crédit au souci d'exacte information de l'évangéliste. L'ère chrétienne, adoptée à la suite des calculs du moine romain Denys le Petit (540) est trop courte de cinq ou six ans.

et de la famille de David, ⁵pour se faire recenser avec Marie son épouse, qui était enceinte.

⁶Pendant qu'ils étaient là, il arriva que le temps où elle devait enfanter fut révolu. ⁷Elle enfanta son fils premier-né, l'enveloppa de langes et le coucha dans une crèche, parce qu'il n'y avait point de place pour eux à l'hôtellerie.

⁸Or il y avait dans la contrée des bergers qui passaient la nuit dans les champs en veillant leurs troupeaux. ⁹Un ange du Seigneur leur apparut et la gloire du Seigneur les enveloppa de lumière; ils furent saisis d'une grande crainte. ¹⁰Mais l'ange leur dit: "Soyez sans crainte, car voici que je vous annonce une grande joie pour tout le peuple. ¹¹Aujourd'hui dans la cité de David, il vous est né un Sauveur, qui est le Christ Seigneur. ¹²En voici pour vous le signe: vous trouverez un enfant enveloppé de langes et couché dans une crèche."

¹³Soudain se joignit à l'ange une troupe nombreuse de l'armée céleste, qui louait Dieu en disant: ¹⁴"Gloire à Dieu au plus haut des cieux, et paix sur la terre aux hommes qu'il aime! "*

¹⁵Lorsque les anges les eurent quittés pour le ciel, les bergers se dirent les uns aux autres: "Allons à Bethléem et voyons ce qui est arrivé et que le Seigneur nous a fait connaître." ¹⁶Ils s'y rendirent donc en hâte et trouvèrent Marie, Joseph, ainsi que l'enfant couché dans la crèche.

---

14. Littéralement: aux hommes objets de sa faveur.
Autre traduction, moins probable: aux hommes de bonne volonté.

¹⁷L'ayant vu, ils firent connaître ce qui leur avait été dit de cet enfant. ¹⁸Tous ceux qui les entendirent s'émerveillèrent de ce que leur disaient les bergers. ¹⁹Or Marie recueillait toutes ces choses et les méditait dans son coeur.*

²⁰Les bergers s'en retournèrent, glorifiant et louant Dieu de tout ce qu'ils avaient entendu et vu, en accord avec ce qui leur avait été dit.

Circoncision de Jésus. -²¹Quand furent accomplis les huit jours pour la circoncision de l'enfant, on lui donna le nom de Jésus, nom indiqué par l'ange avant qu'il ne fût conçu dans le sein de sa mère.

Présentation de Jésus au Temple. Siméon et Anne. - ²²Puis le temps de leur purification accompli, selon la loi de Moïse, ils le portèrent à Jérusalem pour le présenter au Seigneur, ²³ainsi qu'il est écrit dans la Loi du Seigneur: *Tout garçon premier-né sera consacré au Seigneur;* * ²⁴et pour offrir en sacrifice, selon ce qui est dit dans la Loi du Seigneur, *deux tourterelles ou deux jeunes colombes.*

²⁵Or il y avait à Jérusalem un homme nommé Siméon. C'était un homme juste et pieux; il attendait la consolation d'Israël, et l'Esprit Saint reposait sur lui. ²⁶Il lui avait été révélé par l'Esprit Saint qu'il ne verrait pas la mort avant d'a-

---

19. Ici et au v 51, Luc laisse discrètement entendre que ses informations remontent à la Vierge Marie elle-même, ou du moins à son entourage immédiat.

23. Cf. Ex *13*,2; Nomb *18*,15-16; Lev *12*,2-8.

voir vu le Christ du Seigneur. [27] Il vint donc au Temple, poussé par l'Esprit. Quand les parents amenèrent le petit enfant Jésus pour observer à son égard ce qui est prescrit dans la Loi, [28] il le prit dans ses bras et bénit Dieu, en disant:*

[29] "Maintenant, ô Maître,
   tu peux laisser ton serviteur
   s'en aller en paix, selon ta parole;
[30] car mes yeux ont vu ton Salut,
[31] que tu as préparé en faveur
   de tous les peuples,
[32] lumière pour éclairer les nations,
   et gloire d'Israël, ton peuple."

[33] Son père et sa mère étaient dans l'émerveillement des paroles dites à son sujet. [34] Siméon les bénit et dit à Marie, sa mère: "Voici que cet enfant est fait pour la chute et le relèvement d'un grand nombre en Israël, et pour être un signe en butte à la contradiction. [35] Toi-même, un glaive transpercera ton âme afin que soient dévoilées les pensées de bien des coeurs."

[36] Il y avait aussi une prophétesse, nommée Anne, fille de Phanuël, de la tribu d'Aser. Elle était très âgée. Après son mariage, elle avait vécu sept ans avec son mari. [37] Devenue veuve et parvenue à l'âge de quatre-vingt-quatre ans, elle ne quittait pas le Temple, servant Dieu nuit et jour dans le jeûne et la prière. [38] Survenant en ce même instant, elle se mit à louer Dieu et à parler

---

28. Le cantique de Siméon est remarquable par son universalisme; note fréquente chez Luc, disciple de Paul.

de l'enfant à tous ceux qui attendaient la délivrance de Jérusalem.

La vie cachée à Nazareth. - [39]Lorsqu'ils eurent accompli tout ce qui était ordonné par la Loi du Seigneur, ils s'en retournèrent en Galilée, à Nazareth, leur ville.* [40]Cependant l'enfant grandissait et se fortifiait, se remplissant de sagesse, et la grâce de Dieu reposait sur lui.

Jésus au milieu des docteurs. Retour à Nazareth. - [41]Ses parents se rendaient chaque année à Jérusalem pour la fête de la Pâque. [42]Quand il eut douze ans, ils y montèrent selon la coutume de la fête. [43]Les jours de la fête achevés, alors qu'ils s'en retournaient, l'enfant Jésus resta à Jérusalem à l'insu de ses parents. [44]Pensant qu'il était dans la caravane, ils firent une journée de chemin, puis ils le cherchèrent parmi leurs parents et connaissances. [45]Mais ne l'ayant pas trouvé, ils retournèrent à Jérusalem pour l'y chercher. [46]Au bout de trois jours, ils le trouvèrent dans le Temple, assis au milieu des docteurs, les écoutant et les interrogeant. [47]Tous ceux qui l'entendaient étaient stupéfaits de son intelligence et de ses réponses. [48]A sa vue ils furent saisis d'émotion, et sa mère lui dit: "Mon enfant, pourquoi as-tu agi ainsi avec nous? Voici que ton

---

39. Luc omet le séjour de la Sainte Famille en Égypte et semble dire qu'elle regagna Nazareth aussitôt après la présentation au Temple. On est ici en présence d'un raccourci littéraire dont l'évangéliste est coutumier. Nous aurons à en signaler d'autres.

père et moi, tout en peine, nous te cherchions." [49]Il leur répondit: "Pourquoi me cherchiez-vous? Ne saviez-vous pas qu'il me faut être chez mon Père?"* [50]Mais ils ne comprirent pas la parole qu'il venait de leur dire. [51]Il descendit alors avec eux et vint à Nazareth; et il leur était soumis. Sa mère recueillait toutes ces choses dans son coeur. [52]Et Jésus croissait en sagesse, en taille et en grâce, devant Dieu et devant les hommes.

PREMIÈRE PARTIE
PRÉPARATION DU MINISTÈRE PUBLIC DE JÉSUS

3 Prédication de Jean-Baptiste. – [1]*L'an quinze du règne de Tibère César, Ponce Pilate étant gouverneur de Judée, Hérode tétrarque de Galilée, Philippe son frère, tétrarque du pays d'Iturée et de Trachonitide, Lysanias tétrarque d'Abilène, [2]sous le pontificat d'Anne et de Caïphe, la parole de Dieu fut adressée à Jean, fils de Zacharie, dans le désert. [3]Il parcourut alors toute la région du Jourdain, prêchant un baptême de repentir,

---

49. Autre traduction moins probable: aux affaires de mon Père.

3. – 1-2. Synchronisme célèbre. Malheureusement Luc n'indique pas s'il fait partir son calcul de l'association de Tibère à l'empire par Auguste ou de la mort de ce dernier. Hérode Antipas et Philippe sont des fils d'Hérode le Grand. Lysanias est un prince sans importance, connu seulement par deux inscriptions en dehors de l'Évangile. Anne est nommé avec Caïphe à cause de l'autorité extraordinaire qu'il avait conservée après sa destitution, ayant réussi à faire élever successivement au

pour la rémission des péchés, [4]ainsi qu'il est écrit au livre des oracles du prophète Isaïe: *Voix de celui qui crie dans le désert: Préparez le chemin du Seigneur, rendez droits ses sentiers;* [5]*toute vallée sera comblée, toute montagne ou colline abaissée; les chemins tortueux deviendront droits, et les chemins raboteux seront nivelés.* [6]*Tout homme verra le salut de Dieu.**

[7]Il disait donc aux foules qui venaient se faire baptiser par lui: "Race de vipères, qui vous a suggéré de fuir la colère qui vient? [8]Produisez donc des fruits dignes du repentir, et ne commencez pas à dire en vous-mêmes: "Nous avons pour père Abraham"; car, je vous le dis, Dieu peut, des pierres que voici, faire surgir des enfants à Abraham. [9]Déjà la cognée est à la racine des arbres: tout arbre donc qui ne produit pas de bon fruit va être coupé et jeté au feu."

[10]Comme les foules lui demandaient: "Que devons-nous donc faire?" [11]Il leur répondait: "Que celui qui a deux tuniques partage avec celui qui n'en a pas; que celui qui a de quoi manger fasse de même."

[12]Des publicains aussi vinrent se faire baptiser et lui dire: "Maître, que devons-nous faire?"

---

souverain pontificat ses cinq fils et enfin son gendre, Caïphe. Le grand prêtre, en principe élu à vie, était en réalité, depuis Hérode le Grand, à la discrétion de l'autorité civile. Le nom de Caïphe est le même que celui de Céphas, donné par le Sauveur au chef des apôtres.

4-6. Citation d'Is *40*,3-5, plus complète que dans Matthieu et Marc, sans doute à cause de la note universaliste du dernier membre de phrase.

[13] Il leur répondit: "N'exigez rien au-delà de ce qui vous est prescrit."

[14] Des soldats aussi lui demandèrent: "Et nous, que devons-nous faire?" Il leur répondit: "N'extorquez rien; ne faites aucun tort à personne et contentez-vous de votre solde."

[15] Comme le peuple était dans l'attente et que tous se demandaient en leur coeur si Jean ne serait pas le Christ, [16] Jean leur dit à tous en réponse: "Pour moi, je vous baptise avec de l'eau; mais il en vient un qui est plus puissant que moi, et je ne suis pas digne de délier la courroie de ses chaussures. Lui vous baptisera dans l'Esprit Saint et le feu. [17] Il a en main la pelle à vanner pour nettoyer son aire et recueillir le blé dans son grenier; il brûlera la bale au feu qui ne s'éteint pas." [18] Par beaucoup d'autres exhortations encore, il annonçait au peuple la Bonne Nouvelle.

[19] Mais Hérode le tétrarque, blâmé par lui au sujet d'Hérodiade, la femme de son frère, et de tous les méfaits qu'il avait commis, [20] ajouta celui-ci à tous les autres: il fit enfermer Jean en prison.*

Baptême et généalogie de Jésus. - [21] Or quand tout le peuple eut été baptisé, et tandis que Jésus, baptisé lui aussi, était en prière,* le ciel s'ou-

20. Nouvel exemple de raccourci littéraire; le Précurseur n'a été emprisonné que plus tard.
21. Luc mentionne avec prédilection les prières de Jésus: cf. 5,16; 6,12; 9,18.28.29; 11,1.

vrit ²²et le Saint-Esprit descendit sur lui en forme corporelle, comme une colombe, puis une voix vint du ciel: *"TU ES MON FILS BIEN-AIMÉ; EN TOI JE ME COMPLAIS."*

²³*A son début, Jésus avait environ trente ans, étant, à ce qu'on croyait, fils de Joseph, fils d'Héli, ²⁴fils de Matthat, fils de Lévi, fils de Melchi, fils de Jannaï, fils de Joseph, ²⁵fils de Mattathias, fils d'Amos, fils de Nahum, fils d'Esli, fils de Naggaï, ²⁶fils de Maath, fils de Mattathias, fils de Seméin, fils de Joseph, fils de Joda, ²⁷fils de Joanan, fils de Résa, fils de Zorobabel, fils de Salathiel; fils de Néri, ²⁸fils de Melchi, fils d'Addi, fils de Kosam, fils d'Elmadam, fils d'Er, ²⁹fils de Jésus, fils d'Éliézer, fils de Jorim, fils de Matthat, fils de Lévi, ³⁰fils de Siméon, fils de Juda, fils de Joseph, fils de Jonam, fils d'Éliakim, ³¹fils de Méléa, fils de Menna, fils de Mattatha, fils de Nathan, fils de David;

³²fils de Jessé, fils d'Obed, fils de Booz, fils de Sala, fils de Naasson, ³³fils d'Aminadab, fils d'Admin, fils d'Arni, fils de Hesron, fils de Pharès, fils de Juda, ³⁴fils de Jacob, fils d'Isaac, fils d'Abraham; fils de Thara, fils de Nachor, ³⁵fils

---

23-38. Luc donne la généalogie du Christ en remontant jusqu'à Adam: toujours le point de vue universaliste. Entre David et Joseph, les seuls noms de Salathiel et de Zorobabel lui sont communs avec la liste de Matthieu; sans doute indique-t-il l'ascendance naturelle, tandis que Matthieu énumère les dépositaires de l'autorité royale; il se pourrait aussi que la loi du lévirat soit intervenue (Luc *20*,28). On aurait d'une part les ancêtres légaux et de l'autre les ancêtres réels.

de Sérouch, fils de Ragau, fils de Phalec, fils d'Éber, fils de Sala, [36] fils de Kaïnan, fils d'Arpaxad, fils de Sem, fils de Noé, fils de Lamech, [37] fils de Mathusalem, fils de Hénoch, fils de Jared, fils de Malaléel, fils de Kaïnan, [38] fils d'Énos, fils de Seth, fils d'Adam, fils de Dieu.

4 Tentation de Jésus au désert. -

[1] Jésus, rempli de l'Esprit Saint, revint du Jourdain et il fut poussé par l'Esprit au désert, [2] où, pendant quarante jours, il fut tenté par le diable. Il ne mangea rien durant ces jours-là, et lorsqu'ils furent écoulés, il eut faim. [3] Alors le diable lui dit: "Si tu es Fils de Dieu, commande à cette pierre de se changer en pain." [4] Jésus lui répondit: "Il est écrit que *l'homme ne vit pas seulement de pain.*"*

[5] *Puis le diable, l'emmenant sur les hauteurs, lui montra en un instant tous les royaumes du monde [6] et lui dit: "Je te donnerai toute cette puissance et la gloire de ces royaumes, car elle m'a été remise et je la donne à qui je veux. [7] Si donc tu te prosternes devant moi, elle sera toute à toi." [8] Jésus lui répondit: "Il est écrit: *Tu adoreras le Seigneur ton Dieu et ne rendras de culte qu'à lui seul.*"*

[9] Puis il le conduisit à Jérusalem; il le plaça sur le pinacle du Temple et lui dit: "Si tu es Fils de

4. – 4. Deut *8*,3.

5-12. Luc intervertit les deux dernières tentations; son Évangile converge plus nettement que les deux premiers vers Jérusalem.

8. Deut *6*,13.

Dieu, jette-toi d'ici en bas; [10]car il est écrit: *Il a
ordonné pour toi à ses anges de te garder;* [11]*ils
te porteront dans leurs mains, de peur que tu ne
heurtes du pied quelque pierre.*"* [12]Jésus lui
répondit: "Il est dit: *Tu ne tenteras pas le Seigneur ton Dieu.*"* [13]Le diable, ayant épuisé toutes les formes de tentations, s'éloigna de lui jusqu'au temps marqué.

DEUXIÈME PARTIE

MINISTÈRE EN GALILÉE

Inauguration du ministère. Visites à Nazareth.
- [14]Alors Jésus revint en Galilée, plein de la force de l'Esprit, et sa réputation se répandit dans
tout le pays d'alentour. [15]Il enseignait dans les
synagogues, et tous célébraient ses louanges. [16]Il
vint à Nazareth,* où il avait été élevé, entra selon
sa coutume le jour du sabbat dans la synagogue,
et se leva pour faire la lecture. [17]On lui présenta
le livre du prophète Isaïe; l'ayant déroulé, il trouva l'endroit où il est écrit:

[18]*L'Esprit du Seigneur est sur moi, parce qu'il
m'a consacré par l'onction. Il m'a envoyé pour*

10-11. Ps *91*,11-12.
12. Deut *6*,16.
16-30. Ce récit semble bloquer trois visites du Christ
à Nazareth. L'accueil de ses compatriotes, après avoir
été joyeux et empressé (16-22), s'est fait dans la suite
plus réservé (23-24), et enfin franchement hostile
(25-30). Cf. Mat *4*,13 et *13*,54-58; Marc *6*,1-6. La troisième visite n'est racontée que par Luc.
18-19. Is *61*,1-2.

prêcher la Bonne Nouvelle aux pauvres, proclamer aux captifs la délivrance et aux aveugles le retour à la vue, mettre en liberté les opprimés, [19]*publier une année de grâce du Seigneur.**

[20]Ayant replié le livre, il le rendit au servant et s'assit. Tous dans la synagogue avaient les yeux fixés sur lui. [21]Il se mit à leur dire: "Aujourd'hui ce passage de l'Écriture, que vous venez d'entendre, est accompli." [22]Tous lui rendaient témoignage; et, dans l'admiration des paroles pleines de charme qui sortaient de sa bouche, ils disaient: "N'est-ce pas là le fils de Joseph?" [23]Alors il leur dit:

"Sans doute vous me citerez le proverbe: Médecin, guéris-toi toi-même. Tout ce qu'on nous a dit être arrivé à Capharnaüm, fais-le donc de même ici, dans ta patrie." [24]Puis il ajouta: "Vraiment, je vous le dis, aucun prophète n'est bien reçu dans sa patrie. [25]En toute vérité, je vous le dis, il y avait beaucoup de veuves en Israël aux jours d'Élie, lorsque le ciel fut fermé durant trois ans et six mois, et qu'il y eut une grande famine sur tout le pays;* [26]pourtant Élie ne fut envoyé à aucune d'elles, mais chez une femme veuve de Sarepta, au pays de Sidon.* [27]Il y avait aussi beaucoup de lépreux en Israël du temps du prophète Élisée; pourtant aucun d'eux ne fut guéri, mais bien Naaman, le Syrien."*

25. 1 Rois *17*,1; *18*,1.
26. 1 Rois *17*,9.
27. 2 Rois *5*,1-14.

²⁸Ils furent tous remplis de fureur dans la synagogue en entendant cela; ²⁹se levant, ils le chassèrent hors de la ville et le menèrent jusqu'à un escarpement de la montagne sur laquelle leur ville était bâtie, pour l'en précipiter. ³⁰Mais lui, passant au milieu d'eux, s'en allait...

Prédication à Capharnaüm. Guérison d'un possédé et de la belle-mère de Pierre. - ³¹Il descendit alors à Capharnaüm, ville de Galilée, et il les instruisait les jours de sabbat. ³²Ils étaient frappés de son enseignement, car il parlait avec autorité.

³³Il y avait dans la synagogue un homme qui avait un esprit de démon impur et qui se mit à crier très fort: ³⁴"Ah! que nous veux-tu, Jésus de Nazareth? Es-tu venu pour nous perdre? Je sais qui tu es: le Saint de Dieu." ³⁵Mais Jésus lui dit d'un ton sévère: "Tais-toi, et sors de cet homme." Et le démon, l'ayant jeté à terre devant tout le monde, sortit de lui sans lui faire aucun mal. ³⁶La frayeur les saisit tous, et ils se disaient les uns aux autres: "Quelle est donc cette parole? Il commande avec autorité et puissance aux esprits impurs, et ils sortent!" ³⁷Sa renommée se répandait partout dans la contrée.

³⁸Sorti de la synagogue, Jésus entra dans la maison de Simon. La belle mère de Simon était en proie à une forte fièvre, et on l'implora en sa faveur. ³⁹Se penchant sur elle, il commanda avec force à la fièvre, et elle la quitta; aussitôt levée, elle les servait. ⁴⁰Au coucher du soleil, tous ceux

qui avaient des malades souffrant de maux divers les lui amenaient; imposant les mains à chacun d'eux, il les guérissait. [41] D'un grand nombre aussi sortaient des démons qui criaient: "Tu es le Fils de Dieu." Mais il les menaçait et les empêchait de parler, parce qu'ils savaient qu'il était le Christ.

Prédication en Galilée. – [42] Lorsqu'il fit jour, il sortit et s'en alla dans un lieu désert; les foules se mirent à sa recherche et le rejoignirent; elles voulaient le retenir pour qu'il ne les quittât pas. [43] "Aux autres villes aussi, leur dit-il, il faut que j'annonce la bonne nouvelle du Royaume de Dieu, car c'est pour cela que j'ai été envoyé." [44] Et il prêchait dans les synagogues de Judée.*

5 **Pêche miraculeuse et appel des premiers apôtres.** – [1] Un jour, pressé par la foule qui voulait entendre la Parole de Dieu, il se tenait sur le bord du lac de Gennésareth. [2] Il vit deux barques arrêtées au bord du lac; les pêcheurs étaient descendus et lavaient leurs filets. [3] Il monta dans l'une de ces barques, qui était à Simon, et le pria de s'éloigner un peu du rivage. Alors, s'asseyant, de la barque il instruisait les foules. [4] Lorsqu'il eut fini de parler, il dit à Simon: "Avance en eau profonde et jetez vos filets pour la pêche." [5] Simon lui répondit: "Maître, nous avons peiné toute la nuit sans rien prendre, néanmoins sur ta

---

44. La Judée est mise ici pour tout le pays d'Israël.

5. – 4-11. Luc est seul à raconter la pêche miraculeuse. Mais cf. Jean *21*.

parole je jetterai les filets." [6]L'ayant donc fait, ils prirent une telle quantité de poissons que leurs filets se rompaient. [7]Alors ils firent signe à leurs associés, qui étaient dans l'autre barque, de venir les aider. Ils vinrent et remplirent les deux barques au point qu'elles enfonçaient. [8]A cette vue, Simon-Pierre tomba aux genoux de Jésus, en disant: "Éloigne-toi de moi, Seigneur, parce que je suis un pécheur." [9]Car la stupeur l'avait envahi, lui et tous ceux qui étaient avec lui, à cause de la pêche qu'ils venaient de faire; [10]de même Jacques et Jean, fils de Zébédée, qui étaient les compagnons de Simon. Alors Jésus dit à Simon: "Sois sans crainte; désormais ce sont des hommes que tu prendras." [11]Puis, ayant ramené leurs barques à terre, ils quittèrent tout et le suivirent.*

Guérison d'un lépreux. - [12]Comme il était dans une ville, survint un homme tout couvert de lèpre. A la vue de Jésus, il se prosterna le visage contre terre et lui fit cette prière: "Seigneur, si tu veux, tu peux me guérir." [13]Jésus, étendant la main, le toucha, en disant: "Je le veux, sois guéri." Au même instant la lèpre le quitta. [14]Il lui ordonna de n'en parler à personne: "Mais va, dit-il, te montrer au prêtre et offre pour ta guérison ce que Moïse a prescrit pour leur servir d'attestation." [15]Cependant sa renommée se répandait de plus en plus; des foules nombreuses accouraient pour l'entendre et se faire guérir de leurs maladies. [16]Mais lui se retirait dans les lieux déserts et priait.

Premier conflit avec les pharisiens. Guérison du paralytique de Capharnaüm. - [17]Un jour, comme il enseignait, étaient assis là des pharisiens et des docteurs de la Loi, venus de tous les villages de Galilée, de Judée et de Jérusalem; et la puissance du Seigneur lui faisait opérer des guérisons. [18]Voici que des gens, portant sur un lit un homme qui était paralysé, cherchaient à le faire entrer et à le placer devant lui. [19]Mais, ne trouvant pas où l'introduire à cause de la foule, ils montèrent sur la terrasse et, à travers les tuiles, le descendirent avec sa civière au milieu de l'assistance, devant Jésus. [20]Voyant leur foi, il dit: "Homme, tes péchés te sont remis." [21]Alors les scribes et les pharisiens se mirent à penser: "Qui est cet homme qui profère des blasphèmes? Qui peut remettre les péchés, sinon Dieu seul?" [22]Mais Jésus, connaissant leurs pensées, prit la parole et leur dit: "Pourquoi ces pensées dans vos coeurs? [23]Lequel est le plus facile, de dire: Tes péchés te sont remis; ou de dire: Lève-toi et marche? [24]Or, afin que vous sachiez que le Fils de l'homme a sur la terre le pouvoir de remettre les péchés: Lève-toi, je te l'ordonne, dit-il au paralysé, emporte ta civière et retourne dans ta maison..." [25]A l'instant il se leva en leur présence et, emportant la civière où il était couché, il s'en retourna dans sa maison glorifiant Dieu. [26]Tous furent frappés de stupeur; ils glorifiaient Dieu et, remplis de crainte, ils disaient: "Nous avons vu aujourd'hui des choses prodigieuses."

Vocation de Lévi. – [27]Après cela il sortit et vit un publicain nommé Lévi, assis au bureau de la douane. Il lui dit: "Suis-moi." [28]Lui, quittant tout, se leva et le suivit. [29]Puis Lévi lui offrit un grand festin dans sa maison. Il y avait là à table avec eux un grand nombre de publicains et d'autres gens. [30]Mais les pharisiens et leurs scribes murmuraient, disant à ses disciples: "Pourquoi mangez-vous et buvez-vous avec les publicains et les pécheurs?" [31]Alors Jésus, prenant la parole, leur dit: "Ce ne sont pas ceux qui se portent bien qui ont besoin de médecin, mais les malades. [32]Je ne suis pas venu pour appeler les justes, mais les pécheurs au repentir."

Discussion sur le jeûne. – [33]Alors ils lui dirent: "Les disciples de Jean font des jeûnes répétés et des prières, et pareillement ceux des pharisiens, alors que les tiens mangent et boivent!" [34]Mais il leur répondit: "Pouvez-vous faire jeûner les compagnons de l'époux tandis que l'époux est avec eux? [35]Mais il viendra des jours... quand l'époux leur aura été enlevé... alors ils jeûneront, en ces jours-là." [36]Il leur dit encore cette parabole: "Personne ne déchire une pièce à un habit neuf pour la mettre à un vieil habit, autrement on déchire le neuf, et la pièce prise au neuf ne s'assortit pas au vieux. [37]Personne non plus ne met du vin nouveau dans de vieilles outres; autrement le vin nouveau fera éclater les outres et se répandra, et les outres seront perdues. [38]Mais il faut mettre le vin nouveau dans des outres neuves et ainsi tous les deux se conservent. [39]Personne, après avoir bu du vin vieux, ne veut du nouveau, car on dit: "Le vieux est meilleur."

6 Les épis arrachés et l'homme à la main desséchée. - [1]Un jour de sabbat* il vient à passer à travers des moissons, et ses disciples arrachaient des épis et en mangeaient après les avoir froissés dans leurs mains. [2]Quelques-uns des pharisiens dirent: "Pourquoi faites-vous ce qui n'est pas permis le jour du sabbat? [3]Jésus leur répondit: "N'avez-vous donc pas lu ce que fit David, lorsqu'il eut faim, lui et ses compagnons, [4]comment il entra dans la maison de Dieu, prit les pains de présentation, en mangea et en donna à ses compagnons, bien qu'il ne soit permis qu'aux prêtres d'en manger? " [5]Et il leur dit: "Le Fils de l'homme est maître même du sabbat."

[6]Un autre jour de sabbat, il entra dans la synagogue et il enseignait. Il y avait là un homme dont la main droite était desséchée. [7]Scribes et pharisiens l'observaient pour voir s'il allait guérir un jour de sabbat, afin de trouver de quoi l'accuser. [8]Mais lui connaissait leurs pensées; il dit à l'homme qui avait la main desséchée: "Lève-toi et tiens-toi debout là, au milieu." Il se leva et se tint debout. [9]Jésus leur dit: "Je vous le demande, est-il permis le jour du sabbat de faire du bien ou de faire du mal, de sauver une vie ou de

_____

6. – 1. Certains manuscrits ajoutent: appelé second premier.

la perdre? " [10]Et, promenant son regard sur eux tous, il lui dit: "Étends ta main." Il le fit, et sa main redevint saine. [11]Ils furent remplis de fureur; et ils se consultaient sur ce qu'ils pourraient faire à Jésus.

Appel définitif des Douze. - [12]En ces jours-là, il s'en alla dans la montagne pour prier, et il passa toute la nuit à prier Dieu. [13]Quand il fit jour, il appela ses disciples et en choisit parmi eux, auxquels il donna le nom d'apôtres: [14]Simon, qu'il nomma Pierre, André son frère, Jacques, Jean, Philippe, Barthélemy, [15]Matthieu, Thomas, Jacques, fils d'Alphée et Simon surnommé le Zélé, [16]Jude frère de Jacques, et Judas Iscariote le futur traître.*

Le discours inaugural. Empressement des foules. - [17]En descendant avec eux, il s'arrêta sur un plateau.* Il y avait là une foule nombreuse de ses disciples ainsi qu'une grande multitude de peuple de toute la Judée, de Jérusalem, et du littoral de Tyr et de Sidon, [18]venus pour l'entendre et se faire guérir de leurs maladies. Ceux qui étaient tourmentés par des esprits impurs étaient guéris. [19]Toute la foule cherchait à le toucher,

12-16. Le choix des apôtres semble à sa vraie place, avant le discours inaugural. Matthieu n'en donne la liste qu'au chapitre 10.

17. Le discours a lieu dans un endroit plat, probablement à mi-hauteur entre le sommet de la montagne et le rivage du lac. Mat 5,1 mentionne simplement l'ascension de la montagne sans entrer dans aucun détail.

parce qu'il sortait de lui une force qui les guérissait tous.

Béatitudes et malédictions. - [20] Alors, levant les yeux sur ses disciples, il dit:*

"Bienheureux, vous qui êtes pauvres, car le Royaume de Dieu est à vous.

[21] "Bienheureux, vous qui avez faim maintenant, car vous serez rassasiés.

"Bienheureux, vous qui pleurez maintenant, car vous rirez.

[22] "Vous serez bienheureux quand les hommes vous haïront, vous chasseront, vous insulteront et proscriront votre nom comme infâme, à cause du Fils de l'homme. [23] Réjouissez-vous ce jour-là et bondissez de joie, car voici que votre récompense est grande dans le ciel. C'est ainsi en effet que leurs pères traitaient les prophètes.

[24] "Mais malheur à vous, les riches! car vous avez votre consolation.

[25] "Malheur à vous, qui êtes rassasiés maintenant, car vous aurez faim!

"Malheur à vous, qui riez maintenant, car vous serez dans le deuil et les larmes!

[26] "Malheur à vous, lorsque tous les hommes diront du bien de vous! C'est ainsi que leurs pères traitaient les faux prophètes.

20-26. Quatre béatitudes seulement, au lieu de huit dans Mat 5,2-12, suivies de quatre malédictions. Adressées directement aux apôtres qui ont tout quitté pour Jésus, elles insistent sur la pauvreté et la souffrance matérielle. Matthieu leur donne une forme plus générale et insiste sur le point de vue spirituel.

L'amour des ennemis. - [27]*"Mais à vous qui m'écoutez, je vous dis: Aimez vos ennemis, faites du bien à ceux qui vous haïssent, [28]bénissez ceux qui vous maudissent, priez pour ceux qui vous maltraitent. [29]Si quelqu'un te frappe sur une joue, présente-lui encore l'autre; si quelqu'un te prend ton manteau, ne l'empêche pas de prendre aussi ta tunique. [30]Donne à quiconque te demande, et à qui te prend ton bien ne le réclame pas. [31]Ce que vous voulez que les hommes vous fassent, faites-le-leur pareillement. [32]Si vous aimez ceux qui vous aiment, quel gré vous en saura-t-on? Même les pécheurs aiment ceux qui les aiment. [33]Si vous faites du bien à ceux qui vous en font, quel gré vous en saura-t-on? Même les pécheurs en font autant. [34]Si vous prêtez à ceux dont vous espérez recevoir, quel gré vous en saura-t-on? Même les pécheurs prêtent aux pécheurs pour en recevoir l'équivalent. [35]Mais vous, aimez vos ennemis, faites du bien et prêtez sans rien espérer en retour; alors votre récompense sera grande, et vous serez les fils du Très-Haut, car il est bon, Lui, pour les ingrats et les méchants.

[36]"Soyez donc miséricordieux comme votre Père est miséricordieux. [37]Ne jugez pas, et vous ne serez pas jugés; ne condamnez pas, et vous ne serez pas condamnés; remettez, et il vous sera

---

27sq. Luc omet le long parallèle de Mat 5,20-48 entre la Loi mosaïque et l'Évangile, moins en situation pour des lecteurs d'origine païenne. Il s'attache presque exclusivement au précepte de la charité.

remis. [38] Donnez, et l'on vous donnera; une bonne mesure tassée, secouée, débordante sera versée
dans les plis de votre manteau,* car de la même
mesure avec laquelle vous aurez mesuré on se servira pour vous rendre."

**Condition du zèle, clairvoyance, humilité, effi-
cacité.** - [39] Il leur dit aussi cette parabole: "Un
aveugle peut-il guider un aveugle? Ne tombe-
ront-ils pas tous deux dans un trou? [40] Le disciple n'est pas au-dessus du maître; mais tout disciple accompli sera comme son maître. [41] Pourquoi
regardes-tu la paille qui est dans l'oeil de ton frère, alors que la poutre qui est dans ton oeil à toi,
tu ne la remarques pas? [42] Comment peux-tu
dire à ton frère: "Mon frère, laisse-moi ôter la
paille qui est dans ton oeil", quand tu ne vois
pas la poutre qui est dans le tien? Hypocrite,
enlève d'abord la poutre de ton oeil; alors tu y
verras pour enlever la paille qui est dans l'oeil de
ton frère.

[43] "Il n'y a pas de bon arbre, en effet, qui
produise de mauvais fruit, ni non plus de mauvais
arbre qui produise un bon fruit. [44] Chaque arbre
se reconnaît à son propre fruit. On ne cueille pas
de figues sur les épines, et on ne vendange pas le
raisin sur les ronces. [45] L'homme bon tire le bien
du bon trésor de son coeur, et l'homme mauvais
tire du mal de son mauvais fonds; car la bouche
parle du trop-plein du coeur. [46] Pourquoi m'ap-

---

38. Littéralement: dans votre sein.

pelez-vous "Seigneur, Seigneur", et ne faites-vous pas ce que je dis?

La maison bâtie sur le roc. - [47]"Quiconque vient à moi, écoute mes paroles et les met en pratique, je vais vous montrer à qui il ressemble. [48]Il ressemble à un homme construisant une maison, qui a creusé, creusé profond et a posé les fondations sur le roc; la crue survenant, le torrent s'est rué sur cette maison, mais il n'a pu l'ébranler, car elle était bien bâtie. [49]Mais celui qui écoute et ne met pas en pratique, ressemble à un homme qui a bâti sa maison sur le sol sans fondations; le torrent s'est rué sur elle; elle s'est aussitôt écroulée, et grande a été la ruine de cette maison."

7 **Le centurion de Capharnaüm.** - [1]Quand il eut achevé de faire entendre au peuple toutes ces paroles, il entra dans Capharnaüm. [2]Or un centurion avait un serviteur malade, près de mourir, et qui lui était cher. [3]Ayant entendu parler de Jésus, il lui envoya des anciens des Juifs, le priant de venir sauver son serviteur. [4]Arrivés près de Jésus, ils le prièrent instamment: "Il mérite que tu lui accordes cela, dirent-ils, [5]car il aime notre nation; c'est lui qui nous a bâti la synagogue." [6]Jésus s'en alla donc avec eux. Déjà il n'était plus loin de la maison quand le centurion lui envoya dire par des amis: "Seigneur, ne prends pas tant de peine, car je ne mérite pas que tu entres sous mon toit. [7]Aussi bien, ne me suis-je pas jugé digne de venir vers toi; mais dis seulement un

mot, et que mon serviteur soit guéri. [8]Car moi-
même, qui ne suis qu'un subalterne ayant sous
mes ordres des soldats, je dis à l'un: Va, et il va;
à un autre: Viens, et il vient; à mon serviteur:
Fais cela, et il le fait." [9]En entendant ces paroles, Jésus l'admira; et se retournant vers la foule
qui le suivait, il dit: "Je vous le dis, même en
Israël, je n'ai pas trouvé une telle foi." [10]De retour à la maison, les envoyés trouvèrent le serviteur en bonne santé.

Résurrection du fils de la veuve de Naïm. -
[11]Ensuite il se rendit dans une ville appelée
Naïm. Ses disciples et une foule nombreuse faisaient route avec lui. [12]Comme il approchait de
la porte de la ville, voici qu'on portait en terre
un mort, fils unique de sa mère, laquelle était
veuve, et il y avait avec elle une foule considérable de gens de la ville. [13]En la voyant, le Seigneur eut pitié d'elle et lui dit: "Ne pleure pas."
[14]Puis, s'approchant, il toucha le cercueil, et les
porteurs s'arrêtèrent. Alors il dit: "Jeune homme,
je te l'ordonne, lève-toi." [15]Et le mort de se
dresser sur son séant et de se mettre à parler.
Puis Jésus le rendit à sa mère. [16]La crainte les
saisit tous; ils glorifiaient Dieu en disant: "Un
grand prophète s'est levé parmi nous, et Dieu a
visité son peuple." [17]Ce propos sur Jésus se répandit dans toute la Judée et dans tout le pays
d'alentour.

Message de Jean-Baptiste. - [18]Les disciples de
Jean l'informèrent de tout cela. Alors, appelant

deux de ses disciples, [19]il les envoya dire au Seigneur: "Es-tu celui qui doit venir ou devons-nous en attendre un autre?" [20]Arrivés auprès de lui, ces hommes lui dirent: "Jean le Baptiste nous envoie te dire: Es-tu celui qui doit venir ou devons-nous en attendre un autre?" [21]A l'heure même Jésus guérit quantité de gens de maladies, d'infirmités et d'esprits mauvais, et rendit la vue à quantité d'aveugles. [22]Puis il répondit aux envoyés: "Allez rapporter à Jean ce que vous avez vu et entendu: les aveugles voient, les boiteux marchent, les lépreux sont guéris, les sourds entendent, les morts ressuscitent, la Bonne Nouvelle est annoncée aux pauvres. [23]Heureux celui pour qui je ne serai pas une occasion de chute!" [24]Quand les messagers de Jean furent partis, il se mit à dire aux foules au sujet de Jean: "Qu'êtes-vous allés voir au désert? Un roseau agité par le vent? [25]Alors, qu'êtes-vous allés voir? Un homme vêtu délicatement? Mais ceux qui portent des habits magnifiques et vivent dans les délices sont dans les palais des rois. [26]Alors qu'êtes-vous allés voir? Un prophète? Oui, je vous le dis, et plus qu'un prophète. [27]C'est lui dont il est écrit: *Voici que j'envoie devant toi mon messager pour préparer ta route devant toi.** [28]Je vous le dis, parmi les enfants des femmes, il n'y en a pas de plus grand que Jean; cependant le plus petit dans le Royaume de Dieu est plus grand que lui. [29]Tout le peuple qui l'a écouté et les publicains

---

7. – 27. Mal *3*,1.

ont rendu justice à Dieu en recevant le baptême de Jean. [30] Mais les pharisiens et les docteurs de la Loi ont rendu vain pour eux le dessein de Dieu, en ne se faisant pas baptiser par lui."

Jugement de Jésus sur ses contemporains. - [31] "A quoi donc comparerai-je les hommes de cette génération? A qui ressemblent-ils? [32] Ils ressemblent à ces gamins qui sont assis sur la place et qui s'interpellent les uns les autres en disant: "Nous avons joué de la flûte, et vous n'avez pas dansé; nous avons chanté des lamentations, et vous n'avez pas pleuré." [33] Jean le Baptiste est venu, sans manger de pain ni boire de vin, et vous dites: "Il est possédé!" [34] Le Fils de l'homme est venu qui mange et boit, et vous dites: "Voilà un glouton et un ivrogne, l'ami des publicains et des pécheurs!" [35] Mais justice a été rendue à la sagesse par tous ses enfants."

Le pardon de la pécheresse repentante. - [36] Un pharisien l'invita à manger chez lui; il entra dans la maison du pharisien et se mit à table. [37] Survint une femme, une pécheresse de la ville. Ayant appris qu'il était à table chez le pharisien, elle avait apporté un flacon de parfum. [38] Se plaçant derrière lui, à ses pieds, tout en pleurs, elle se mit à lui arroser les pieds de ses larmes, et elle les essuyait avec ses cheveux, les embrassait et les oignait de parfum. [39] A cette vue, le pharisien qui l'avait invité se dit en lui-même: "Si cet homme était prophète, il saurait quelle est cette femme qui le touche, et que c'est une pécheresse."

⁴⁰Mais Jésus, prenant la parole, lui dit: "Simon, j'ai quelque chose à te dire." Il répondit: "Maître, parle! " ⁴¹"Un créancier avait deux débiteurs; l'un lui devait cinq cents deniers,* et l'autre cinquante. ⁴²Comme ils n'avaient pas de quoi s'acquitter, il leur remit à tous deux leur dette. Lequel des deux l'aimera donc davantage? " ⁴³Simon répondit: "Je crois que ce sera celui auquel il a le plus remis." Jésus lui dit: "Tu as bien jugé." ⁴⁴Puis, se tournant vers la femme, il dit à Simon: "Je suis entré dans ta maison; tu ne m'as pas versé d'eau sur les pieds; elle, au contraire, m'a arrosé les pieds de ses larmes et les a essuyés avec ses cheveux. ⁴⁵Tu ne m'as pas donné de baiser; elle, au contraire, depuis que je suis entré, n'a cessé de me baiser les pieds. ⁴⁶Tu n'as pas répandu d'huile sur ma tête; elle, au contraire, a répandu du parfum sur mes pieds. ⁴⁷C'est pourquoi, je te le dis, ses nombreux péchés lui sont pardonnés, car elle a montré beaucoup d'amour; mais celui à qui on pardonne peu aime peu." ⁴⁸Alors il dit à la femme: "Tes péchés te sont pardonnés." ⁴⁹Ceux qui étaient à table avec lui se mirent à dire en eux-mêmes: "Qui est cet homme qui pardonne même les péchés? " ⁵⁰Et il dit à la femme: "Ta foi t'a sauvée. Va en paix."

8 Les saintes femmes. - ¹Ensuite Jésus allait à travers villes et villages, prêchant et annonçant

41. "Cinq cents deniers": à peu près cinq cents francs-or.

8. – 2. La Magdaléenne, c'est-à-dire originaire de Mag-

la Bonne Nouvelle du Royaume de Dieu. Les
Douze l'accompagnaient, [2] ainsi que quelques
femmes qui avaient été guéries d'esprits mauvais
et de maladies: Marie, surnommée la Magdaléenne,* de qui étaient sortis sept démons, [3] Jeanne, femme de Chouza, intendant d'Hérode, Su-
zanne, et plusieurs autres qui les assistaient de
leurs biens.

Parabole du semeur. - [4] Comme une foule
nombreuse se rassemblait et que de toutes les villes on venait vers lui, il leur dit cette parabole:

[5] "Le semeur est sorti pour semer sa semence.
Tandis qu'il semait, une partie du grain est tombée au bord du chemin; elle a été foulée aux
pieds, et les oiseaux du ciel l'ont mangée. [6] Une
autre est tombée sur le rocher, et, ayant levé, elle
a séché faute d'humidité. [7] Une autre est tombée
au milieu des épines, et les épines, croissant avec
elle, l'ont étouffée! [8] Une autre enfin est tombée
dans la bonne terre, et, ayant levé, elle a porté
du fruit au centuple. En disant cela, il criait: Entende, qui a des oreilles pour entendre! "

[9] Ses disciples lui demandèrent ce que signifiait
cette parabole. [10] Il leur dit: "A vous il est donné de connaître les mystères du Royaume de
Dieu; mais pour les autres c'est en paraboles, de
sorte qu'*avec des yeux ils ne voient pas, et avec
des oreilles ils ne comprennent pas.** [11] Voici
donc ce que veut dire cette parabole: La semen-

dala, sur la rive nord-ouest du lac de Tibériade.

10. Is 6,9.

ce, c'est la Parole de Dieu. [12]Ceux du bord du chemin sont ceux qui ont entendu; mais le diable vient et enlève la Parole de leur coeur, de peur qu'ils ne croient et ne soient sauvés. [13]Ceux du rocher sont ceux qui, à l'audition de la Parole, la reçoivent avec joie; mais ils n'ont point de racine; ils croient pour un temps, et à l'heure de la tentation ils font défection. [14]Ce qui est tombé dans les épines sont ceux qui ont entendu; mais, chemin faisant, les soucis, les richesses et les plaisirs de la vie les étouffent, et ils n'arrivent pas à maturité. [15]Enfin ce qui est dans la bonne terre sont ceux qui, ayant écouté la Parole avec un coeur noble et généreux, la gardent et portent du fruit grâce à leur constance."

Parabole de la lampe. - [16]"Personne n'allume une lampe pour la couvrir d'un éteignoir ou la mettre sous un lit; mais on la met sur un lampadaire, afin que ceux qui entrent voient la lumière. [17]Car il n'y a rien de caché qui ne doive être découvert, ni rien de secret qui ne doive être connu et produit au grand jour. [18]Prenez donc garde à la manière dont vous écoutez; car à celui qui a on donnera encore, et celui qui n'a pas, même ce qu'il croit avoir lui sera enlevé."

Les vrais parents de Jésus. - [19]Cependant sa mère et ses frères vinrent le trouver, sans pouvoir l'aborder à cause de la foule. [20]On vint lui dire: "Ta mère et tes frères sont là dehors et désirent

19-20. Cf. note dans Mat *13*,55-56.

te voir."* ²¹Mais il leur répondit: "Ma mère et
mes frères sont ceux qui écoutent la Parole de
Dieu et la mettent en pratique."

La tempête apaisée. - ²²Un jour il monta en
barque avec ses disciples et leur dit: "Passons à
l'autre rive du lac." Et ils gagnèrent le large.
²³Comme ils naviguaient, il s'endormit. Une for-
te bourrasque fondit alors sur le lac; ils faisaient
eau et se trouvaient en danger. ²⁴Ils s'approchèrent de lui et l'éveillèrent, en disant: "Maître,
maître, nous sommes perdus! " Il s'éveilla et
menaça le vent et le tumulte des flots. Ils s'apai-
sèrent et le calme se fit. ²⁵Alors il leur dit: "Où
est votre foi? " Mais eux, saisis de crainte et d'é-
tonnement, se disaient les uns aux autres: "Quel
est donc cet homme? Il commande aux vents et
aux flots, et ils lui obéissent! "

Le possédé du pays des Géraséniens. - ²⁶Ils
abordèrent au pays des Géraséniens, qui fait face
à la Galilée. ²⁷Comme il mettait pied à terre,
vint à sa rencontre un homme de la ville, possédé
de démons. Depuis longtemps il ne portait pas de
vêtements et ne demeurait pas dans une maison,
mais dans les tombeaux. ²⁸Voyant Jésus, il se
mit à vociférer, tomba à ses pieds et dit d'une
voix forte: "Qu'avons-nous à faire ensemble,
Jésus, Fils du Dieu Très Haut? Je t'en prie, ne
me tourmente pas." ²⁹Car il commandait à l'esprit impur de sortir de cet homme. A maintes
reprises, en effet, il s'était saisi de lui, et on avait
beau l'attacher avec des chaînes et le garder dans

des entraves, il brisait ses liens, et le démon l'entraînait vers les endroits déserts. [30]Jésus lui demanda: "Quel est ton nom?" Il lui répondit: "Légion", car de nombreux démons étaient entrés en lui. [31]Et ils le suppliaient de ne pas leur commander de s'en aller dans l'abîme. [32]Or il y avait là un troupeau de porcs assez nombreux qui paissaient dans la montagne, et ils le suppliaient qu'il leur permît d'entrer dans les porcs. Il le leur permit. [33]Les démons sortirent donc de cet homme, entrèrent dans les porcs, et le troupeau, du haut de la falaise, se précipita dans le lac et s'y noya. [34]Ceux qui les gardaient, voyant ce qui était arrivé, s'enfuirent et portèrent la nouvelle à la ville et dans les fermes. [35]Ils s'en vinrent donc voir ce qui s'était passé. Ils arrivèrent auprès de Jésus et trouvèrent l'homme dont les démons étaient sortis, assis, vêtu et dans son bon sens, aux pieds de Jésus, et ils furent saisis de crainte. [36]Les témoins leur racontèrent comment le démoniaque avait été guéri. [37]Toute la population du territoire des Géraséniens le pria de s'éloigner d'eux, car ils étaient en proie à une grande frayeur. Il monta donc dans la barque et s'en retourna. [38]Et l'homme dont les démons étaient sortis lui demandait de rester avec lui; mais Jésus le renvoya en disant: [39]"Rentre chez toi et raconte tout ce que Dieu a fait pour toi." Il s'en alla, proclamant par la ville entière tout ce que Jésus avait fait pour lui.

Guérison de l'hémorroïsse et résurrection de la fille de Jaïre. - [40]A son retour, Jésus fut accueilli par la foule, car tout le monde l'attendait. [41]Survint un homme nommé Jaïre, qui était chef de la synagogue; se prosternant aux pieds de Jésus, il le suppliait de venir chez lui [42]parce qu'il avait une fille unique, âgée d'environ douze ans, qui se mourait. Comme Jésus s'y rendait, les foules le serraient à l'étouffer.

[43]Or une femme qui avait un flux de sang depuis douze ans et n'avait pu être guérie par personne [44]s'approcha par derrière et toucha la frange de son manteau; aussitôt son flux de sang s'arrêta. [45]Jésus demanda: "Qui m'a touché?" [46]Mais tous s'en défendant, Pierre et ses compagnons lui dirent: "Maître, ce sont les foules qui te pressent et t'écrasent!" Mais Jésus dit: "Quelqu'un m'a touché, car j'ai senti qu'une force était sortie de moi." [47]La femme, se voyant découverte, vint toute tremblante, se jeta à ses pieds et raconta devant tout le monde pourquoi elle l'avait touché et comment elle avait été guérie à l'instant. [48]Jésus lui dit: "Ma fille, ta foi t'a sauvée. Va en paix."

[49]Il parlait encore quand de chez le chef de la synagogue vint quelqu'un disant: "Ta fille est morte, ne dérange pas davantage le Maître." [50]Mais Jésus, qui avait entendu, lui répondit: "Ne crains pas; crois seulement, et elle sera sauvée." [51]Arrivé à la maison, il ne laissa entrer personne avec lui, sauf Pierre, Jean et Jacques, avec le père et la mère de l'enfant. [52]Tous pleuraient et se lamentaient sur elle. Il dit: "Ne pleurez pas, elle n'est pas morte, elle dort." [53]Ils se

moquaient de lui, sachant bien qu'elle était morte. ⁵⁴Mais lui la prit par la main et l'appela en disant: "Enfant, lève-toi." ⁵⁵Elle revint à la vie et se leva à l'instant. Puis il commanda de lui donner à manger. ⁵⁶Ses parents furent saisis de stupeur. Mais il leur défendit de dire à personne ce qui était arrivé.

9 Mission des douze apôtres. - ¹Ayant appelé les Douze, il leur donna puissance et autorité sur tous les démons, ainsi que le pouvoir de guérir les maladies. ²Puis il les envoya proclamer le Royaume de Dieu et guérir les malades. ³"Ne prenez rien pour la route, leur dit-il, ni bâton, ni sac, ni pain, ni argent, et n'ayez pas deux tuniques. ⁴En quelque maison que vous soyez entrés, demeurez-y, et c'est de là que vous repartirez. ⁵Quant à ceux qui ne vous accueilleront pas, sortez de leur ville, et secouez la poussière de vos pieds en témoignage contre eux." ⁶Etant donc partis, ils allèrent de village en village, annonçant la Bonne Nouvelle et opérant partout des guérisons.

Opinion d'Hérode sur Jésus. - ⁷Cependant Hérode le tétrarque apprit tout ce qui se passait et ne savait que penser; car certains disaient: "C'est Jean qui est ressuscité d'entre les morts"; ⁸d'autres: "C'est Élie qui est apparu"; et d'autres: "C'est un des anciens prophètes qui s'est levé." ⁹Hérode dit: "J'ai fait couper la tête de Jean; qui est donc celui dont j'entends dire de telles choses?" Et il cherchait à le voir.

Retour des apôtres; multiplication des pains. -
[10] A leur retour, les apôtres racontèrent à Jésus
tout ce qu'ils avaient fait. Les prenant avec lui, il
se retira à l'écart dans la direction d'une ville
nommée Bethsaïde. [11] Les foules, s'en étant rendu compte, le suivirent; il les accueillit, leur parla
du Royaume de Dieu et guérit ceux qui en
avaient besoin. [12] Comme le jour commençait à
baisser, les Douze, s'approchant, lui dirent: "Renvoie la foule: qu'ils aillent dans les villages et les
fermes des environs pour se loger et trouver de la
nourriture, car nous sommes ici dans un désert."
[13] Il leur dit: "Donnez-leur vous-mêmes à manger." Ils répondirent: "Nous n'avons pas plus de
cinq pains et deux poissons; à moins que nous
n'allions nous-mêmes acheter de la nourriture
pour tout ce peuple! " [14] Car il y avait là cinq
mille hommes environ. Puis il dit à ses disciples:
"Faites-les étendre par groupes d'une cinquan-
taine." [15] Ils obéirent et les firent tous s'étendre.
[16] Alors il prit les cinq pains et les deux poissons;
et, levant les yeux au ciel, il les bénit, les rompit
et les donna à ses disciples pour les distribuer à
la foule. [17] Ils en mangèrent tous à satiété; et on
emporta ce qu'ils avaient eu de reste, douze corbeilles de morceaux.

**Profession de foi de Pierre et première an-
nonce de la Passion.** ⌐ [18] Un jour qu'il priait seul,
ses disciples près de lui, il leur posa cette question: "Qui suis-je, au dire des foules? " [19] Ils
répondirent: Élie; pour d'autres, un des anciens
prophètes qui s'est levé." Il leur dit: "[20] Mais

pour vous, qui suis-je? " Simon-Pierre alors, prenant la parole, répondit: "Le Christ de Dieu."* [21] Il leur défendit sévèrement d'en parler à personne. [22] Il ajouta: "Il faut que le Fils de l'homme souffre beaucoup; qu'il soit rejeté par les anciens, les grands prêtres et les scribes; qu'il soit mis à mort et ressuscite le troisième jour."

Conditions pour suivre Jésus. – [23] Puis, s'adressant à tous, il dit: "Si quelqu'un veut venir après moi, qu'il se renonce lui-même, qu'il porte sa croix chaque jour, et qu'il me suive. [24] Celui qui voudra sauver sa vie la perdra, mais celui qui perdra sa vie à cause de moi la sauvera. [25] Quel profit pour l'homme de gagner le monde entier, s'il se perd ou se ruine lui-même? [26] Celui qui rougit de moi et de mes paroles, le Fils de l'homme rougira aussi de lui lorsqu'il viendra dans sa gloire et dans celle du Père et de ses saints anges. [27] Vraiment, je vous le dis, il y en a quelques-uns de ceux qui sont ici présents qui ne goûteront pas la mort qu'ils n'aient vu le Royaume de Dieu."

La Transfiguration. – [28] Il se passa environ huit jours après ces événements, et Jésus, prenant avec lui Pierre, Jean et Jacques, monta sur la montagne pour prier. [29] Pendant qu'il priait, l'aspect de son visage devint tout autre, et son vêtement devint d'une blancheur éblouissante. [30] Et voici

9. – 20. Comparez l'énoncé de Mat *16*,16 et Marc *8*,29.

que deux hommes s'entretenaient avec lui; c'étaient Moïse et Élie, [31] qui, apparaissant dans la gloire, parlaient de son départ,* qu'il allait accomplir à Jérusalem. [32] Cependant Pierre et ses compagnons étaient accablés de sommeil. Mais, restés quand même éveillés, ils virent sa gloire et les deux hommes qui se tenaient avec lui. [33] Comme ils se séparaient de Jésus, Pierre lui dit: "Maître, quel bonheur que nous soyons ici! Faisons donc trois tentes: une pour toi, une pour Moïse et une pour Élie." Il ne savait ce qu'il disait. [34] Comme il disait cela, survint une nuée qui les couvrit de son ombre, et ils furent saisis de frayeur quand ils entrèrent dans la nuée. [35] De la nuée sortit une voix qui disait: *"CELUI-CI EST MON FILS, MON ÉLU, ÉCOUTEZ-LE."* [36] Quand la voix se fut fait entendre, Jésus se trouva seul; eux gardèrent le silence et, pour lors, ne dirent rien à personne de ce qu'ils avaient vu.

Guérison d'un enfant possédé. - [37] Le lendemain, comme ils descendaient de la montagne, une grande foule vint au-devant de Jésus. [38] Et voici que de la foule un homme se mit à crier et dit: "Maître, je te prie de jeter un regard sur mon fils, car c'est mon unique enfant. [39] Voilà qu'un esprit se saisit de lui, et tout d'un coup il crie, il l'agite avec violence et le fait écumer, et il le quitte à grand-peine, le laissant tout brisé. [40] J'ai prié tes disciples de le chasser, mais ils

---

31. Son départ, c'est-à-dire la Passion et la Résurrection.

n'en ont pas été capables." [41] Alors Jésus dit:
"Race incrédule et pervertie, jusques à quand
serai-je avec vous et aurai-je à vous supporter?
Amène ici ton fils." [42] Dès que l'enfant s'approcha, le démon le jeta à terre et l'agita violemment. Mais Jésus menaça l'esprit impur, guérit
l'enfant et le rendit à son père. [43] Tous étaient
émerveillés devant la grandeur de Dieu.

Deuxième annonce de la Passion. - Comme
tous étaient étonnés de tout ce que faisait Jésus,
il dit à ses disciples: [44] "Mettez-vous bien dans la
tête ces paroles: le Fils de l'homme doit être livré aux mains des hommes." [45] Mais ils ne comprenaient pas ce langage; il leur était voilé, de
sorte qu'ils ne pouvaient en saisir le sens, et ils
craignaient de l'interroger sur ce sujet.

Qui est le plus grand? - [46] Une question se
posa dans leur esprit: lequel d'entre eux était le
plus grand? [47] Mais Jésus, connaissant la pensée
de leur coeur, prit un petit enfant, le plaça près
de lui [48] et leur dit: "Quiconque accueille ce
petit enfant en mon Nom, c'est moi qu'il accueille, et quiconque m'accueille, accueille Celui qui
m'a envoyé; car celui qui est le plus petit parmi
vous tous, c'est lui qui est grand."
[49] Alors Jean, prenant la parole, lui dit: "Maître, nous avons vu quelqu'un chasser les démons
en ton Nom, et nous avons voulu l'empêcher,
parce qu'il ne te suit pas avec nous." [50] Jésus lui
dit: "Ne l'empêchez pas; qui n'est pas contre
vous est pour vous."

TROISIÈME PARTIE

LA MONTÉE VERS JÉRUSALEM

Mauvais accueil des Samaritains. - [51]*Comme approchait le temps où il devait être enlevé de ce monde, il prit résolument le chemin de Jérusalem. [52]Il envoya devant lui des messagers qui, étant partis, entrèrent dans un bourg des Samaritains pour tout lui préparer. [53]Mais on ne voulut pas le recevoir, parce qu'il se dirigeait vers Jérusalem. [54]A cette vue, ses disciples Jacques et Jean dirent: "Seigneur, veux-tu que nous commandions au feu de descendre du ciel et de les consumer? " [55]Mais, se retournant, il les rabroua (et leur dit:* "Vous ne savez pas de quel esprit vous êtes. Le Fils de l'homme n'est pas venu perdre les âmes des hommes, mais les sauver.") [56]Et ils s'en allèrent vers un autre bourg.

Exigences de la vocation apostolique. - [57]Comme ils marchaient sur la route, quelqu'un lui dit: "Seigneur, je te suivrai où que tu ailles." [58]Jésus lui répondit: "Les renards ont des tanières, et les oiseaux du ciel des abris; mais le Fils de l'homme n'a pas où reposer la tête." [59]Il dit à un autre: "Suismoi." Celui-ci répondit: "Seigneur, permets-moi d'aller d'abord enterrer mon père." [60]Jésus lui ré-

51. La longue section *9,51-19,27* est entièrement propre à Luc qui utilise ses sources particulières d'information et complète ainsi d'une manière précieuse les récits de ses devanciers.

55. Les mots mis ici entre parenthèses sont une glose qui n'existe que dans certains manuscrits.

partit: "Laisse les morts enterrer leurs morts; mais pour toi, va annoncer le Royaume de Dieu." [61]Un autre lui dit: "Seigneur, je te suivrai, mais permets-moi d'aller d'abord faire mes adieux aux miens." [62]Jésus lui répondit: "Quiconque a mis la main à la charrue et regarde en arrière n'est pas fait pour le Royaume de Dieu."

10 Mission des soixante-douze disciples. - [1]Ensuite le Seigneur en désigna soixante-douze autres et les envoya devant lui, deux à deux, dans toutes les villes et localités où lui-même devait aller. [2]"La moisson est abondante, leur dit-il, mais peu nombreux les ouvriers; priez donc le Maître de la moisson qu'il envoie des ouvriers à sa moisson. [3]Allez! Je vous envoie comme des agneaux au milieu des loups. [4]N'emportez ni bourse, ni sac, ni chaussures, et ne saluez personne en chemin.* [5]En quelque maison que vous entriez, dites d'abord: "Paix à cette maison"; [6]s'il s'y trouve un enfant de paix, votre paix reposera sur lui; sinon elle vous reviendra. [7]Restez dans la même maison, mangeant et buvant de ce qu'il y aura, car l'ouvrier mérite son salaire. Ne passez pas de maison en maison. [8]Dans toute ville où vous entrerez et où l'on vous accueillera, mangez ce que l'on vous servira. [9]Guérissez les malades qui s'y trouveront et dites-leur: "Le Royaume de Dieu est tout proche de vous." [10]Mais dans toute ville où vous serez entrés et où l'on ne vous accueillera pas,

10. – 4. Ne saluez personne, c'est-à-dire ne vous attardez pas aux salutations interminables dont les Orientaux sont coutumiers.

allez sur les places publiques et dites: [11] "La poussière même de votre ville qui s'est collée à nos pieds, nous la secouons sur vous. Mais, sachez-le bien, le Royaume de Dieu est tout proche." [12] Je vous le dis, en ce jour-là Sodome sera traitée moins rigoureusement que cette ville. [13] Malheur à toi, Chorazin! Malheur à toi, Bethsaïde! Si les miracles accomplis chez vous l'avaient été à Tyr et à Sidon, il y a longtemps qu'elles auraient fait pénitence sous le sac et assises dans la cendre. [14] C'est pourquoi, lors du jugement, Tyr et Sidon seront traitées moins rigoureusement que vous. [15] Et toi, Capharnaüm, seras-tu élevée jusqu'au ciel? Tu seras précipitée jusqu'aux enfers! [16] Qui vous écoute m'écoute; qui vous rejette me rejette; celui qui me rejette rejette Celui qui m'a envoyé."

Retour des disciples; connaissance mutuelle du Père et du Fils. - [17] Les soixante-douze revinrent tout joyeux, disant: "Seigneur, les démons mêmes nous sont soumis en ton Nom." [18] Il répondit: "Je voyais Satan tomber du ciel comme l'éclair. [19] Voici que je vous ai donné le pouvoir de fouler aux pieds serpents et scorpions, ainsi que toute puissance de l'Ennemi; rien ne pourra vous nuire. [20] Cependant ne vous réjouissez pas de ce que les esprits vous sont soumis; réjouissez-vous de ce que vos noms sont inscrits dans les cieux."

[21] A ce moment-là Jésus tressaillit de joie sous l'action de l'Esprit Saint et dit: "Je te bénis, Père,

21-22. Comparer Mat *11*,26-27, et remarquer la saveur johannique de ce passage. Les synoptiques s'en

Seigneur du ciel et de la terre, de ce que tu as caché ces choses aux sages et aux habiles et les as révélées aux petits. Oui, Père, car tel a été ton bon plaisir. [22] Tout m'a été remis par mon Père; nul ne sait qui est le Fils, sinon le Père; ni qui est le Père sinon le Fils, et celui à qui le Fils veut bien le révéler."* [23] Puis, se tournant vers ses disciples, il leur dit en particulier: "Heureux les yeux qui voient ce que vous voyez! [24] Je vous le dis, beaucoup de prophètes et de rois ont désiré voir ce que vous voyez et ne l'ont pas vu; entendre ce que vous entendez et ne l'ont pas entendu."

Parabole du bon Samaritain. – [25] Voici qu'un légiste se leva et lui dit pour l'éprouver: "Maître, que dois-je faire pour avoir en héritage la vie éternelle?" [26] Jésus lui répondit: "Qu'y a-t-il d'écrit dans la Loi? Qu'y lis-tu? [27] Il lui répondit: *Tu aimeras le Seigneur ton Dieu de tout ton coeur, de toute ton âme, de toutes tes forces et de tout ton esprit, et ton prochain comme toi-même."* Jésus lui dit: [28] "Tu as bien répondu, fais cela et tu vivras." [29] Mais cet homme, voulant se justifier, dit à Jésus: "Et qui est mon prochain?" [30] Jésus reprit: "Un homme descendait de Jérusalem à Jéricho.* Il tomba en plein

---

tiennent ordinairement à un enseignement plus simple et plus populaire; mais ils laissent voir ici que la catéchèse plus profonde, retenue avec prédilection par Jean, ne leur était pas inconnue.

27. Deut 6,5 et Lev 19,18.

30. La différence d'altitude entre Jérusalem et Jéricho est de plus de 1 000 mètres, pour une distance de 40 kilomètres environ.

parmi des brigands qui le dépouillèrent, le rouèrent
de coups et s'en allèrent, le laissant à demi mort.
³¹ Par hasard, un prêtre descendait par ce chemin et,
l'ayant vu, passa outre. ³² Pareillement un lévite,
survenant en cet endroit et l'ayant vu, passa outre.
³³ Mais un Samaritain en voyage arriva près de lui, le
vit et fut ému de pitié. ³⁴ Il s'approcha, banda ses
blessures, y versant de l'huile et du vin; puis, l'ayant
chargé sur sa propre monture, il le conduisit dans
une hôtellerie et prit soin de lui. ³⁵ Le lendemain, il
tira deux deniers, qu'il donna à l'hôtelier en disant:
"Prends soin de lui, et ce que tu auras dépensé de
plus, je te le rembourserai moi-même à mon retour."
³⁶ Lequel de ces trois te semble s'être montré le
prochain de l'homme tombé aux mains des brigands? " ³⁷ Il répondit: "Celui qui a pratiqué la
miséricorde envers lui." "Va, lui dit Jésus, et toi
aussi fais de même."

Le repas chez Marthe et Marie. - ³⁸ En cours de
route, il entra dans un village, et une femme nommée Marthe le reçut dans sa maison. ³⁹ Elle avait une
sœur nommée Marie, qui, s'étant assise aux pieds du
Seigneur, écoutait sa parole. ⁴⁰ Marthe, elle, s'affai-
rait aux multiples soins du service. S'arrêtant, elle
dit: "Seigneur, tu ne te soucies pas que ma sœur me
laisse faire toute seule le service? Dis-lui donc de
m'aider." ⁴¹ Mais le Seigneur lui répondit: "Marthe,
Marthe, tu t'inquiètes et t'agites pour bien des choses, ⁴² alors qu'il en faut peu ou même une seule.*

---

42. Le début du verset est obscur et a été diversement traduit.

Marie a choisi la meilleure part, elle ne lui sera pas enlevée."

11 **Le Pater.** -* [1]Un jour, comme il était en prière en un certain lieu, lorsqu'il eut achevé, un de ses disciples lui dit: "Seigneur, apprends-nous à prier, comme Jean l'a appris à ses disciples." [2]Il leur dit: "Lorsque vous priez, dites:

Père, que ton nom soit sanctifié;
   que ton règne vienne;
[3]donne-nous aujourd'hui
   notre pain quotidien.
[4]Remets-nous nos péchés,
   car nous-mêmes nous remettons
   à quiconque nous doit;
   et ne nous soumets pas
   à la tentation."

Parabole de l'ami importun. Efficacité de la prière. - [5]Il leur dit encore: "Qui de vous, ayant un ami, s'il va le trouver au milieu de la nuit pour lui dire: "Mon ami, prête-moi trois pains, [6]parce qu'un de mes amis m'est arrivé de voyage et je n'ai rien à lui offrir", [7]et que celui-ci réponde de l'intérieur: "Ne m'importune pas maintenant; la porte est fermée; mes enfants et moi sommes au lit, je ne puis me lever pour t'en donner. . ." [8]je vous le dis, s'il ne se lève pas pour le lui donner parce qu'il est son ami, il se lèvera du moins à cause de son importunité et lui

11. – 1-4. Luc met le Pater dans son véritable contexte (cf. note Mat 6,13). Il omet la troisième et la septième demande.

donnera tout ce dont il a besoin. [9]Moi je vous dis:
Demandez et l'on vous donnera; cherchez et vous
trouverez; frappez et l'on vous ouvrira. [10]Car quiconque demande reçoit; qui cherche trouve; à qui
frappe on ouvrira. [11]Quel père parmi vous, si son fils
lui demande du pain, lui donnera une pierre? S'il
demande un poisson, lui donnera-t-il, au lieu de
poisson, un serpent? [12]S'il demande un oeuf, lui
donnera-t-il un scorpion? [13]Si donc vous, tout
mauvais que vous êtes, vous savez donner de bonnes
choses à vos enfants, combien plus le Père du ciel
donnera-t-il l'Esprit Saint à ceux qui le lui demandent? "

**Jésus accusé de chasser les démons par Béelzé-
boul.** - [14]Jésus chassait un démon qui était muet;
une fois le démon sorti, le muet parla, et les foules
furent dans l'admiration. [15]Mais quelques-uns dirent: "C'est par Béelzéboul, le prince des démons,
qu'il chasse les démons." [16]D'autres, pour l'éprouver, lui demandaient un signe venant du ciel. [17]Mais
Jésus, connaissant leurs pensées, leur dit: "Tout
royaume divisé contre lui-même va à la ruine et
ses maisons tombent l'une sur l'autre. [18]Si donc Satan
aussi est divisé contre lui-même, comment son royaume subsistera-t-il, puisque vous dites que c'est par
Béelzéboul que je chasse les démons? [19]Si c'est par
Béelzéboul que moi je chasse les démons, vos fils,
par qui les chassent-ils? C'est pourquoi ils seront
eux-mêmes vos juges. [20]Mais si c'est par le doigt de
Dieu que je chasse les démons, c'est donc que le
Royaume de Dieu est arrivé pour vous. [21]Celui qui

est fort et armé garde son palais; ce qu'il possède est en sûreté. [22]Mais que survienne un plus fort qui le batte, il emporte l'armure à laquelle il se fiait et distribue ses dépouilles. [23]Qui n'est pas avec moi est contre moi; celui qui n'amasse pas avec moi dissipe. [24]Lorsque l'esprit impur est sorti d'un homme, il erre dans les lieux arides, cherchant du repos; n'en trouvant pas, il dit: "Je retournerai dans ma maison d'où je suis sorti." [25]En arrivant, il la trouve balayée, mise en ordre. [26]Alors il s'en va prendre sept autres esprits plus méchants que lui; ils y entrent et s'y installent, et l'état final de cet homme devient pire que le premier."

[27]Comme il parlait ainsi, une femme éleva la voix du milieu de la foule et lui dit: "Heureux le sein qui t'a porté et les mamelles qui t'ont allaité." [28]Il répondit: "Heureux plutôt ceux qui écoutent la parole de Dieu et la mettent en pratique."

Le signe de Jonas. - [29]Comme les foules s'amassaient, il se mit à dire: "Cette génération est une génération mauvaise; elle demande un signe, et il ne lui en sera pas donné d'autre que celui de Jonas. [30]Car Jonas fut, en effet, un signe pour les Ninivites, ainsi le Fils de l'homme en sera un pour cette génération. [31]La reine du Midi s'élèvera* au jour du jugement contre les hommes de cette génération et les condamnera, parce qu'elle est venue des extrémités de la terre pour écouter la sagesse de Salomon, et il y a ici plus que Salomon. [32]Les Ninivites se dresseront

---

31. "S'élèvera"; autre traduction: ressuscitera. Même remarque pour le v 32.

au jour du jugement contre cette génération et la condamneront, parce qu'ils ont fait pénitence à la prédication de Jonas, et il y a ici plus que Jonas."

Parabole de la lampe. - [33]"Personne n'allume une lampe pour la mettre dans un endroit caché ou sous le boisseau, mais on la met sur le lampadaire, afin que ceux qui entrent voient clair. [34]La lampe du corps, c'est ton oeil. Lorsque ton oeil est sain, ton corps tout entier est aussi dans la lumière; mais, s'il est malade, ton corps aussi est dans les ténèbres. [35]Prends donc garde que la lumière qui est en toi ne soit pas ténèbres. [36]Si donc ton corps tout entier est dans la lumière, sans mélange de ténèbres, il sera tout entier lumineux, comme lorsque la lampe t'éclaire de son éclat."

Anathèmes contre les pharisiens. - [37]Pendant qu'il parlait, un pharisien l'invita à dîner chez lui. Jésus entra et se mit à table. [38]A cette vue, le pharisien s'étonna qu'il n'eût pas fait d'ablutions avant le repas. [39]Mais le Seigneur lui dit: "Ainsi, vous autres pharisiens, vous purifiez l'extérieur de la coupe et du plat, mais votre intérieur à vous est plein de rapine et d'iniquité. [40]Insensés! Celui qui a fait l'extérieur n'a-t-il pas fait aussi l'intérieur? [41]Donnez plutôt l'aumône selon vos moyens, et tout sera pur pour vous.

[42]"Mais malheur à vous, pharisiens, qui payez la dîme de la menthe, de la rue, de toutes les herbes, et qui négligez la justice et l'amour de Dieu! Il fallait pratiquer ceci sans omettre cela. [43]"Malheur à vous, pharisiens, qui aimez à

avoir le premier siège dans les synagogues et les salutations sur les places publiques! "

⁴⁴"Malheur à vous, car vous êtes comme des tombeaux qui ne paraissent pas et sur lesquels on marche sans le savoir! "

⁴⁵Alors un des légistes, prenant la parole, lui dit: "Maître, en parlant ainsi, tu nous insultes, nous aussi! " ⁴⁶Mais Jésus lui dit: "Malheur aussi à vous, légistes, qui chargez les hommes de fardeaux insupportables, alors que vous-mêmes ne touchez pas ces fardeaux d'un seul de vos doigts!

⁴⁷"Malheur à vous qui bâtissez aux prophètes des tombeaux, alors que vos pères les ont tués! ⁴⁸Ainsi vous êtes témoins et vous approuvez les actes de vos pères; eux ont tué, et vous, vous élevez les tombeaux.*

⁴⁹"C'est pourquoi la Sagesse de Dieu a dit: Je leur enverrai des prophètes et des apôtres; ils en tueront et persécuteront, ⁵⁰afin qu'on demande compte à cette génération du sang de tous les prophètes qui a été répandu depuis la création du monde, ⁵¹depuis le sang d'Abel jusqu'au sang de Zacharie, qui a été tué entre l'autel et le sanctuaire.* Oui, je vous le dis, on en demandera compte à cette génération.

⁵²"Malheur à vous, légistes, parce que vous avez enlevé la clef de la science; vous-mêmes

---

48. Les légistes bâtissent des tombeaux aux prophètes, mais se préparent à faire mourir Jésus!

51. 2 Chron 24,20-22.

n'êtes pas entrés et ceux qui voulaient entrer, vous les en avez empêchés! "

[53] Quand il fut sorti de là, les scribes et les pharisiens se mirent à lui en vouloir terriblement, et à le faire parler sur beaucoup de choses, [54] lui tendant des pièges pour surprendre quelque parole de sa bouche.

12 Le levain des pharisiens; ne pas craindre les hommes. Blasphème contre le Saint-Esprit.

- [1] Cependant la foule s'étant rassemblée par milliers au point qu'ils s'écrasaient les uns les autres, Jésus se mit à dire à ses disciples: "Méfiez-vous avant tout du levain des pharisiens, qui est l'hypocrisie. [2] Il n'y a rien de caché qui ne doive être révélé, rien de secret qui ne doive être connu. [3] C'est pourquoi tout ce que vous aurez dit dans l'ombre sera entendu au grand jour, et ce que vous aurez dit à l'oreille dans les caves sera proclamé sur les toits.

[4] "Je vous le dis à vous, mes amis: ne craignez pas ceux qui tuent le corps, et qui après cela ne peuvent rien faire de plus. [5] Mais je vais vous montrer qui il faut craindre: craignez Celui qui, après avoir tué, a le pouvoir de jeter dans la géhenne. Oui, je vous le dis, Celui-là, craignez-le. [6] N'est-il pas vrai que cinq moineaux se vendent deux as? Et pas un d'entre eux n'est oublié de Dieu. [7] Les cheveux mêmes de votre tête sont tous comptés. Soyez sans crainte, vous valez mieux qu'une quantité de moineaux.

---

12. – 10. Cf. note sur Mat *12*,31.

⁸"Je vous le dis, quiconque se sera déclaré pour moi devant les hommes, le Fils de l'homme se déclarera aussi pour lui devant les anges de Dieu. ⁹Mais celui qui m'aura renié à la face des hommes sera renié à la face des anges de Dieu. ¹⁰Quiconque dira une parole contre le Fils de l'homme, il lui sera pardonné,* mais à celui qui aura blasphémé contre le Saint-Esprit, il ne lui sera pas pardonné.

¹¹"Lorsqu'on vous mènera devant les synagogues, les magistrats et les autorités, ne vous mettez pas en peine de la manière dont vous répondrez, ni de ce que vous direz; ¹²car le Saint-Esprit vous enseignera au moment même ce qu'il faudra dire."

Parabole du riche insensé. - ¹³Quelqu'un de la foule lui dit: "Maître, dis à mon frère qu'il partage avec moi notre héritage." ¹⁴Mais il lui dit: "Homme, qui m'a établi pour vous juger ou pour faire vos partages?" ¹⁵Puis il leur dit: "Veillez à vous garder de toute avarice; quelqu'un fût-il, en effet, dans l'abondance, sa vie n'est pas assurée par ses biens."

¹⁶Puis il leur dit cette parabole: "Il y avait un homme riche dont les terres avaient beaucoup rapporté; ¹⁷il se demandait en lui-même: "Que vais-je faire? car je n'ai pas où loger mes récoltes." ¹⁸Alors il se dit: "Voici ce que je vais faire: j'abattrai mes greniers et j'en bâtirai de plus grands, j'y amasserai tout mon blé et tous mes biens ¹⁹et je dirai à mon âme: Mon âme, tu as

beaucoup de biens en réserve pour nombre d'années; repose-toi, mange, bois, fais bonne chère." [20] Mais Dieu lui dit: "Insensé, cette nuit même on va te redemander ton âme, et ce que tu as préparé, qui l'aura?" [21] Ainsi en est-il de celui qui thésaurise pour lui-même au lieu de s'enrichir en vue de Dieu."

Détachement des biens terrestres et abandon à la Providence. – [22] Puis il dit à ses disciples: "Voilà pourquoi je vous dis: Ne vous mettez pas en peine pour votre vie de ce que vous mangerez, ni pour votre corps de ce dont vous le vêtirez. [23] La vie est plus que la nourriture et le corps plus que le vêtement. [24] Regardez les corbeaux; ils ne sèment ni ne moissonnent; ils n'ont ni cave ni grenier, et Dieu les nourrit. Combien plus valez-vous que les oiseaux? [25] Qui d'entre vous peut, en se donnant de la peine, ajouter une coudée à la longueur de sa vie? [26] Si donc les moindres choses dépassent votre pouvoir, pourquoi vous mettre en peine du reste? [27] Regardez les lis, comme ils croissent: ils ne travaillent ni ne filent; cependant, je vous le dis, Salomon même, dans toute sa gloire, n'a pas été vêtu comme eux. [28] Si donc dans les champs Dieu revêt ainsi l'herbe, qui est aujourd'hui et sera demain jetée au feu, combien plus fera-t-il pour vous, hommes de peu de foi! [29] Ne cherchez donc pas, vous non plus, ce que vous aurez à manger ou à boire, et ne vous inquiétez pas. [30] C'est de tout cela que les païens de ce monde se préoccupent, mais votre

Père sait que vous en avez besoin. [31]C'est pourquoi cherchez son Royaume et cela vous sera donné par surcroît.

[32]"Ne craignez pas, petit troupeau, car il a plu à votre Père de vous donner le Royaume. [33]Vendez ce que vous possédez et donnez-le en aumônes; faites-vous des bourses qui ne s'usent pas, un trésor inépuisable dans les cieux, où ni le voleur n'approche ni la teigne ne détruit. [34]Car où est votre trésor, là aussi sera votre coeur."

Nécessité de la vigilance. - [35]"Que vos reins soient ceints et vos lampes allumées. [36]Soyez semblables à des hommes qui attendent leur maître à son retour de noces, afin de lui ouvrir aussitôt lorsqu'il arrivera et frappera. [37]Heureux ces serviteurs que le maître à son arrivée trouvera en train de veiller! Vraiment, je vous le dis, il se ceindra, les fera mettre à table et, passant devant eux, il les servira. [38]Si c'est à la seconde ou à la troisième veille qu'il arrive et qu'il les trouve ainsi, heureux sont-ils. [39]Comprenez-le bien: si le maître de maison savait à quelle heure le voleur viendra, il veillerait et ne laisserait pas percer le mur de sa maison. [40]Tenez-vous prêts vous aussi, car c'est à l'heure que vous ne pensez pas que viendra le Fils de l'homme."

[41]Alors Pierre dit: "Seigneur, est-ce pour nous que tu dis cette parabole, ou bien pour tout le monde?" [42]Le Seigneur lui dit: "Quel est donc l'intendant fidèle et avisé que le maître établira sur ses serviteurs, pour leur donner en temps vou-

lu la mesure de froment? [43] Heureux ce serviteur que son maître, à son arrivée, trouvera agissant ainsi! [44] Vraiment, je vous le dis, il l'établira sur tous ses biens. [45] Mais si ce serviteur dit en son cœur: "Mon maître n'est pas près de venir; et qu'il se mette à battre les serviteurs et les servantes, à manger, à boire et à s'enivrer, [46] le maître de ce serviteur viendra au jour qu'il n'attend pas et à l'heure qu'il ne connaît pas; il s'en séparera et lui fera partager le sort des infidèles. [47] Le serviteur qui, connaissant la volonté de son maître, n'aura rien préparé et n'aura pas agi selon cette volonté recevra de nombreux coups. [48] Celui qui, sans la connaître, aura par sa conduite mérité des coups, en recevra un petit nombre. A qui on aura beaucoup donné il sera beaucoup demandé, et à qui on aura confié beaucoup on réclamera davantage."

Le feu et la division apportés par Jésus; les signes des temps. - [49] "Je suis venu mettre le feu sur la terre, et combien voudrais-je que déjà il soit allumé! [50] Je dois être baptisé d'un baptême, et comme je suis dans l'angoisse jusqu'à ce qu'il soit consommé! * [51] Croyez-vous que je sois venu pour faire régner la paix sur la terre? Non, je vous le dis, mais la division. [52] Car désormais cinq dans une même maison seront divisés, trois contre deux, et deux contre trois. [53] Ils seront

---

49-50. Ce feu est l'amour dévorant du Christ, poussé jusqu'à l'acceptation du baptême sanglant de la croix. Comparer Jean *15*,9-14.

divisés, le père contre le fils et le fils contre le père; la mère contre la fille et la fille contre la mère; la belle-mère contre la bru et la bru contre la belle-mère."

[54] Il disait aussi aux foules: "Lorsque vous voyez un nuage s'élever au couchant, vous dites aussitôt: "La pluie va venir"; et il en est ainsi. [55] Quand souffle le vent du midi, vous dites: "Il va faire très chaud"; et c'est ce qui arrive. [56] Hypocrites, vous savez reconnaître l'aspect de la terre et du ciel; alors, pourquoi ne reconnaissez-vous pas ce temps-ci? [57] Pourquoi ne portez-vous pas par vous-mêmes un jugement juste?

"[58] Lorsque tu vas avec ton adversaire devant le magistrat, tâche de t'arranger à l'amiable avec lui, de peur qu'il ne te traîne devant le juge, que le juge ne te livre à l'exécuteur, et que l'exécuteur ne te jette en prison. [59] Car, je te le dis, tu ne sortiras pas de là que tu n'aies payé jusqu'au dernier sou."

13 Nécessité de la pénitence. Parabole du figuier stérile. - [1] En ce même temps, certains vinrent lui rapporter ce qui était arrivé aux Galiléens dont Pilate avait mêlé le sang à celui de leurs sacrifices. [2] Prenant la parole, il leur dit: "Croyez-vous que ces Galiléens fussent plus grands pécheurs que tous les autres Galiléens pour avoir été traités de la sorte? [3] Non, je vous le dis, mais si vous ne faites pénitence, vous périrez tous de même. [4] Ou bien ces dix-huit sur lesquels la tour de Siloé est tombée et qu'elle a tués, croyez-vous que leur dette fût plus grande que celle de tous les autres habitants de Jérusalem? [5]Non, je vous le dis, mais si vous ne vous mettez pas à faire pénitence, vous périrez tous pareillement."

[6]Il leur dit cette autre parabole: "Un homme avait un figuier planté dans sa vigne; il vint y chercher du fruit et n'en trouva pas. [7]Alors il dit au vigneron: "Voilà trois ans que je viens chercher du fruit sur ce figuier et je n'en trouve pas. Coupe-le donc; pourquoi occupe-t-il la terre inutilement?" [8]Mais il lui répondit: "Maître, laisse-le encore cette année, afin que je creuse tout autour et que j'y mette du fumier. [9]Peut-être portera-t-il du fruit à l'avenir. Sinon, tu le couperas." "

Guérison de la femme courbée. - [10]Jésus enseignait dans une synagogue le jour du sabbat. [11]Il y avait là une femme possédée depuis dix-huit ans d'un esprit qui la rendait infirme; elle était toute courbée et ne pouvait pas du tout se redresser. [12]Jésus, la voyant, l'appela et lui dit: "Femme, tu es délivrée de ton infirmité." [13]Puis

---

13. – 22. Plusieurs détails des récits précédents (10,30.38; 13,1-5) supposent que le Sauveur était parvenu à Jérusalem ou dans les environs immédiats. Or ici, il est de nouveau en marche vers la ville sainte. Luc laisse ainsi entrevoir qu'il y a eu plusieurs voyages de Galilée en Judée. Voir dans le même sens 13,34 et 17,11. Jean précisera ce point, laissé dans l'ombre par la catéchèse synoptique, qui simplifie pour la commodité de la prédication.

il lui imposa les mains; aussitôt elle se redressa et glorifiait Dieu. [14] Mais le chef de la synagogue, indigné de ce que Jésus eût fait une guérison un jour de sabbat, prit la parole et dit à la foule: "Il y a six jours pendant lesquels on doit travailler; venez ces jours-là vous faire guérir et non le jour du sabbat." [15] Le Seigneur, prenant la parole, lui dit: "Hypocrites! Chacun de vous, le jour du sabbat, ne délie-t-il pas de la crèche son boeuf ou son âne pour le mener boire? [16] Et celle-ci, cette fille d'Abraham que Satan avait liée voici dix-huit ans, il n'aurait pas fallu la délier de cette chaîne le jour du sabbat?" [17] A ces paroles, tous ses adversaires furent remplis de confusion, tandis que la foule entière se réjouissait de toutes les merveilles qu'il accomplissait.

Paraboles du grain de sénevé et du levain. - [18] Il disait donc: "A quoi est semblable le Royaume de Dieu et à quoi le comparerai-je? [19] Il est semblable à un grain de sénevé qu'un homme a pris et jeté dans son jardin; il a poussé, il est devenu un arbre, et les oiseaux du ciel sont venus nicher dans ses branches." [20] Il dit encore: "A quoi comparerai-je le Royaume de Dieu? [21] Il est semblable à du levain qu'une femme a pris et enfoui dans trois mesures de farine, jusqu'à ce que le tout soit levé."

Seconde mention du voyage à Jérusalem. La porte étroite. Rejet des Juifs et appel des païens. - [22] Il s'en allait par les villes et les villages, enseignant et faisant route vers Jérusalem.*

²³Quelqu'un lui dit: "Seigneur, n'y aura-t-il qu'un petit nombre de sauvés?" ²⁴Il leur répondit: "Efforcez-vous d'entrer par la porte étroite, car, je vous le dis, beaucoup chercheront à entrer et ne le pourront pas. ²⁵Dès que le maître de la maison se sera levé et aura fermé la porte, et que, restés dehors, vous vous mettrez à frapper à la porte, en disant: "Seigneur, ouvre-nous", il vous répondra: "Je ne sais d'où vous êtes; éloignez-vous de moi, vous tous, artisans d'iniquité." ²⁸C'est là qu'il y aura les pleurs et les grincements de dents, quand vous verrez Abraham, Isaac, Jacob et tous les prophètes dans le Royaume de Dieu, et vous, jetés dehors. ²⁹On viendra de l'orient et de l'occident, du nord et du midi, prendre place au festin dans le Royaume de Dieu. ³⁰Ainsi il y aura des derniers qui seront premiers et des premiers qui seront derniers."

Embûches d'Hérode. – ³¹Au même moment s'approchèrent quelques pharisiens qui lui dirent: "Pars et va-t'en d'ici, car Hérode veut te faire mourir." ³²Il leur répondit: "Allez dire à ce renard: Voici que je chasse les démons et accomplis des guérisons aujourd'hui et demain, et le troisième jour j'ai fini.* ³³Mais aujourd'hui, demain et le jour suivant, je dois poursuivre ma route, car il ne convient pas qu'un prophète meure hors de Jérusalem."

Apostrophe à Jérusalem. – "³⁴Jérusalem, Jérusalem, qui tues les prophètes et qui lapides ceux

---

32. Comparer Jean *19*,30; Heb *2*,10; *5*,9.

qui te sont envoyés, que de fois j'ai voulu rassembler tes enfants comme une poule rassemble sa couvée sous ses ailes, et vous ne l'avez pas voulu! [35] Voici que votre maison vous sera laissée. Vraiment, je vous le dis, vous ne me verrez plus jusqu'à ce que vienne le jour où vous direz: *Béni soit celui qui vient au nom du Seigneur.*"*

14 Guérison d'un hydropique. - [1]Jésus entra un jour de sabbat dans la maison d'un des chefs des pharisiens pour y prendre son repas; ceux qui étaient là l'observaient. [2]Or voici qu'un hydropique se trouvait devant lui. [3]Jésus, s'adressant aux légistes et aux pharisiens, leur dit: "Est-il permis ou non de guérir le jour du sabbat?" [4]Ils gardèrent le silence. Mais lui, prenant cet homme par la main, le guérit et le renvoya. [5]Puis il leur dit: "Qui d'entre vous, si son fils ou son boeuf tombe dans un puits, ne l'en retire aussitôt, le jour du sabbat?" [6]Ils ne purent rien répliquer à cela.

Choix des places et des invités dans les festins. - [7]Alors, remarquant comment les invités choisissaient les premières places, il leur proposa une parabole et leur dit: [8]"Quand tu seras invité par quelqu'un à des noces, n'y prends pas la première place, de peur qu'un plus digne que toi n'ait été invité par lui, [9]et que celui qui vous aura invité l'un et l'autre ne vienne te dire: "Cède-lui la place"; alors tu devrais, plein de confusion, aller

35. Cf. note Mat *23*,39.

occuper la dernière place. ¹⁰Au contraire, lorsque tu es invité, va te mettre à la dernière place, de façon qu'à son arrivée celui qui t'a invité te dise: "Mon ami, monte plus haut." Alors ce sera pour toi un honneur devant tous les autres convives; ¹¹car quiconque s'élève sera abaissé, et quiconque s'abaisse sera élevé."

¹²Puis il dit à celui qui l'avait invité: "Lorsque tu donneras un déjeuner ou un dîner, n'y convie ni tes amis, ni tes frères, ni tes parents, ni de riches voisins, de peur qu'ils ne t'invitent à leur tour et que ta politesse ne te soit rendue. ¹³Mais lorsque tu offres un banquet, invite des pauvres, des estropiés, des boiteux, des aveugles; ¹⁴et tu seras heureux de ce qu'ils n'auront pas de quoi te rendre. Cela te sera rendu lors de la résurrection des justes."

Parabole des invités discourtois. - ¹⁵En entendant cela, un des convives lui dit: "Heureux celui qui prendra son repas dans le Royaume de Dieu!" ¹⁶Jésus lui répondit: "Un homme donna un grand dîner et invita beaucoup de monde. ¹⁷A l'heure du dîner, il envoya son serviteur dire aux conviés: "Venez, car maintenant tout est prêt." ¹⁸Mais tous unanimement se mirent à s'excuser. Le premier lui dit: "J'ai acheté un champ et il est nécessaire que j'aille le voir; je t'en prie, tiens-moi pour excusé." ¹⁹Un autre lui dit: "J'ai acheté cinq paires de boeufs et je vais les essayer; je t'en prie, tiens-moi pour excusé." ²⁰Un autre lui dit: "J'ai pris femme et pour cette raison je ne puis venir." [21]De retour, le serviteur rapporta cela à son maître. Alors le maître de maison irrité dit à son serviteur: "Va vite par les places et les rues de la ville et amène ici les pauvres, les estropiés, les aveugles et les boiteux." [22]Le serviteur lui dit: "Maître, il a été fait comme tu l'as ordonné, et il y a encore de la place." [23]Le maître dit alors au serviteur: "Va par les chemins et le long des clôtures; force les gens à entrer afin que ma maison soit remplie, [24]car, je vous le dis, aucun de ceux qui étaient invités ne goûtera de mon festin." "

Loi du renoncement. Parabole du sel. -

[25]Comme des foules nombreuses faisaient route avec lui, Jésus se retourna et leur dit: [26]"Si quelqu'un vient à moi et ne déteste pas son père, sa mère, sa femme, ses enfants, ses frères, ses soeurs, et même sa propre vie, il ne peut être mon disciple. [27]Quiconque ne porte pas sa croix et ne marche pas à ma suite ne peut être mon disciple. [28]Qui d'entre vous, en effet, s'il veut bâtir une tour, ne s'assied d'abord pour calculer la dépense et voir s'il a de quoi l'achever? [29]De peur qu'ayant jeté les fondements et n'ayant pu achever tous ceux qui le verront ne se mettent à se moquer de lui, [30]en disant: "Cet homme a commencé à bâtir et il a été incapable d'achever." [31]Ou quel est le roi qui, partant faire la guerre à un autre roi, ne commence par s'asseoir pour examiner s'il peut avec dix mille hommes aller à la rencontre de celui qui s'avance contre

lui avec vingt mille? [32]S'il ne le peut, alors que l'autre est encore loin, il lui envoie une ambassade pour demander la paix. [33]Ainsi quiconque parmi vous ne renonce pas à tout ce qu'il possède ne peut être mon disciple. [34]Certes, le sel est bon, mais si le sel s'affadit, avec quoi lui rendra-t-on sa saveur? [35]Il n'est plus bon ni pour la terre ni pour le fumier; on le jettera dehors. Qui a des oreilles pour entendre, entende! "

15 Paraboles de miséricorde. La brebis perdue.

- [1]Cependant les publicains et les pécheurs s'approchaient tous de lui pour l'entendre. [2]Les pharisiens et les scribes murmuraient et disaient: "Cet homme accueille les pécheurs et mange avec eux! " [3]Alors il leur dit cette parabole.

[4]"Qui d'entre vous, s'il a cent brebis et vient à en perdre une, ne laisse les quatre-vingt-dix-neuf autres dans le désert pour s'en aller après celle qui est perdue, jusqu'à ce qu'il l'ait retrouvée? [5]Lorsqu'il l'a retrouvée, il la met sur ses épaules tout joyeux. [6]Revenu chez lui, il appelle ses amis et voisins et leur dit: "Réjouissez-vous avec moi, car j'ai retrouvé ma brebis, celle qui était perdue! " [7]Je vous le dis, c'est ainsi qu'il y aura plus de joie dans le ciel pour un seul pécheur qui se repent que pour quatre-vingt-dix-neuf justes qui n'ont pas besoin de repentir."

La drachme. - [8]"Ou bien, quelle est la femme qui, possédant dix drachmes, si elle en a perdu une, n'allume la lampe, ne balaye la maison, ne cherche avec soin jusqu'à ce qu'elle l'ait retrouvée? [9]Quand elle l'a retrouvée, elle appelle ses amies et voisines et leur dit: "Réjouissez-vous avec moi, parce que j'ai retrouvé la drachme que j'avais perdue! " [10]De même, je vous le dis, il y a de la joie parmi les anges de Dieu pour un seul pécheur qui se repent."

Les deux fils, ou l'enfant prodigue. -* [11]Il dit encore: "Un homme avait deux fils. [12]Le plus jeune dit à son père: "Mon père, donne-moi la part de biens qui doit me revenir." Et le père leur partagea son bien. [13]Peu de jours après, le plus jeune, ayant tout réalisé, partit pour un pays lointain et y dissipa tout son bien, vivant en prodigue. [14]Quand il eut tout dépensé, il survint une grande famine dans ce pays et il commença à sentir le besoin. [15]Il alla se mettre au service d'un des habitants du pays, qui l'envoya dans ses champs garder les porcs. [16]Il aurait bien voulu se remplir le ventre des caroubes que les porcs mangeaient, mais personne ne lui en donnait. [17]Rentrant alors en lui-même, il se dit: "Combien d'ouvriers de mon père ont du pain en abondance et moi ici je meurs de faim! [18] Je vais partir et aller vers mon père; je lui dirai: Père, j'ai péché contre le ciel et envers toi; [19]je ne suis pas digne d'être appelé ton fils, traite-moi comme l'un de tes ouvriers." [20]Il partit donc et s'en retourna

---

11-32. Parabole de l'enfant prodigue. On l'appellerait plus justement peut-être parabole des deux fils; l'épisode final du fils aîné, orgueilleux et jaloux, ne doit pas être laissé de côté; il vise les pharisiens dont l'hypocrisie s'offusque de la miséricorde du Christ pour les pécheurs.

vers son père. Il était encore loin que son père
l'aperçut, fut ému de pitié, courut se jeter à son
cou et le couvrit de baisers. [21] Le fils alors lui
dit: "Père, j'ai péché contre le ciel et envers toi;
je ne suis plus digne d'être appelé ton fils."
[22] Mais le père dit à ses serviteurs: "Vite, apportez la plus belle robe et l'en revêtez; mettez-lui
un anneau au doigt et des chaussures aux pieds.
[23] Amenez le veau gras, tuez-le, mangeons et faisons fête, [24] car mon fils que voici était mort et
il est revenu à la vie, il était perdu et il est retrouvé." Et ils se mirent à faire fête.

[25] "Son fils aîné était aux champs. A son retour, quand il approcha de la maison, il entendit
musique et danses. [26] Il appela un des serviteurs
et lui demanda ce que cela voulait dire. [27] "C'est
ton frère qui est revenu, lui dit-il, et ton père a
tué le veau gras parce qu'il l'a recouvré en bonne
santé." [28] Il se mit en colère et ne voulait pas entrer. Son père sortit pour l'en prier. [29] Mais il
répondit à son père: "Voilà tant d'années que je
suis à ton service et je n'ai jamais transgressé un
seul de tes ordres, et tu ne m'as jamais donné un
chevreau pour festoyer avec mes amis. [30] Mais
quand ton fils que voilà est revenu après avoir
dévoré ton bien avec des prostituées, tu as tué
pour lui le veau gras!" [31] Mais le père lui dit:
"Mon enfant, tu es toujours avec moi, et tout ce
qui est à moi est à toi: [32] mais il fallait faire fête,
et se réjouir, parce que ton frère que voilà était
mort et il est revenu à la vie: il était perdu et il
est retrouvé.""

16 * **L'usage des richesses. L'intendant avisé.** - [1] Il dit encore à ses disciples: "Il était un homme riche qui avait un intendant, et celui-ci fut dénoncé comme dilapidant ses biens. [2] L'ayant fait venir, il lui dit: "Qu'est-ce que j'entends dire de toi? Rends compte de ta gestion, car tu ne peux plus désormais être intendant." [3] Alors l'intendant se dit en lui-même: "Que vais-je faire puisque mon maître me retire l'intendance? Bêcher? je n'en ai pas la force; mendier? j'en aurais honte. [4] Je sais ce que je vais faire pour que, lorsque j'aurai été destitué de mon intendance, il y en ait qui m'accueillent chez eux." [5] Il convoqua l'un après l'autre les débiteurs de son maître et dit au premier: "Combien dois-tu à mon maître?" [6] Il répondit: "Cent barils d'huile." L'intendant lui dit: "Prends ton billet, assieds-toi et écris vite cinquante." [7] Il dit à un autre: "Et toi, combien dois-tu?" Il répondit: "Cent mesures de blé." Il dit: "Prends ton billet et écris quatre-vingts." [8] Et le maître loua cet intendant malhonnête de ce qu'il avait agi d'une manière avisée; car les enfants de ce monde sont plus avisés avec

16. – Enseignement très important sur l'usage des richesses, illustré par les deux paraboles de l'intendant infidèle et du mauvais riche. La leçon générale est que les riches ne doivent pas se considérer comme propriétaires, mais seulement comme intendants de leurs biens. Il ne s'agit pas, assurément, d'imiter la fourberie de l'intendant malhonnête, mais d'assurer comme lui l'avenir (en l'espèce l'avenir éternel) avec le bien d'autrui, c'est-à-dire avec les richesses matérielles, justement qualifiées au v 12 d'étrangères à l'homme, car dangereuses pour lui et incapables de combler ses voeux les plus intimes.

leurs semblables que les enfants de lumière. [9]Et moi je vous dis: Faites-vous des amis avec la malhonnête richesse, afin que, lorsqu'elle manquera,* ils vous reçoivent dans les tentes éternelles.

[10]"Celui qui est fidèle pour très peu de chose, est aussi fidèle pour beaucoup; et celui qui est malhonnête pour très peu de chose est malhonnête aussi pour beaucoup. [11]Si donc vous n'avez pas été fidèles pour la malhonnête richesse, qui vous confiera la véritable? [12]Et si vous n'avez pas été fidèles pour un bien étranger, qui vous donnera le vôtre? [13]Nul serviteur ne peut servir deux maîtres; ou il haïra l'un et aimera l'autre; ou il s'attachera à l'un et méprisera l'autre. Vous ne pouvez servir Dieu et la Richesse."

Reproches aux pharisiens. - [14]Les pharisiens, qui aimaient l'argent, entendaient tout cela et se moquaient de lui. [15]"Vous, leur dit-il, vous êtes ceux qui se font passer pour justes aux yeux des hommes, mais Dieu connaît vos coeurs; car ce qui est élevé pour les hommes est abomination aux yeux de Dieu.

[16]"La Loi et les Prophètes vont jusqu'à Jean; depuis, le Royaume de Dieu est annoncé, et chacun fait violence pour y entrer. [17]Il est plus facile que le ciel et la terre passent que ne tombe un seul trait de la Loi. [18]Quiconque répudie sa femme et en épouse une autre commet un adultère;

---

9. Autre leçon: lorsque vous disparaîtrez.
16-18 Sentences détachées sans lien avec le contexte.

quiconque épouse une femme répudiée par son mari commet un adultère.*

Le riche et le pauvre Lazare. -* [19]"Il y avait un homme riche qui était vêtu de pourpre et de lin fin et qui faisait chaque jour splendide chère, [20]alors qu'un pauvre, appelé Lazare, gisait près de sa porte, tout couvert d'ulcères. [21]Il aurait bien voulu se rassasier des miettes qui tombaient de la table du riche; les chiens mêmes venaient lécher ses ulcères. [22]Or le pauvre vint à mourir et fut emporté par les anges dans le sein d'Abraham. Le riche mourut aussi, et on l'enterra.* [23]Dans l'enfer, comme il était en proie aux tourments, il leva les yeux et vit de loin Abraham et Lazare dans son sein. [24]Alors il s'écria: "Père Abraham, aie pitié de moi et envoie Lazare tremper le bout de son doigt dans l'eau pour me rafraîchir la langue, car je suis torturé dans cette flamme." [25]Abraham lui répondit: "Mon enfant, souviens-toi que tu as reçu tes biens pendant ta vie, et Lazare pareillement ses maux; maintenant il est consolé, et toi, tu es à la torture. [26]De plus, entre vous et nous s'est creusé un grand abîme, de sorte que ceux qui voudraient passer d'ici vers vous ne le peuvent et on ne traverse pas non plus de là-bas vers nous." Le riche lui dit: [27]"Je t'en prie, Père, envoie Lazare dans la mai-

19-31. Le mauvais riche est puni parce qu'en ne secourant pas Lazare il regardait les richesses comme siennes, se comportant en propriétaire et non en intendant.

22. Et non pas: on l'enterra dans l'enfer, suivant la ponctuation défectueuse de la Vulgate.

son de mon père, ²⁸car j'ai cinq frères; qu'il leur
atteste ces choses, de peur qu'ils ne viennent aussi dans ce lieu de tourments." ²⁹Abraham lui répartit: "Ils ont Moïse et les Prophètes; qu'ils les
écoutent." ³⁰"Non, dit-il, père Abraham; mais si
quelqu'un de chez les morts va les trouver, ils se
repentiront." ³¹Mais Abraham lui dit: "S'ils n'é-
coutent pas Moïse et les Prophètes, quand même
quelqu'un ressusciterait d'entre les morts, ils ne
se laisseraient pas convaincre." "

17 Scandale. Correction fraternelle. Puissance de la foi. - ¹Puis Jésus dit à ses disciples:
"Il est impossible qu'il n'arrive pas de scandales;
mais malheur à celui par qui ils arrivent! ²Il vaudrait mieux pour lui qu'on lui mît au cou une
pierre à moudre et qu'il fût jeté à la mer que de
scandaliser un seul de ces petits. ³Prenez garde à
vous!

"Si ton frère vient à pécher, reprends-le; s'il se
repent, pardonne-lui. ⁴S'il pèche contre toi sept
fois le jour et que sept fois le jour il revienne à
toi en disant: "Je me repens", tu lui pardonne-
ras."

⁵Alors les apôtres dirent au Seigneur: "Aug-
mente en nous la foi!" ⁶Le Seigneur répondit:
"Si vous aviez de la foi gros comme un grain de
sénevé, vous diriez à ce mûrier: "Déracine-toi et
va te planter dans la mer", il vous obéirait."

Les serviteurs inutiles. - "⁷Qui d'entre vous,
ayant un serviteur, laboureur ou berger, lui dira à
son retour des champs: "Viens vite te mettre à

table? " ⁸Ne lui dira-t-il pas au contraire: "Pré-
pare-moi à dîner, ajuste ta ceinture et sers-moi
jusqu'à ce que j'aie mangé et bu; après cela tu
mangeras et boiras à ton tour." ⁹Saura-t-il gré à
ce serviteur d'avoir fait ce qui lui était ordonné?
¹⁰Vous de même, lorsque vous aurez fait tout ce
qui vous a été ordonné, dites: Nous sommes des
serviteurs inutiles;* nous avons fait ce que nous
devions faire."

**Troisième mention du voyage à Jérusalem. Les
dix lépreux.** - ¹¹Comme il faisait route vers Jérusalem et passait aux confins de la Samarie et de
la Galilée, ¹²à son entrée dans un village, dix lépreux vinrent à sa rencontre. ¹³Ils s'arrêtèrent à
distance et, élevant la voix, lui dirent: "Jésus,
Maître, aie pitié de nous." ¹⁴En les voyant, il
leur dit: "Allez vous montrer aux prêtres." En
chemin, ils furent guéris. ¹⁵L'un d'eux, voyant
qu'il était guéri, revint sur ses pas glorifiant Dieu
à haute voix, ¹⁶et se jeta aux pieds de Jésus le
visage contre terre en le remerciant. Or c'était un
Samaritain. ¹⁷Jésus dit alors: "Est-ce que les dix
n'ont pas été guéris? Où sont donc les neuf
autres? ¹⁸Ne s'est-il trouvé que cet étranger pour
revenir rendre gloire à Dieu? " ¹⁹"Relève-toi, lui
dit-il, ta foi t'a sauvé."

L'avènement du Fils de l'homme. - ²⁰Inter-
rogé par les pharisiens sur le moment où arrive-

17. – 10. Autre traduction: de simples serviteurs.
20-21. Le Royaume de Dieu ne s'établit pas d'une
manière soudaine qui dispenserait les hommes de tout

rait le Royaume de Dieu, il leur répondit: "Le Royaume de Dieu ne vient pas d'une manière qui frappe le regard.* ²¹On ne dira pas: "Le voici! " ou: "Le voilà! " car le Royaume de Dieu est déjà parmi vous."* ²²Puis il dit à ses disciples: "Un temps viendra où vous désirerez voir un seul des jours du Fils de l'homme,* et vous ne le verrez pas. ²³On vous dira: "Il est ici! " "Il est là! " N'y allez pas, n'y courez pas! ²⁴Car, comme un éclair jaillit d'un point du ciel et brille jusqu'à l'autre, ainsi en sera-t-il du Fils de l'homme en son jour. ²⁵Mais il faut auparavant qu'il souffre beaucoup et qu'il soit rejeté par cette génération.

²⁶"Comme il arriva au temps de Noé, ainsi en sera-t-il encore aux jours du Fils de l'homme. ²⁷On mangeait, on buvait, on prenait femme et mari, jusqu'au jour où Noé entra dans l'arche; et le déluge survenant les fit tous périr.* ²⁸Il en sera pareillement, comme aux jours de Lot: on mangeait, on buvait, on achetait, on vendait, on plantait, on bâtissait. ²⁹*Mais le jour où Lot sortit de Sodome, Dieu fit tomber du ciel une pluie de feu et de soufre et les fit tous périr. ³⁰Il en

effort; mais il progresse peu à peu parmi eux et dans leur coeur. Comparer *13*,18-21 les paraboles du grain de sénevé et du levain.

21. Autre traduction: au-dedans de vous.

22. Un des jours du Fils de l'homme, après sa manifestation glorieuse.

27. Discours sur l'avènement du Fils de l'homme, avec insistance sur l'insouciance des hommes qui se laisseront surprendre par sa venue.

29-32. Allusion à Gen *19*,24-26.

sera de même au jour où le Fils de l'homme doit
paraître.

"³¹En ce jour-là, que celui qui sera sur le toit
et aura ses affaires dans sa maison ne descende
pas les prendre; de même, que celui qui se trouvera aux champs ne retourne pas en arrière.
³²Souvenez-vous de la femme de Lot. ³³Celui
qui voudra conserver sa vie la perdra; et celui qui
la perdra la sauvera. ³⁴Je vous le dis, en cette
nuit-là, de deux hommes qui seront sur un même
lit, l'un sera pris et l'autre laissé; ³⁵de deux femmes qui seront à moudre ensemble, l'une sera prise, et l'autre laissée. (De deux hommes qui seront
dans un champ, l'un sera pris et l'autre laissé.)"
(³⁶*) ³⁷Ils lui dirent: "Où sera-ce, Seigneur?" Il
répondit: "Où sera le corps, là se rassembleront
aussi les vautours."

18 **Le juge inique.** - ¹Il leur dit encore une
parabole pour montrer qu'il faut toujours
prier et ne pas se décourager. "²Il y avait dans
une ville un juge qui ne craignait pas Dieu et ne
respectait pas les hommes. ³Il y avait dans cette
même ville une veuve qui venait le trouver en disant: "Rends-moi justice contre mon adversaire."
⁴Et pendant longtemps il n'y consentit pas. Puis
il se dit en lui-même: "Encore que je ne craigne
pas Dieu et que je ne respecte pas les hommes,
⁵néanmoins, parce que cette veuve m'importune,
je lui ferai justice, pour qu'elle ne vienne pas sans
cesse me casser la tête." " ⁶Et le Seigneur ajouta:

---

36. Ce verset est interpolé de Mat *24*,40.

"Ecoutez ce que dit le juge inique. [7] Et Dieu ne ferait pas justice à ses élus qui crient vers lui jour et nuit, tandis qu'il patiente à leur égard? * [8] Je vous le dis, il leur fera justice promptement. Mais lorsque le Fils de l'homme viendra, trouvera-t-il la foi sur la terre? "

Le pharisien et le publicain. - [9] Il dit encore, à l'adresse de certains qui étaient persuadés de leur propre justice et méprisaient les autres, la parabole que voici: [10] "Deux hommes montèrent au Temple pour prier: l'un était pharisien, et l'autre publicain. [11] Le pharisien, la tête haute, priait ainsi en lui-même: "Mon Dieu, je te rends grâces de ce que je ne suis pas comme le reste des hommes, voleurs, injustes et adultères, ni encore comme ce publicain. [12] Je jeûne deux fois la semaine; je donne la dîme de tous mes revenus." [13] Le publicain, au contraire, se tenant éloigné, n'osait pas même lever les yeux au ciel; mais il se frappait la poitrine, en disant: "Mon Dieu, aie pitié de moi qui suis un pécheur." [14] Je vous le déclare, celui-ci descendit chez lui justifié, et non pas l'autre; car quiconque s'élève sera abaissé, et quiconque s'abaisse sera élevé."

Jésus et les petits enfants. - [15] On lui présentait aussi de petits enfants afin qu'il les touchât; ce que voyant, les disciples les grondaient. [16] Mais Jésus les appela en disant: "Laissez venir à moi les petits enfants, ne les empêchez pas; à

18. – 7. Dieu patiente; il n'oublie pas pour autant ses élus.

leurs pareils appartient en effet le Royaume de Dieu. [17]Vraiment, je vous le dis, quiconque ne recevra pas le Royaume de Dieu en petit enfant n'y entrera pas."

Le jeune homme riche. Danger des richesses. - [18]Un chef lui ayant fait cette demande: "Bon Maître, que faut-il faire pour avoir en héritage la vie éternelle?" [19]Jésus lui répondit: "Pourquoi m'appelles-tu bon? Personne n'est bon que Dieu seul.* [20]Tu connais les commandements: *Ne commets pas d'adultère; ne tue pas; ne vole pas; ne porte pas de faux témoignage; honore ton père et ta mère."* [21] Il répondit: "Tout cela, je l'ai observé dès ma jeunesse." [22]Entendant cela, Jésus lui dit: "Il te manque encore une chose. Vends tout ce que tu as et distribue-le aux pauvres et tu auras un trésor dans les cieux; puis viens, suis-moi." [23]En entendant ces paroles, il devint tout triste, car il était fort riche. [24]Le voyant ainsi, Jésus dit: "Qu'il est difficile à ceux qui ont des richesses d'entrer dans le Royaume de Dieu! [25]Il est plus facile à un chameau de passer par le trou d'une aiguille qu'à un riche d'entrer dans le Royaume de Dieu." [26]Alors ceux qui l'écoutaient dirent: "Qui donc pourra être sauvé?" [27]Il leur répondit: "Ce qui est impossible aux hommes est possible à Dieu."

Récompense de ceux qui quittent tout pour

---

19. Cf. note Marc *10*,18.
20. Deut *5*,16-18.

Jésus. - [28] Alors Pierre dit: "Et nous, voici que nous avons laissé tous nos biens et nous t'avons suivi." Jésus leur dit: [29] "Vraiment, je vous le dis, personne n'aura laissé maison, femme, frères, parents, ou enfants, à cause du Royaume de Dieu, [30] qui ne reçoive beaucoup plus ici-bas, et dans le monde à venir la vie éternelle."

Troisième annonce de la Passion. - [31] Prenant avec lui les Douze, il leur dit: "Voici que nous montons à Jérusalem, et que s'accomplira tout ce qui a été écrit par les prophètes au sujet du Fils de l'homme. [32] Il sera livré aux païens, bafoué, insulté, couvert de crachats. [33] Après l'avoir flagellé, on le fera mourir, et le troisième jour il ressuscitera." [34] Mais ils ne comprirent rien à tout cela. Ces mots étaient pour eux une énigme; ils n'en saisissaient pas le sens.

L'aveugle de Jéricho. -* [35] Comme il approchait de Jéricho, un aveugle était assis au bord du chemin et demandait l'aumône. [36] Entendant passer la foule, il demanda ce que c'était. [37] On lui annonça que c'était Jésus de Nazareth qui passait. [38] Il se mit à crier: "Jésus, fils de David, aie pitié de moi! " [39] Ceux qui marchaient en avant le réprimandaient pour le faire taire; mais lui n'en criait que plus fort: "Fils de David, aie pitié de moi! " [40] Jésus s'arrêta et ordonna de le lui amener. Lorsqu'il se fut approché, il lui de-

---

35. Ce miracle est raconté avec des divergences dans Mat et Marc. Les évangélistes se contentent ici d'approximations, sans viser à la précision des menus détails.

manda: [41]"Que veux-tu que je te fasse? " Il répondit: "Seigneur, que j'y voie! " [42]Jésus lui dit: "Vois, ta foi t'a sauvé." [43]A l'instant il recouvra la vue, et il le suivait en glorifiant Dieu. Tout le peuple, voyant cela, se mit à louer Dieu.

19 **Zachée.** - [1]Entré dans Jéricho, il traversait la ville. [2]Voici qu'un homme nommé Zachée, chef de publicains et fort riche, [3]cherchait à voir qui était Jésus, mais il ne le pouvait pas à cause de la foule, car il était de petite taille. [4]C'est pourquoi il courut en avant et monta sur un sycomore pour le voir, car il devait passer par là. [5]Arrivé en cet endroit, Jésus leva les yeux et lui dit: "Zachée, descends vite! car il faut que je loge aujourd'hui chez toi." [6]Vite il descendit et le reçut tout joyeux. [7]Tous, voyant cela, murmuraient et disaient: "Il est allé loger chez un pécheur! " [8]Cependant Zachée, s'arrêtant,* dit au Seigneur: "Seigneur, je vais donner la moitié de mes biens aux pauvres: et si j'ai fait tort à quelqu'un, je lui rendrai le quadruple." [9]Jésus lui dit alors: "Cette maison a reçu aujourd'hui le salut, parce que celui-ci est aussi un fils d'Abraham; [10]car le Fils de l'homme est venu chercher et sauver ce qui était perdu."

Parabole des mines. -* [11]Comme ils écoutaient cela, il ajouta une parabole, parce qu'il

---

19. – 8. Littéralement: se tenant debout, avec décision.

11-27. Parabole des mines; c'est probablement la même que celle des talents dans Mat. Mais il semble que

était près de Jérusalem et qu'ils s'imaginaient que
le Royaume de Dieu allait apparaître à l'instant
même. [12] Il dit donc: "Un homme de haute naissance s'en alla dans un pays lointain pour y recevoir la dignité royale et revenir ensuite. [13] Appelant dix de ses serviteurs, il leur donna dix mines
d'argent et leur dit: Faites-les valoir jusqu'à mon
retour. [14] Mais ses concitoyens le haïssaient et
envoyèrent à sa suite une députation pour dire:
"Nous ne voulons pas qu'il règne sur nous."
[15] Quand il fut de retour après avoir reçu la
dignité royale, il fit appeler les serviteurs à qui il
avait donné l'argent, pour savoir ce que chacun
avait gagné. [16] Le premier se présenta et dit:
"Seigneur, ta mine en a rapporté dix." [17] Il dit:
"C'est bien, bon serviteur; puisque tu as été fidèle pour peu de chose, reçois le gouvernement de
dix villes." [18] Le second vint et dit: "Seigneur, ta
mine en a produit cinq." [19] A celui-là encore il
dit: "Toi aussi, sois à la tête de cinq villes."
[20] L'autre vint et dit: "Seigneur, voici ta mine
que j'ai gardée en dépôt dans un linge. [21] Je te
redoutais, car tu es un homme dur qui retires ce
que tu n'as pas mis en dépôt et moissonnes ce
que tu n'as pas semé." [22] Il lui dit: "Je te juge
sur tes propres paroles, mauvais serviteur. Tu savais que je suis un homme dur, retirant ce que je
n'ai pas mis en dépôt et moissonnant ce que je
n'ai pas semé: [23] pourquoi donc n'as-tu pas mis

Luc l'ait fondue avec une autre, celle du prétendant à la
royauté: 12-15; 17.19-27. La mine valait un peu moins
de cent francs or.

mon argent en banque, afin qu'à mon retour je le retire avec l'intérêt? " ²⁴ Et il dit à ceux qui étaient là: "Prenez-lui sa mine et donnez-la à celui qui en a dix." ²⁵ "Mais, Seigneur, répondirent-ils, il en a déjà dix! " ²⁶ "Je vous le dis, à celui qui a on donnera et à celui qui n'a pas, même ce qu'il a lui sera enlevé... ²⁷ Quant à mes ennemis, ceux qui ne voulaient pas que je règne sur eux, amenez-les ici et égorgez-les devant moi." "

QUATRIÈME PARTIE

MINISTÈRE DE JÉSUS À JÉRUSALEM

L'entrée triomphale. - ²⁸ Ayant parlé ainsi, il partit en tête, montant à Jérusalem. ²⁹ Quand il approcha de Bethphagé et de Béthanie, vers le mont dit des Oliviers, il envoya deux de ses disciples, ³⁰ en disant: "Allez au village en face; en y entrant vous trouverez un ânon attaché, sur lequel personne n'est jamais monté; détachez-le et amenez-le. ³¹ Si quelqu'un vous demande: "Pourquoi le détachez-vous? " vous répondrez: "Le Seigneur en a besoin." " ³² Ceux qu'il envoyait partirent et trouvèrent tout comme il le leur avait dit. ³³ Comme ils détachaient l'ânon, ses maîtres leur dirent: "Qu'avez-vous à détacher cet ânon? " ³⁴ Ils répondirent: "Le Seigneur en a besoin." ³⁵ Ils l'amenèrent à Jésus et, jetant leurs manteaux sur l'ânon, ils y firent monter Jésus. ³⁶ Tandis qu'il avançait, les gens étendaient leurs manteaux sur le chemin. ³⁷ Comme déjà il approchait de la descente du mont des Oliviers, toute la foule des disciples, transportée de joie, se mit à louer Dieu à grands cris, pour tous les miracles qu'ils avaient vus. [38] Ils disaient: *"Béni soit celui qui vient* comme roi *au nom du Seigneur!* Paix dans le ciel et gloire au plus haut des cieux!"* [39] Quelques pharisiens, qui étaient dans la foule, lui dirent: "Maître, réprimande tes disciples." [40] Il leur répondit: "Je vous le dis, si eux se taisent, les pierres crieront."

Jésus pleure sur la ville sainte. - [41] Quand il fut proche, voyant la ville, il pleura sur elle [42] et dit: "Ah! si en ce jour, tu avais compris, toi aussi, ce qui peut te donner la paix! Mais hélas! cela est caché à tes yeux. [43] Car des jours fondront sur toi, où tes ennemis t'environneront de tranchées, t'encercleront et te serreront de toutes parts; [44] ils t'écraseront sur le sol, toi et tes enfants qui sont au milieu de toi et ils ne laisseront pas chez toi pierre sur pierre, parce que tu n'as pas reconnu le temps où tu as été visitée."

Expulsion des vendeurs du Temple. - [45] Entré dans le Temple, il se mit à en chasser les vendeurs, [46] en leur disant: "Il est écrit: *Ma maison sera une maison de prière;* et vous en avez fait *une caverne de brigands."** [47] Or il enseignait tous les jours dans le Temple. Cependant les grands prêtres et les scribes cherchaient à le per-

38. Ps *118*,26.
46. Is *56*,7. Jer 7,11.

dre, ainsi que les premiers du peuple. [48]Mais ils ne savaient comment s'y prendre, car tout le peuple était, en l'écoutant, suspendu à ses lèvres.

20 La mission de Jésus et le baptême de Jean.

- [1]Un jour que, dans le Temple, il instruisait le peuple et annonçait la Bonne Nouvelle, les grands prêtres et les scribes, étant survenus avec les anciens, [2]lui parlèrent en ces termes: "Dis-nous de quel droit tu fais cela, ou qui est celui qui t'a donné ce pouvoir?" [3]Il leur répondit: "Je vous poserai, moi aussi, une question: [4]Dites-moi: le baptême de Jean venait-il du ciel ou des hommes?" [5]Mais ils raisonnèrent ainsi en eux-mêmes: "Si nous répondons: "Du ciel"; il nous dira: "Pourquoi n'avez-vous pas cru en lui?" [6]Et si nous répondons: "Des hommes", le peuple tout entier va nous lapider, car il est persuadé que Jean est un prophète." [7]Ils lui répondirent donc qu'ils n'en connaissaient pas l'origine. [8]Et Jésus leur répliqua: "Je ne vous dis pas non plus de quel droit je fais cela."

Allégorie des vignerons homicides. La pierre angulaire. - [9]Alors il se mit à dire au peuple cette parabole. "Un homme planta une vigne, la loua à des vignerons et partit en voyage pour longtemps. [10]La saison venue, il envoya un serviteur aux vignerons, pour se faire remettre sa part du fruit de la vigne. Mais les vignerons le renvoyèrent les mains vides, après l'avoir battu. [11]Il recommença et envoya un autre serviteur; ils le battirent aussi, l'outragèrent et le renvoyèrent les mains vides.

¹² Il recommença et en envoya un troisième; celui-là aussi, ils le blessèrent et le chassèrent. ¹³ Le maître de la vigne se dit alors: "Que vais-je faire? Je vais leur envoyer mon fils bien-aimé: peut-être auront-ils égard à lui." ¹⁴ A sa vue, les vignerons se firent les uns aux autres ce raisonnement: "C'est l'héritier; tuons-le, pour que l'héritage soit à nous." ¹⁵ Ils le jetèrent hors de la vigne et le tuèrent. Que leur fera donc le maître de la vigne? ¹⁶ Il viendra, fera périr ces vignerons, et donnera la vigne à d'autres." En entendant cela, ils dirent: "A Dieu ne plaise! " ¹⁷ Mais, fixant sur eux son regard, il leur dit: "Que signifie donc ce qui est écrit: *La pierre qu'avaient rejetée les bâtisseurs, c'est elle qui est devenue pierre d'angle*? * ¹⁸ Quiconque tombera sur cette pierre s'y fracassera; et celui sur qui elle tombera, elle l'écrasera." ¹⁹ Les scribes et les grands prêtres cherchaient à mettre la main sur lui, mais ils eurent peur du peuple. Ils avaient compris, en effet, que c'était pour eux qu'il avait dit cette parabole.

Le tribut à César. - ²⁰ Se mettant aux aguets, ils lui envoyèrent des espions qui jouaient les justes, afin de le prendre en défaut dans ses paroles et de le livrer au pouvoir et à l'autorité du gouverneur. ²¹ Ils lui posèrent donc cette question: "Maître, nous savons que tu parles et enseignes avec droiture, que tu ne fais pas acception de personne, mais que tu enseignes la voie de Dieu

---

20. – 17. Ps. *118*,22.

selon la vérité; [22] nous est-il permis ou non de
payer le tribut à César? " [23] Mais, pénétrant leur
fourberie, il leur dit: "[24] Montrez-moi un denier.
De qui porte-t-il l'effigie et l'inscription? " Ils
répondirent: "De César." [25] Alors il leur dit:
"Rendez donc à César ce qui est à César, et à
Dieu ce qui est à Dieu." [26] Ils furent incapables
de prendre sa parole en défaut devant le peuple
et, étonnés de sa réponse, ils se turent.

La femme aux sept maris et la résurrection. -
[27] Quelques sadducéens – ceux qui prétendent,
en contradiction avec les autres, qu'il n'y a pas
de résurrection – s'approchèrent et l'interrogèrent en ces termes: [28] "Maître, lui dirent-ils,
Moïse nous a fait cette prescription: *Si quelqu'un
a un frère marié qui meurt sans laisser d'enfants,
qu'il épouse la veuve et suscite une postérité à
son frère.* * [29] Or, il y avait sept frères; le premier, ayant pris femme, mourut sans enfant; [30] le
second [31] et le troisième la prirent, puis les sept
moururent pareillement sans laisser d'enfants;
[32] finalement la femme mourut aussi. [33] A la résurrection, duquel d'entre eux sera-t-elle la femme? Car les sept l'auront eue pour femme."
[34] Jésus leur répondit: "Les enfants de ce monde
prennent femme et mari; [35] mais ceux qui seront
jugés dignes d'avoir part au monde à venir et à la
résurrection des morts ne prennent ni femme ni
mari. [36] Aussi bien ils ne peuvent plus mourir,
car ils sont semblables aux anges et ils sont fils

---

28. Deut 25,5.

de Dieu, étant fils de la résurrection. [37] Que les morts ressuscitent, Moïse l'indique au passage du Buisson, où il appelle le Seigneur *le Dieu d'Abraham, le Dieu d'Isaac et le Dieu de Jacob*.* [38] Or Dieu n'est pas Dieu de morts, mais Dieu de vivants: car pour lui tous sont vivants." [39] Alors quelques scribes, prenant la parole, lui dirent: "Maître, tu as bien parlé." [40] Et ils n'osaient plus lui poser aucune question.

Le Christ fils et Seigneur de David. - [41] Il leur dit encore: Comment peut-on dire que le Christ est fils de David? [42] Car David lui-même dit au livre des Psaumes: *Le Seigneur a dit à mon Seigneur: Assieds-toi à ma droite,* [43] *jusqu'à ce que j'aie fait de tes ennemis l'escabeau de tes pieds.** [44] David donc l'appelle Seigneur; comment peut-il être son fils? "

Jugement sur les scribes. - [45] Comme tout le peuple l'écoutait, il dit aux disciples: [46] "Méfiez-vous des scribes qui aiment à se promener en longues robes, à être salués sur les places publiques, à occuper les premiers sièges dans les synagogues et les premières places dans les festins; [47] qui dévorent les maisons des veuves et affectent de prier longuement. Ces gens-là subiront une condamnation plus rigoureuse."

21 **L'obole de la veuve.** - [1] Jésus, levant les yeux, vit des riches qui mettaient leurs of-

---

37. Ex *3*,6. Cf. note Mat *22*,32.
42-43. Ps *110*,1.

frandes dans le Trésor. [2] Il vit aussi une veuve misérable qui y mettait deux petites pièces. [3] Alors il dit: "Vraiment, je vous le dis, cette pauvre veuve a mis plus que tous. [4] Tous ceux-là ont donné de leur superflu en offrande à Dieu, mais celle-ci a pris sur son indigence tout ce qu'elle avait pour vivre."

Discours eschatologique. -* [5] Comme certains disaient que le Temple était orné de belles pierres et d'offrandes votives, [6] il dit: "Des jours viendront où de tout ce que vous contemplez il ne sera pas laissé pierre sur pierre qui ne soit renversée." [7] Alors ils lui demandèrent: "Maître, quand cela arrivera-t-il? Et quel sera le signe que cela va arriver?" [8] Il répondit: "Prenez garde de ne pas vous laisser égarer. Car beaucoup viendront en mon Nom qui diront: "C'est moi!" et: "Le temps est tout proche." Ne les suivez pas. [9] Quand vous entendrez parler de guerres et de bouleversements, ne vous effrayez pas, car il faut que cela arrive d'abord, mais la fin ne viendra pas si tôt." [10] Puis il leur dit: "On se soulèvera peuple contre peuple et royaume contre royaume. [11] Il y aura de grands tremblements de terre et en divers lieux des pestes et des famines; il y aura des prodiges effrayants et de grands signes venant du ciel.

[12] "Mais avant tout cela, on mettra la main

---

21. 5-36. Luc a déjà parlé de l'avènement du Fils de l'homme: *17*,20-36. Ici il est spécialement question de la ruine de Jérusalem.

sur vous, on vous persécutera, on vous traînera dans les synagogues et dans les prisons, on vous traduira devant rois et gouverneurs à cause de mon Nom; [13] cela vous donnera occasion de rendre témoignage. [14] Gravez bien dans vos coeurs que vous n'avez pas à préparer votre défense. [15] Car je vous donnerai moi-même un langage et une sagesse telle qu'aucun de vos adversaires ne pourra résister ni contredire. [16] Vous serez livrés même par vos parents, vos frères, vos proches, vos amis; on fera mourir plusieurs d'entre vous, [17] et vous serez haïs de tous à cause de mon Nom. [18] Mais pas un cheveu de votre tête ne périra. [19] Par votre constance vous sauverez vos vies.

[20] "Mais quand vous verrez Jérusalem encerclée par les armées, sachez que sa dévastation est proche. [21] Alors, que ceux qui seront en Judée s'enfuient dans les montagnes; que ceux qui seront à l'intérieur de la ville s'en éloignent, et que ceux qui seront dans la campagne n'y rentrent pas. [22] Car ce seront des jours de châtiment où tout ce qui est écrit devra s'accomplir. [23] Malheur à celles qui seront enceintes et à celles qui allaiteront en ces jours-là! Car il y aura grande détresse dans le pays et colère contre ce peuple. [24] Ils seront passés au fil de l'épée et emmenés captifs dans toutes les nations; Jérusalem sera foulée aux pieds par les païens, jusqu'à ce que les temps des païens soient révolus.*

___

24. Les temps des païens: période d'une longueur indéterminée qui s'écoulera entre la ruine de Jérusalem et

²⁵ "Il y aura des signes dans le soleil, la lune et les étoiles; sur la terre les nations seront dans l'angoisse au bruit de la mer et des flots. ²⁶ Les hommes mourront de frayeur dans l'attente de ce qui doit arriver au monde, car les puissances des cieux seront ébranlées. ²⁷ Alors on verra le Fils de l'homme venant dans une nuée avec grande puissance et gloire. ²⁸ Quand ces choses commenceront à arriver, redressez-vous et relevez la tête, car votre rédemption est proche."

²⁹ Puis il leur dit une parabole. "Voyez le figuier et les autres arbres. ³⁰ Dès qu'ils bourgeonnent, vous comprenez, en les regardant, que désormais l'été est proche. ³¹ De même, quand vous verrez arriver ces choses, comprenez que le Royaume de Dieu est proche. ³² Vraiment, je vous le dis, cette génération ne passera pas que tout ne soit arrivé! ³³ Le ciel et la terre passeront, mais mes paroles ne passeront pas.

"³⁴ Prenez garde à vous-mêmes, de peur que vos coeurs ne s'appesantissent dans la débauche, l'ivrognerie et les soucis de la vie, ³⁵ et que ce jour-là ne fonde sur vous à l'improviste comme un filet, car il s'abattra sur tous ceux qui habitent la surface de la terre entière. ³⁶ Veillez donc et priez en tout temps pour avoir la force d'échapper à tout ce qui doit arriver et de paraître avec assurance devant le Fils de l'homme."

³⁷ Or, le jour, il était dans le Temple à enseigner, et il allait passer les nuits en plein air sur le

la conversion d'Israël annoncée par Paul; Rom *11*,11-32.

mont dit des Oliviers. [38]Tout le peuple, de grand
matin, venait à lui dans le Temple pour l'écouter.

CINQUIÈME PARTIE

LA PASSION

22 **Complot des Juifs et trahison de Judas.** -
[1]La fête des Azymes, appelée la Pâque,
approchait. [2]Les grands prêtres et les scribes
cherchaient comment faire disparaître Jésus, car
ils craignaient le peuple. [3]Or Satan entra en
Judas, surnommé Iscariote, qui était du nombre
des Douze. [4]Celui-ci alla s'entretenir avec les
grands prêtres et les commandants du Temple du
moyen de le leur livrer. [5]Ils se réjouirent et con-
vinrent de lui donner de l'argent. [6]Il acquiesça et
il cherchait une occasion favorable pour le leur
livrer à l'insu de la foule.

Le repas pascal. Institution de l'Eucharistie. -
[7]Arriva le jour des Azymes, où l'on devait immo-
ler la Pâque. [8]Alors Jésus envoya Pierre et Jean,
en leur disant: "Allez nous préparer la pâque,
que nous la mangions." [9]Ils lui dirent: "Où
veux-tu que nous la préparions? " [10]Il leur répondit: "Voici: en entrant dans la ville, vous rencontrerez un homme portant une cruche d'eau;
suivez-le dans la maison où il entrera. [11]Vous
direz au propriétaire de la maison: "Le Maître te
fait dire: Où est la salle où je pourrai manger la
pâque avec mes disciples? " [12]Il vous montrera à
l'étage une salle grande et meublée; faites-y les

préparatifs." ¹³Ils partirent et trouvèrent tout comme il leur avait dit, et ils préparèrent la pâque.

¹⁴L'heure venue, il se mit à table et les apôtres avec lui, et il leur dit: ¹⁵"J'ai ardemment désiré manger cette pâque avec vous avant de souffrir. ¹⁶Oui, je vous le dis, je ne la mangerai plus jusqu'à ce qu'elle soit accomplie dans le Royaume de Dieu."* ¹⁷Puis, ayant reçu la coupe, il rendit grâces et dit: "Prenez-la et partagez entre vous. ¹⁸Car, je vous le dis, je ne boirai plus désormais du fruit de la vigne jusqu'à ce que le Royaume de Dieu soit venu." ¹⁹Puis prenant du pain, il rendit grâces, le rompit et le leur donna, en disant: *CECI EST MON CORPS, DONNÉ POUR VOUS: FAITES CECI EN MÉMOIRE DE MOI.* ²⁰Il fit de même pour la coupe après le repas, en disant: *CETTE COUPE EST LA NOUVELLE ALLIANCE EN MON SANG, VERSÉ POUR VOUS.**

Annonce de la trahison. - ²¹"Cependant voici que la main de celui qui me livre est avec moi à cette table. ²²Le Fils de l'homme, lui, s'en va, selon ce qui a été fixé; mais malheur à l'homme

22. – 16. Dans le Royaume glorieux de Dieu, ce sera la Pâque parfaite, dont l'Eucharistie est la réalisation initiale.

19-20. Le récit de l'institution eucharistique est étroitement apparenté à celui de Paul: 1 Cor *11*,23-25. La première coupe fait partie du rite de la pâque juive; la seconde est celle de l'Eucharistie, pâque nouvelle et définitive.

par qui il est livré! " ²³Ils se mirent à se demander les uns aux autres quel pouvait être celui
d'entre eux qui allait faire cela.

Discussion sur les préséances. - ²⁴Il s'éleva
aussi entre eux une discussion: lequel parmi eux
devait être estimé le plus grand? * ²⁵Jésus leur
dit: "Les rois des païens leur font peser leur domination, et ceux qui exercent sur eux le pouvoir
se font appeler bienfaiteurs. ²⁶Qu'il n'en soit pas
ainsi pour vous; mais qu'au contraire le plus âgé
parmi vous se conduise comme le plus jeune, et
celui qui commande comme celui qui sert. ²⁷Le-
quel est, en effet, le plus grand, celui qui est à
table ou celui qui sert? N'est-ce pas celui qui est
à table? Or moi, je suis au milieu de vous comme celui qui sert."

Récompense promise aux apôtres. - ²⁸"Et
vous, vous êtes constamment demeurés avec moi
dans mes épreuves. ²⁹C'est pourquoi je dispose
pour vous du Royaume, comme mon Père en a
disposé pour moi, ³⁰afin que vous mangiez et
buviez à ma table dans mon Royaume et que
vous soyez assis sur des trônes pour juger les
douze tribus d'Israël."*

Promesse faite à Pierre. Annonce de son renie-

---

24. Cette discussion a évidemment précédé le repas.
Luc ne suit pas l'ordre chronologique. L'ordre véritable
semble avoir été: discussion sur les préséances: 24-30;
annonce de la trahison: 21-23; institution de l'Eucharistie: 14-20; annonce du reniement: 31-34.
30. Comparer Mat *19*,28.

ment. **Épreuves des apôtres.** - [31] "Simon, Simon, voici que Satan vous a réclamés pour vous cribler, comme le froment. [32] Mais j'ai prié pour toi afin que ta foi ne défaille pas. Quand tu te seras ressaisi, affermis tes frères."* [33] Pierre lui répondit: "Seigneur, je suis prêt à aller avec toi et en prison et à la mort." [34] Jésus lui dit: "Je te le dis, Pierre, le coq ne chantera pas aujourd'hui que trois fois tu n'aies nié me connaître." [35] Il leur dit ensuite: "Quand je vous ai envoyés sans bourse, ni sac, ni chaussures, avez-vous manqué de quelque chose?" [36] "De rien", répondirent-ils. Jésus ajouta: "Mais maintenant, que celui qui a une bourse la prenne et de même pour le sac, et que celui qui n'en a pas vende son manteau et achète une épée. [37] Oui, je vous le déclare, il faut que cette parole de l'Écriture s'accomplisse en moi: *Il a été mis au rang des scélérats.** En effet, ce qui me concerne touche à sa fin." [38] Ils lui répondirent: "Seigneur, il y a ici deux épées." "C'est assez," répondit-il.

L'agonie et la sueur de sang. - [39] Il sortit et alla comme de coutume au mont des Oliviers, et ses disciples le suivirent. [40] Arrivé en ce lieu, il leur dit: "Priez, pour ne pas entrer en tentation." [41] Il s'éloigna d'eux à la distance d'un jet de pierre et, s'étant mis à genoux, il priait en disant: [42] "Mon Père, si tu veux, éloigne de moi ce cali-

---

32. Cette parole est une de celles que la tradition catholique invoque à bon droit en faveur de l'infaillibilité de Pierre et de ses successeurs.

37. Is *53*,12.

ce; cependant que ce ne soit pas ma volonté qui se fasse, mais la tienne." [43] Alors lui apparut un ange du ciel qui le réconfortait. [44] Puis, entré en agonie, il priait avec plus d'insistance. Sa sueur devint comme de grosses gouttes de sang qui découlaient à terre.* [45] S'étant relevé de sa prière, il vint à ses disciples et les trouva endormis de tristesse. [46] "Comment, leur dit-il, vous dormez? Levez-vous et priez, afin de ne pas entrer en tentation."

Trahison et arrestation de Jésus. - [47] Comme il parlait encore, voici une foule; le nommé Judas, l'un des Douze, marchait à leur tête. Il s'approcha de Jésus pour l'embrasser. [48] Jésus lui dit: "Judas! c'est par un baiser que tu livres le Fils de l'homme!" [49] Ceux qui l'entouraient, voyant ce qui allait arriver, lui dirent: "Seigneur, faut-il frapper de l'épée?" [50] L'un d'eux frappa le serviteur du grand prêtre et lui coupa l'oreille droite. [51] Mais Jésus, prenant la parole, dit: "Laissez, cela suffit." Et lui touchant l'oreille, il le guérit.

[52] Puis Jésus dit à ceux qui s'étaient portés contre lui, grands prêtres, commandants du Temple et anciens: "Comme pour un brigand, vous vous êtes mis en campagne avec des épées et des bâtons. [53] Alors que tous les jours j'étais avec vous dans le Temple, vous n'avez pas mis la main sur moi; mais c'est maintenant votre heure et la puissance des ténèbres."

43-44. Ces versets, bien que manquant dans plusieurs manuscrits, sont d'une authenticité certaine.

Reniement et repentir de Pierre. - [54]Ayant donc saisi Jésus, ils l'emmenèrent et le conduisirent à la maison du grand prêtre. Pierre suivait de loin. [55]Comme ils avaient allumé du feu au milieu de la cour et faisaient cercle autour, Pierre s'assit au milieu d'eux. [56]Une servante, le voyant assis près de la flamme, le considéra attentivement et dit: "Celui-ci aussi était avec lui!" [57]Mais il le nia, disant: "Femme, je ne le connais pas." [58]Peu après, un autre, l'ayant vu, lui dit: "Toi aussi, tu en es!" Pierre dit: "Homme, je n'en suis pas." [59]Environ une heure après, un autre affirma avec insistance: "Pour sûr, cet homme-là était aussi avec lui; d'ailleurs il est Galiléen!" [60]Pierre répondit: "Homme, je ne sais ce que tu dis." Au même instant, comme il parlait encore, un coq chanta. [61]Le Seigneur, se retournant, arrêta son regard sur Pierre. Alors Pierre se souvint de la parole que le Seigneur lui avait dite: "Aujourd'hui, avant que le coq ne chante, tu me renieras trois fois." [62]Puis il sortit et pleura amèrement.

Jésus devant Caïphe. - [63]Cependant ceux qui gardaient Jésus se moquaient de lui et le frappaient. [64]Lui ayant voilé le visage, ils lui demandaient: "Prophétise! Qui t'a frappé?" [65]Et ils proféraient contre lui beaucoup d'autres injures.

[66]Lorsqu'il fit jour, les anciens du peuple,

66. Luc ne mentionne que la séance matinale du Sanhédrin au Temple et y reporte tout l'interrogatoire. Cf. note Mat *26*,63 et *27*,1.

grands prêtres et scribes se réunirent* et, l'ayant amené devant leur tribunal, [67] ils lui dirent: "Si tu es le Christ, dis-le-nous." Il leur répondit: "Si je vous le dis, vous ne le croirez pas; [68] et si je vous interroge, vous ne me répondrez pas (et ne me laisserez pas aller). [69] Mais désormais le *Fils de l'homme sera assis à la droite de la puissance de Dieu.** [70] Ils lui dirent tous: "Tu es donc le Fils de Dieu?" Il leur répondit: "Vous le dites; je le suis." [71] "Qu'avons-nous encore besoin de témoignage? dirent-ils. Nous-mêmes, en effet, l'avons entendu de sa bouche."

23 **Jésus devant Pilate.** - [1] Toute l'assemblée se leva et ils le conduisirent devant Pilate. [2] Ils se mirent alors à l'accuser, en disant: "Nous avons trouvé cet homme poussant notre nation à la révolte, empêchant de payer les impôts à César et se prétendant Christ-Roi." [3] Pilate l'interrogea en ces termes: "Es-tu le Roi des Juifs?" Jésus lui répondit: "C'est toi qui le dis." [4] Alors Pilate dit aux grands prêtres et aux foules: "Je ne trouve rien de coupable en cet homme." [5] Mais eux insistaient, disant: "Il soulève le peuple, enseignant par toute la Judée, depuis la Galilée, où il a commencé, jusqu'ici." [6] A ces mots Pilate demanda s'il était Galiléen; [7] et, ayant appris qu'il était de la juridiction d'Hérode, il le renvoya à Hérode qui, en ces jours-là, se trouvait à Jérusalem lui aussi.

Jésus devant Hérode. - [8] Hérode, à la vue de

69. Ps *110*,1.

Jésus, se réjouit fort, car depuis longtemps il désirait le voir à cause de ce qu'il avait entendu dire de lui: il espérait lui voir faire quelque miracle. [9] Il l'interrogea avec force paroles, mais Jésus ne lui répondit rien. [10] Cependant les grands prêtres et les scribes étaient là, qui l'accusaient avec acharnement. [11] Hérode avec ses courtisans le traita avec mépris et se moqua de lui; il le revêtit d'une robe magnifique et le renvoya à Pilate. [12] Ce même jour, Hérode et Pilate devinrent amis, d'ennemis qu'ils étaient auparavant.

Nouvelle comparution devant Pilate et condamnation. - [13] Pilate, ayant convoqué les grands prêtres, les chefs et le peuple, [14] leur dit: "Vous m'avez présenté cet homme comme poussant le peuple à la révolte; or, en l'interrogeant devant vous, je ne l'ai trouvé coupable d'aucun des crimes dont vous l'accusez. [15] Hérode non plus, puisqu'il l'a renvoyé devant nous. Vous le voyez, cet homme n'a rien fait qui mérite la mort. [16] Je vais donc le relâcher, après l'avoir fait châtier." [17] (Or il était obligé, à la fête, de leur relâcher un prisonnier). [18] Mais ils se mirent à crier tous ensemble: "A mort celui-ci! et relâche-nous Barabbas." [19] Ce dernier avait été mis en prison à cause d'une sédition survenue dans la ville, et d'un meurtre. [20] Pilate leur adressa à nouveau la parole, voulant relâcher Jésus. [21] Mais ils criaient: "Crucifie-le, crucifie-le!" [22] Il leur dit pour la troisième fois: "Mais quel mal a-t-il donc fait? Je n'ai rien trouvé en lui qui mérite la mort. Je le relâcherai donc après l'avoir châtié." [23]Mais ils insistaient avec de grands cris, demandant qu'il fût crucifié, et leurs clameurs redoublaient. [24]Alors Pilate prononça qu'il fût fait comme ils demandaient. [25]Il leur relâcha celui qui avait été mis en prison pour sédition et meurtre, celui qu'ils réclamaient, et livra Jésus à leur volonté.

Le portement de croix. - [26]Comme ils l'emmenaient, ils mirent la main sur un certain Simon de Cyrène qui revenait des champs, et ils le chargèrent de la croix pour la porter derrière Jésus. [27]Il était suivi d'une grande multitude de peuple et de femmes qui se frappaient la poitrine et se lamentaient sur lui. [28]Mais Jésus, se retournant vers elles, leur dit: "Filles de Jérusalem, ne pleurez pas sur moi; pleurez plutôt sur vous-mêmes et sur vos enfants; [29]car voici venir des jours où l'on dira: Heureuses les stériles, les entrailles qui n'ont pas enfanté et les seins qui n'ont pas nourri! [30]Alors on se mettra à *dire aux montagnes: Tombez sur nous, et aux collines: Couvrez-nous.* * [31]Car si l'on traite ainsi le bois vert, qu'arrivera-t-il au bois sec? "

[32]On conduisait encore deux malfaiteurs pour être exécutés avec lui.

Le crucifiement. - [33]Arrivés au lieu appelé Calvaire, ils l'y crucifièrent, ainsi que les malfaiteurs, l'un à droite, l'autre à gauche. Jésus [34]disait: "Père, pardonne-leur: ils ne savent ce qu'ils

---

23. – 30. Citation d'Os *10*,8.
34-35. Allusion au Ps *22*,19.8.

font." Puis, se partageant ses vêtements, ils les tirèrent au sort. [35] Le peuple restait là à regarder. Les chefs se moquaient de lui, en disant: "Il en a sauvé d'autres, qu'il se sauve lui-même, s'il est le Christ de Dieu, l'élu!"* [36] Les soldats aussi se moquaient de lui; s'approchant pour lui présenter du vinaigre, [37] ils disaient: "Si tu es le Roi des Juifs, sauve-toi toi-même!" [38] Il y avait aussi une inscription au-dessus de lui en grec, en latin, e' en hébreu: *CELUI-CI EST LE ROI DES JUIFS*

Le bon larron. – [39] L'un des malfaiteurs cruci fiés l'insultait, en disant: "Si tu es le Christ, sau ve-toi toi-même, et nous aussi." [40] Mais l'autre prenant la parole, le réprimanda en disant: "Tu n'as même pas la crainte de Dieu, toi qui subis la même peine. [41] Pour nous c'est justice, car nous recevons le juste châtiment de ce que nous avons fait; mais lui, il n'a rien fait de mal." [42] Et il di- sait: "Jésus, souviens-toi de moi lorsque tu vien- dras dans ton Royaume." [43] Jésus lui répondit: "Vraiment, je te le dis, aujourd'hui même tu se- ras avec moi dans le paradis."*

Mort de Jésus. – [44] C'était environ la sixième heure, quand l'obscurité se fit sur toute la terre jusqu'à la neuvième heure, le soleil s'étant éclip- sé; [45] le voile du Temple se déchira par le milieu. [46] Alors Jésus dit avec un grand cri: "*Père, je*

43. Le paradis: non pas sans doute le ciel qui n'est ouvert aux hommes que par l'ascension du Christ, mais le séjour des âmes justes après la mort.

46. Citation du Ps *31*,6.

*remets mon esprit entre tes mains."** En disant ces mots, il expira.

[47] Le centurion, voyant ce qui s'était passé, glorifiait Dieu en disant: "Vraiment, cet homme était un juste! " [48] Toutes les foules qui avaient contemplé ce spectacle, voyant ce qui s'était passé, s'en retournaient en se frappant la poitrine. [49] Tous ses amis se tenaient à distance, ainsi que les femmes qui l'avaient suivi depuis la Galilée et qui regardaient cela.

Sépulture de Jésus. - [50] Survint un membre du Conseil, nommé Joseph, homme bon et juste, [51] qui n'avait pas donné son assentiment au dessein et aux actes des autres. Il était d'Arimathie, ville de Judée, et attendait le Royaume de Dieu. [52] Il alla trouver Pilate et lui demanda le corps de Jésus. [53] Il le descendit de la croix, l'enveloppa d'un linceul et le mit dans un tombeau taillé dans le roc, où personne n'avait encore été mis. [54] C'était le jour de la Préparation et déjà brillait le sabbat.* [55] Les femmes qui étaient venues de Galilée avec Jésus, ayant suivi Joseph, observèrent le tombeau et comment le corps de Jésus avait été placé. [56] S'en étant retournées, elles préparèrent des aromates et des parfums. Mais, le jour du sabbat, elles se tinrent en repos, selon le précepte.

---

54. Peut-être allusion aux lampes qu'on allumait en l'honneur du sabbat; on sait que, dans la manière de compter des Juifs, le sabbat commençait le vendredi au coucher du soleil.

ÉPILOGUE
LA RÉSURRECTION ET
L'ASCENSION

24 **Le tombeau vide et le message de l'ange. Attitude des apôtres.** - [1]Le premier jour de la semaine, à la pointe de l'aube, elles vinrent au tombeau, apportant les aromates qu'elles avaient préparés. [2]Elles trouvèrent la pierre roulée de devant le tombeau. [3]Mais, étant entrées, elles ne trouvèrent pas le corps du Seigneur Jésus. [4]Tandis qu'elles se demandaient qu'en penser, voici que deux hommes leur apparurent en habits éblouissants. [5]Et comme, saisies de peur, elles tenaient le visage incliné vers la terre, ils leur dirent: "Pourquoi cherchez-vous le Vivant parmi les morts? [6]Il n'est pas ici; il est ressuscité. Souvenez-vous comment il vous a parlé, lorsqu'il était encore en Galilée et qu'il disait: [7]Il faut que le Fils de l'homme soit livré aux mains des pécheurs, qu'il soit crucifié et qu'il ressuscite le troisième jour." [8]Alors elles se rappelèrent ses paroles.

[9]Revenues du tombeau, elles racontèrent tout aux Onze et à tous les autres. [10]C'étaient Marie de Magdala, Jeanne et Marie mère de Jacques. Les autres femmes, leurs compagnes, le dirent aussi aux apôtres. [11]Mais ces paroles leur parurent du radotage; ils ne les crurent pas. [12]Cependant Pierre partit et courut au tombeau. S'étant baissé, il ne vit que des bandelettes. Puis il s'en

retourna chez lui tout étonné de ce qui était arrivé.

Les disciples d'Emmaüs. - [13]Ce même jour, deux d'entre eux s'en allaient dans un village nommé Emmaüs, à cent soixante stades de Jérusalem.* [14]Ils s'entretenaient ensemble de tout ce qui était arrivé. [15]Comme ils conversaient et discutaient, Jésus lui-même s'approcha et se mit à faire route avec eux. [16]Mais leurs yeux étaient empêchés de le reconnaître. [17]Il leur dit: "De quoi vous entretenez-vous en marchant? " Ils s'arrêtèrent tout tristes. [18]L'un d'eux, appelé Cléophas, prenant la parole, lui répondit: "Tu es bien le seul, séjournant à Jérusalem, à ne pas savoir ce qui s'est passé ces jours-ci." [19]"Et quoi? " leur dit-il. Ils lui répondirent: "Ce qui concerne Jésus de Nazareth, qui a été un prophète puissant en oeuvres et en paroles devant Dieu et devant tout le peuple; [20]comment les grands prêtres et nos chefs l'ont livré pour être condamné à mort et l'ont crucifié. [21]Or, quant à nous, nous espérions que ce serait lui qui délivrerait Israël; cependant, avec tout cela, voici le troisième jour que ces choses se sont passées. [22]Il est vrai que quelques femmes d'entre les nôtres nous ont bouleversés; car, étant allées de grand matin au tombeau, [23]elles n'y ont pas trouvé son corps; elles sont revenues dire qu'elles avaient même vu une appa-

---

24. – 13. Cent soixante ou soixante stades, suivant les manuscrits. Aussi l'identification d'Emmaüs est-elle discutée.

rition d'anges qui le déclarent vivant. ²⁴Quelques-uns de nos compagnons sont allés au tombeau et ont trouvé les choses comme les femmes avaient dit; mais pour lui, ils ne l'ont pas vu! " ²⁵Alors il leur dit: "Gens sans intelligence, coeurs lents à croire tout ce que les prophètes ont annoncé! ²⁶Ne fallait-il pas que le Christ souffrît tout cela pour entrer dans sa gloire? " ²⁷Puis, commençant par Moïse et parcourant tous les prophètes, il leur interpréta dans toutes les Écritures ce qui le concernait. ²⁸Lorsqu'ils furent près du village où ils se rendaient, il fit semblant d'aller plus loin. ²⁹Mais ils le pressèrent, en lui disant: "Reste avec nous car le soir tombe et déjà le jour touche à son terme." Alors il entra pour rester avec eux. ³⁰Quand il se fut mis à table avec eux, il prit le pain, dit la bénédiction, et, l'ayant rompu, il le leur donna.* ³¹Alors leurs yeux s'ouvrirent et ils le reconnurent... mais il avait disparu de devant eux. ³²Et ils se dirent l'un à l'autre: "Notre coeur n'était-il pas tout brûlant en nous, lorsqu'il nous parlait dans le chemin et qu'il nous expliquait les Écritures? " ³³Se levant à l'heure même, ils retournèrent à Jérusalem et trouvèrent rassemblés les Onze et leurs compagnons ³⁴qui leur dirent: "Le Seigneur est vraiment ressuscité et il est apparu à Simon." ³⁵Et eux de raconter ce qui s'était passé en chemin, et comment il s'était fait reconnaître d'eux à la fraction du pain.

30-35. Il ne s'agit probablement pas de l'Eucharistie; seuls les apôtres avaient pris part à la dernière Cène.

Apparition de Jésus aux apôtres et dernières instructions. - [36] Ils parlaient encore, quand Jésus lui-même se tint au milieu d'eux et leur dit: "Paix à vous! (C'est moi; n'ayez pas peur)." [37] Saisis de stupeur et d'effroi, ils s'imaginaient voir un esprit. [38] Mais il leur dit: "Pourquoi vous troublez-vous et pourquoi s'élève-t-il des doutes dans vos coeurs? [39] Voyez mes mains et mes pieds; c'est bien moi! Touchez-moi et rendez-vous compte qu'un esprit n'a ni chair ni os, comme vous voyez que j'en ai." [40] Disant cela, il leur montra ses mains et ses pieds. [41] Comme, dans leur joie, ils hésitaient encore à croire et ne revenaient pas de leur étonnement, il leur dit: "Avez-vous ici quelque chose à manger? " [42] Ils lui présentèrent un morceau de poisson rôti (et un rayon de miel). [43] Il le prit et le mangea devant eux (et leur en donna les restes). [44] *Puis il leur dit: "C'est bien là ce que je vous disais, étant encore avec vous: que doit s'accomplir tout ce qui est écrit de moi dans la Loi de Moïse, les Prophètes et les Psaumes."* [45] Alors il leur ouvrit l'esprit à la signification des Écritures, [46] leur disant: "Ainsi est-il écrit que le Christ devait souffrir, et ressusciter le troisième jour, [47] et que

---

44-53. Luc recourt ici encore à un raccourci; on pourrait croire que l'ascension a eu lieu le jour même de la résurrection, si le livre des Act *1*,3 ne précisait que quarante jours se sont écoulés entre les deux événements. Comme il fait tout converger vers Jérusalem, il ne mentionne pas les apparitions galiléennes.

44. Loi de Moïse, Prophètes et Psaumes: division classique de l'AT.

le repentir et la rémission des péchés seraient proclamés en son Nom à toutes les nations, en commençant par Jérusalem. [48] De cela vous serez les témoins. [49] Pour moi, voici que je vais envoyer sur vous Celui que mon Père a promis; et vous, demeurez dans la ville jusqu'à ce que vous soyez revêtus de la force d'en haut."

L'Ascension. - [50] Puis il les emmena jusque vers Béthanie et, levant les mains, il les bénit. [51] Comme il les bénissait, il se sépara d'eux et fut enlevé au ciel. [52] Pour eux, s'étant prosternés devant lui, ils revinrent à Jérusalem remplis de joie. [53] Ils étaient continuellement dans le Temple, louant et bénissant Dieu.*

52-53. L'Évangile se termine comme il a commencé, dans le Temple de Jérusalem. C'est de la ville sainte qu'après la Pentecôte partira la prédication apostolique. Luc laisse son lecteur sur une note de joie surnaturelle et d'optimisme chrétien qui se retrouvera dans les Actes.

L'ÉVANGILE SELON
SAINT JEAN

PROLOGUE

Le Verbe éternel et incarné.*

1 ¹Au commencement
était le Verbe,
le Verbe était auprès de Dieu
et le Verbe était Dieu.

---

1. — 1-18. Jésus est le Verbe éternel, le Logos fait homme. Ce nom n'est donné au Christ, en dehors du prologue de l'Évangile, qu'au début de la première épître (*1*,1) et dans un passage de l'Apocalypse (*19*,13); mais il n'est jamais mis sur les lèvres du Sauveur: réserve significative qui montre avec quel soin Jean distingue l'histoire de la spéculation théologique.

Il n'a pas emprunté le terme de Logos au juif alexandrin Philon qui, dans le dessein de rapprocher la pensée juive de la philosophie grecque, imagine un Logos intermédiaire entre Dieu et le monde, qui n'est ni divin ni nettement personnel. Mais on peut admettre une influence indirecte.

L'expression de Logos a paru à l'évangéliste la meilleure pour exprimer les rapports du Père et du Fils, la distinction des personnes dans l'unité d'une nature spirituelle. De plus, elle était familière à ses lecteurs. Ceux-ci avaient, grâce aux livres les plus récents de l'AT, la notion d'une Sagesse éternelle assistant Dieu dans la création et apparaissant presque comme une personne: Prov *8*,22-36; Sag *7*,25sq.; *9*,9-12; Eccli *24*,3sq. Ils savaient que Dieu avait créé le monde par sa Parole: Gen *1*; Ps *33*,6, etc. Paul avait appelé le Christ Sagesse, image et plénitude de Dieu, et lui attribuait dans la création le

²Il était au commencement
   auprès de Dieu.*

³Tout a été fait par Lui
   et sans lui rien n'a été fait
   de ce qui existe.

⁴En lui était la vie,
   et la vie était la lumière
   des hommes;*

⁵ la lumière brille

---

même rôle qu'à la divine Sagesse (1 Cor *1*,24.30; *2*,6;
Col *1*,15.16.19; *2*,9; Eph *1*,23, etc.); d'accord avec la
prédication primitive, il avait manifesté une tendance
caractéristique à identifier à la Parole, au Logos, non
seulement le message évangélique qui a pour objet le
Christ (Luc *1*,2; Act *6*,7; *12*,24; *13*,20), mais le Christ
lui-même: Col *1*,25-28. Le terrain était donc préparé.

Jean recourt au procédé littéraire des développements en spirale qui lui est particulier: répétition d'une
même pensée, sous plusieurs formes, chaque reprise apportant une précision nouvelle, pour aboutir enfin à une
formule décisive. Trois idées reviennent ici trois fois: le
Verbe éternel et créateur – son action parmi les hommes – le témoignage rendu par Jean-Baptiste.

1-2. Réminiscence du premier verset de la Genèse.
Le Verbe était auprès de Dieu, avec Dieu, en Dieu, menant la même vie que lui, dès le commencement, c'est-
à-dire de toute éternité, puisqu'il est affirmé en même
temps qu'il était Dieu: pluralité de personnes dans l'u-
nité de nature.

3-4. Rôle du Verbe: tout sans exception a été fait
par lui. Il est en outre source de vie et de lumière pour
les hommes. Certains commentateurs, à la suite de plusieurs Pères de l'Église ponctuent autrement: Ce qui a
été fait était vie en lui, les créatures, avant d'exister,
étaient idéalement présentes à son intelligence.

5. Les ténèbres ne l'ont pas arrêtée: attitude des

au milieu des ténèbres,
et les ténèbres
ne l'ont pas arrêtée.*

⁶Parut un homme envoyé de Dieu;
son nom était Jean.*

⁷Il vint pour témoigner,
pour rendre témoignage
à la lumière,
afin que tous croient par lui.

⁸Il n'était pas, lui, la lumière,
mais il venait
rendre témoignage
à la lumière.

⁹La lumière, la vraie,
celle qui éclaire tout homme,
entrait dans le monde.*

---

hommes à l'égard du Verbe incarné. Autres traductions:
Les ténèbres ne l'ont pas saisie, n'ont pas pu s'en emparer, ou encore: ne l'ont pas comprise, ne l'ont pas ac-
cueillie.

6-8. L'idée de témoignage tient une grande place
dans le quatrième Évangile. Jean-Baptiste n'était pas la
lumière, mais seulement un témoin; il a eu un commencement; il n'est qu'un homme, un envoyé de Dieu.

9-13. La vraie lumière venait, faisait son entrée dans
le monde – plutôt que, avec un pléonasme inutile: Il
était la vraie lumière qui éclaire tout homme venant en
ce monde. Puis reprise de la pensée initiale: Le Verbe
éternel s'est rendu présent d'une manière nouvelle dans
le monde qui était son oeuvre; le monde, entendu cette
fois au sens moral, l'a méconnu. Il est venu parmi les
siens, au milieu du peuple juif, et les siens, dans leur ensemble, ne l'ont pas accueilli: drame de l'incrédulité
d'Israël qui est comme la toile de fond du quatrième

10 Le Verbe était dans le monde,
ce monde, fait par lui,
et qui ne l'a pas connu.

11 Il est venu chez lui,
et les siens ne l'ont pas accueilli.

12 Mais à tous ceux
qui l'ont accueilli
il a donné pouvoir
de devenir enfants de Dieu,
à ceux qui croient en son Nom,

13 qui ne sont pas nés du sang,
ni d'un vouloir de chair
ni d'un vouloir d'homme,
mais de Dieu.

14 Et le Verbe s'est fait chair,
et il a habité parmi nous,
et nous avons contemplé sa gloire,

Évangile. Mais à ceux qui l'ont reçu, qui ont cru en lui
(comparer *20*,31), le Verbe a donné la faculté de devenir enfants de Dieu, par une naissance nouvelle, une génération spirituelle entièrement due à Dieu (comparer
3,1sq.). La leçon qui lit cette phrase au singulier et entend du Verbe la naissance surnaturelle (allusion à son
origine céleste et peut-être à la conception virginale)
s'appuie seulement sur quelques Pères.

14. Explication dernière et formule décisive: le Verbe est devenu chair, c'est-à-dire homme, et il a habité,
campé, fixé sa tente parmi nous (sans doute réminiscence du Tabernacle, demeure de Dieu dans l'ancienne
Alliance). Révélation capitale, sans laquelle l'Évangile est
incompréhensible. Et nous (les disciples, témoins oculaires, ou simplement l'évangéliste parlant au pluriel) avons
contemplé sa gloire: dans ses miracles, à la transfiguration, dans sa Passion et dans sa vie ressuscitée (*2*,11,

gloire qu'il reçoit de son Père
comme Fils unique,
plein de grâce et de vérité.*

15 Jean lui rend témoignage
et proclame:
"C'est lui dont j'ai dit:
Celui qui vient après moi
est passé devant moi,
parce qu'il était avant moi."*

16 Oui, de sa plénitude
nous avons tous reçu,
et grâce sur grâce.*

17 Car la Loi a été donnée
par Moïse,
mais la grâce et la vérité
sont venues par Jésus-Christ.

18 Nul n'a jamais vu Dieu;

3,14; *11*,40; *13*,23.28.32, etc.). Cette gloire – notion
fréquente chez saint Jean, avec celles de vie et de lumière – est identifiée à celle qu'un Fils unique, un Monogène peut recevoir de son Père; les termes de Fils et de
Père éclairent singulièrement la nature des rapports entre
le Verbe et Dieu.

15. Résumé pittoresque du témoignage du Précurseur, qui sera repris au v 30: le Christ, qui vient chrono-
logiquement après Jean, est passé devant lui; car en réalité il lui préexistait (comparer *8*,58).

16-17. Le Verbe possède la plénitude de grâce, et
tous les croyants y ont participé. Moïse n'avait donné
au monde que la Loi, plénitude de la grâce dont il est la
source, et la vérité, qui en constitue un aspect essentiel,
l'Évangile étant premièrement révélation, communication
de la vérité.

18. La vérité apportée par le Christ est la révélation

un Dieu Fils unique,
    qui est dans le sein du Père,
    lui l'a fait connaître.*

PREMIÈRE PARTIE

MANIFESTATION DE LA GLOIRE
DIVINE DE JÉSUS
PENDANT SA VIE PUBLIQUE

I – MANIFESTATION
AUX HOMMES DE BONNE VOLONTÉ

Premier témoignage de Jean-Baptiste. - ¹⁹Voici quel fut le témoignage de Jean quand les Juifs lui envoyèrent de Jérusalem des prêtres et des lévites lui demander: "Qui es-tu?" ²⁰Il proclama et ne nia pas; il proclama: "Je ne suis pas le Christ." ²¹Ils lui demandèrent alors: "Quoi donc? Es-tu Élie?" Il dit: "Je ne le suis pas." "Es-tu le Prophète?"* Il répondit: "Non." Ils lui dirent donc: ²²"Qui es-tu, que nous donnions réponse à ceux qui nous ont envoyés? Que dis-tu

de Dieu, impossible à tout autre qu'à lui, car lui seul a contemplé l'essence divine. Il est en effet Dieu Monogène, à la fois Dieu et Fils unique; il est dans le sein du Père, uni à lui de la manière la plus étroite et la plus affectueuse. Seul il a pu parler de Dieu et le faire connaître à l'homme dans la mesure où l'homme en est capable (comparer *3*,13; *17*,8, etc.).

21. Le Prophète, annoncé par le Deut *18*,15. Les Juifs l'entendaient assez confusément, soit des grands prophètes d'Israël, soit du Messie lui-même.

de toi-même? " ²³"Je suis, dit-il, *la voix de celui qui crie dans le désert: Rendez droit le chemin du Seigneur*, comme l'a dit le prophète Isaïe."* ²⁴Or les envoyés étaient des pharisiens.* ²⁵Ils l'interrogèrent encore et lui dirent: "Pourquoi donc baptises-tu, si tu n'es ni le Christ, ni Élie, ni le Prophète? " ²⁶Jean leur répondit en ces termes: "Moi, je baptise dans l'eau; mais au milieu de vous il y a quelqu'un que vous ne connaissez pas; ²⁷c'est lui qui vient après moi, et je ne suis pas digne de délier la courroie de sa chaussure." ²⁸Cela se passait à Béthanie au-delà du Jourdain, où Jean baptisait.*

²⁹Le lendemain, il aperçoit Jésus venant à lui, et il dit: "Voici l'Agneau de Dieu, celui qui ôte le péché du monde.* ³⁰C'est de lui que j'ai dit: Après moi vient un homme qui est passé devant moi, parce qu'il était avant moi. ³¹Moi-même, je

---

23. Is *40*,3.

24. Autre traduction: Parmi les envoyés, il y avait aussi des pharisiens, ou: Ils avaient été envoyés par des pharisiens.

28. Béthanie au-delà du Jourdain: site mal identifié, mais évidemment distinct de la Béthanie de Marthe et Marie qui est aux portes de Jérusalem: *11*,1.18.

29-36. L'Agneau de Dieu: symbole de pureté; peut-être aussi allusion à la prophétie d'Is *53*,4.7.11, sur le Messie souffrant, semblable à un agneau mené à la tuerie; mais on objecte à cette interprétation l'inintelligence persistante des apôtres à l'annonce de la Passion.

31-34. Jean ne connaissait pas Jésus: expression elliptique. Il connaissait le Sauveur, puisqu'il se jugera indigne de le baptiser (Mat *3*,14sq.); mais ce n'était qu'une connaissance imparfaite. La descente de l'Esprit Saint

ne le connaissais pas,* mais c'est pour qu'il soit
manifesté à Israël que je suis venu baptiser dans
l'eau." ³²Jean rendit témoignage en disant: "J'ai
vu l'Esprit descendre du ciel comme une colombe
et demeurer sur lui. ³³Moi-même, je ne le connaissais pas, mais Celui qui m'a envoyé baptiser
dans l'eau, celui-là m'a dit: Celui sur qui tu verras l'Esprit descendre et demeurer, c'est lui qui
baptise dans l'Esprit Saint. ³⁴Je l'ai vu, et j'atteste que celui-ci est le Fils de Dieu."*

**Nouveau témoignage de Jean-Baptiste et appel
des premiers apôtres.** - ³⁵*Le lendemain, Jean se
trouvait encore là, avec deux de ses disciples,
³⁶et, regardant Jésus qui passait, il dit: "Voici
l'Agneau de Dieu." ³⁷A peine l'eurent-ils entendu, que les deux disciples suivirent Jésus. ³⁸Jésus, se retournant et voyant qu'ils le suivaient,
leur dit: "Que cherchez-vous?" Ils lui répondirent: "Rabbi, c'est-à-dire Maître, où demeures-
tu?" ³⁹Il leur dit: "Venez voir." Ils allèrent
donc voir où il demeurait, et ils restèrent auprès
de lui ce jour-là. C'était environ la dixième heure.* ⁴⁰André, le frère de Simon-Pierre, était l'un
des deux qui avaient entendu les paroles de Jean

---

a pleinement éclairé Jean et lui a donné du Christ une
connaissance définitive.

34. Le Fils de Dieu; variante: l'Élu de Dieu.

35sq. Scènes dont la fraîcheur dénote un témoin
oculaire. Au v 40 l'évangéliste laisse entrevoir discrètement le désir d'être reconnu en la personne du disciple
qu'il évite de nommer.

39. La dixième heure: quatre heures de l'après-midi.

et avaient suivi Jésus. [41] André rencontre d'abord* son propre frère Simon et lui dit: "Nous avons trouvé le Messie", ce qui signifie Christ. [42] Il le conduisit à Jésus. Jésus, le fixant du regard, lui dit: "Tu es Simon, fils de Jean; tu t'appelleras Céphas", ce qui veut dire Pierre.

[43] Le lendemain, Jésus décida de partir pour la Galilée. Il rencontre Philippe, et lui dit: "Suis-moi." [44] Or Philippe était de Bethsaïde, la ville d'André et de Pierre. [45] Philippe rencontre Nathanaël* et lui dit: "Celui dont Moïse a écrit dans la Loi, ainsi que dans les prophètes, nous l'avons trouvé! C'est Jésus, fils de Joseph, de Nazareth." [46] Nathanaël lui dit: "De Nazareth peut-il sortir quelque chose de bon?" Philippe lui dit: "Viens voir." [47] Jésus, voyant Nathanaël qui venait à lui, dit: "Voici un véritable Israélite sans artifice." [48] Nathanaël lui dit: "Comment me connais-tu?" Jésus reprit et lui dit: "Avant que Philippe ne t'ait appelé, quand tu étais sous le figuier, je t'ai vu."* [49] Nathanaël lui répondit: "Rabbi, tu es le Fils de Dieu, tu es le roi d'Israël!" [50] Jésus répartit et lui dit: "Parce que je t'ai dit que je t'ai vu sous le figuier, tu crois! Tu verras mieux encore." [51] Il ajouta: "Oui, vraiment, je vous l'affir-

---

41. D'abord, ou selon quelques manuscrits: à la pointe du jour.

45. Nathanaël est communément identifié à l'apôtre Barthélemy.

48. Nathanaël comprend à demi-mot que Jésus connaît le fond de son coeur.

51. Allusion à la vision de Jacob à Béthel: Gen *28*,10-17. Bien plus que pour Jacob, le ciel est ouvert;

me, vous verrez le ciel ouvert et les anges de Dìeu monter et descendre au-dessus du Fils de l'homme."*

2 **Les noces de Cana.** - [1] Le troisième jour, il y eut des noces à Cana de Galilée, et la mère de Jésus s'y trouvait. [2] Jésus fut aussi invité aux noces, ainsi que ses disciples. [3] Le vin venant à manquer, la mère de Jésus lui dit: "Ils n'ont plus de vin." [4] Jésus lui répondit: "Femme, que nous importe à toi et à moi? Mon heure n'est pas encore venue."* [5] Sa mère dit aux serviteurs: "Faites tout ce qu'il vous dira." [6] Or, il y avait là six jarres de pierre, destinées aux purifications des Juifs, contenant chacune deux ou trois mesures. [7] Jésus leur dit: "Remplissez d'eau ces jarres." Ils les remplirent jusqu'au bord. [8] "Puisez maintenant, leur dit-il, et portez-en à l'intendant du festin." Ils lui en portèrent. [9] Quand l'intendant eut goûté l'eau changée en vin – il en ignorait la provenance, mais les serviteurs la connaissaient, eux qui avaient puisé l'eau – il appela le marié et lui dit: [10] "Tout le monde sert d'abord le bon vin,

les miracles et la vie du Christ le manifesteront, et les anges seront à son service. Le premier appel des apôtres aide à comprendre qu'ils aient si volontiers tout quitté pour suivre Jésus, lors de l'appel définitif qui suivit la pêche miraculeuse: Luc 5,1-11 et par. Pour le titre de Fils de l'homme, cf. note Mat 8,20.

2. – 4. Il s'agit d'une locution stéréotypée qui dans le contexte présent n'est nullement désobligeante. Jésus ne peut avancer l'heure de sa glorification fixée par le Père. Le miracle qu'il consent à accomplir en sera cependant l'annonce.

et quand les gens sont gais, le moins bon; mais toi, tu as gardé le bon vin jusqu'à présent." [11]Ce fut là le début des signes que fit Jésus: c'était à Cana de Galilée. Il manifesta ainsi sa gloire, et ses disciples crurent en lui.

Première fête pascale à Jérusalem. Expulsion des vendeurs du Temple. - [12]Après cela il descendit à Capharnaüm, lui, sa mère, ses frères et ses disciples, mais ils n'y restèrent que quelques jours.

[13]La Pâque des Juifs était proche, et Jésus monta à Jérusalem. [14]Il trouva dans le Temple des marchands de boeufs, de brebis et de colombes, et les changeurs installés à leurs comptoirs.*
[15]S'étant fait un fouet avec des cordes, il les chassa tous du Temple, avec les brebis et les boeufs; il jeta par terre la monnaie des changeurs et renversa leurs tables [16]et il dit aux marchands de colombes: "Enlevez cela d'ici, et ne faites pas de la maison de mon Père une maison de trafic."
[17]Ses disciples se rappelèrent qu'il est écrit: *Le zèle de ta maison me dévorera.**

[18]Les Juifs prirent alors la parole et lui dirent: "Quel signe nous montres-tu pour oser agir ainsi?"* [19]Jésus leur répondit: "Détruisez ce

---

14sq. Il semble que Jean met à sa vraie place l'expulsion des vendeurs. Ce point est cependant discuté. Cf. note Mat *21*,12.

17. Citation Ps *69*,10.

18. Le signe que donnera Jésus est sa résurrection: Mat *12*,38-40 et par. Il l'annonce ici en termes énigmatiques et dont il n'est pas surprenant que les interlocu-

sanctuaire, et en trois jours je le relèverai." [20] Les
Juifs lui répliquèrent: "On a mis quarante-six ans
à bâtir ce sanctuaire, et toi en trois jours tu le relè-
veras! "* [21] Mais lui voulait parler du sanctuaire de
son corps. [22] Lors donc qu'il fut ressuscité des morts, ses disciples se rappelèrent qu'il
avait dit cela. Ils crurent alors à l'Écriture et à la
parole que Jésus avait dite.

[23] Tandis qu'il était à Jérusalem, à la fête de
Pâque, beaucoup crurent en son Nom en voyant
les signes qu'il faisait. [24] Cependant Jésus ne se
fiait pas à eux, parce qu'il les connaissait tous
[25] et qu'il n'avait pas besoin qu'on lui rendît
témoignage sur personne. Car lui savait ce qu'il y
a dans l'homme.*

3 **Entretien avec Nicodème.** – [1] Or il y avait parmi les pharisiens un homme nommé Nicodè-
me, un notable juif. [2] Il vint trouver Jésus de nuit

---

teurs les aient mal compris. Après la résurrection tout
s'éclairera. Dans l'Alliance nouvelle, le centre du culte,
le véritable Temple sera la sainte humanité du Christ
unie à la personne du Verbe, lieu et instrument du sacrifice rédempteur, présente dans l'Eucharistie et communi-
quant à l'Église la vie surnaturelle.

20. La restauration du Temple fut commencée en
19-20 avant notre ère, d'après l'historien juif Josèphe.
Nous sommes donc vers 27-28 de l'ère chrétienne, ce
qui s'accorde bien avec l'indication chronologique de
Luc *3*,1.

23-25. La foi produite par les miracles du Sauveur
reste superficielle et fragile. Jésus ne s'y trompe pas; il
sait ce qu'il y a dans l'homme: parole pénétrante, un de
ces "coups au coeur" comme il s'en rencontre plusieurs
dans le quatrième Évangile.

et lui dit: "Rabbi, nous savons que c'est de la part de Dieu que tu es venu comme docteur, car personne ne peut faire les signes que tu fais, si Dieu n'est avec lui." [3] Jésus lui répondit: "Oui, vraiment, je te l'affirme, nul, s'il ne naît d'en haut,* ne peut voir le Royaume de Dieu." [4] Nicodème lui dit: "Comment un homme déjà vieux peut-il naître? Peut-il rentrer dans le sein de sa mère et renaître?" [5] Jésus répondit: "Oui, vraiment, je te l'affirme, nul, s'il ne naît de l'eau et de l'Esprit, ne peut entrer dans le Royaume de Dieu.* [6] Ce qui est né de la chair est chair, et ce qui est né de l'Esprit est esprit.* [7] Ne t'étonne pas si je t'ai dit: Il vous faut naître d'en haut. [8] Le vent souffle où il veut; tu entends son murmure, mais tu ne sais d'où il vient ni où il va;* ainsi en est-il de quiconque est né de l'Esprit." [9] Nicodème lui répondit: "Comment cela peut-il se faire?" [10] Jésus lui répondit: "Tu es docteur en Israël et tu ne sais pas cela! [11] Oui, vraiment, je te l'affirme, nous* parlons de ce que nous sa-

---

3. – 3. D'en haut ou: de nouveau. Les deux traductions ont leurs partisans.

5. Il s'agit du baptême sacramentel, dont le Sauveur annonce l'institution. L'Église a défini ce point au concile de Trente.

6. La chair ne peut transmettre qu'une vie naturelle; pour posséder la vie spirituelle, il faut naître de l'Esprit.

8. L'action du vent est partiellement mystérieuse; on ignore son origine et l'endroit où il se rend. La vie spirituelle l'est aussi à plus forte raison. En grec le même mot signifie esprit et vent.

11. Le passage du singulier au pluriel n'était pas rare dans le langage rabbinique. Peut-être aussi l'évangéliste

vons, et nous attestons ce que nous avons vu, mais vous ne recevez pas notre témoignage. [12]Si lorsque je vous parle des choses de la terre vous ne croyez pas, comment croirez-vous si je vous parle des choses du ciel? * [13]Or personne n'est monté au ciel, sinon celui qui est descendu du ciel, le Fils de l'homme qui est au ciel. [14]Et de même que Moïse a élevé le serpent dans le désert, ainsi faut-il que le Fils de l'homme soit élevé* [15]afin que quiconque croit en lui possède la vie éternelle.*

[16]*Dieu a tant aimé le monde qu'il a donné son Fils unique, afin que quiconque croit en lui ne périsse pas, mais possède la vie éternelle. [17]Dieu, en effet, n'a pas envoyé son Fils dans le

---

joint-il son témoignage à celui du Maître. Les docteurs juifs refusent d'accepter le témoignage du Christ: un des leitmotiv du quatrième Évangile.

12-13. Les choses terrestres sont les choses divines dont les effets sont visibles sur la terre: baptême, incarnation, etc. Les choses célestes sont les choses divines qui se passent au ciel: relations entre les personnes de la Trinité, génération éternelle du Verbe, dessein divin de la Rédemption. Seul le Fils de l'homme qui vient du ciel peut les connaître.

14. Allusion à Nomb *21*,8-9, dont Notre-Seigneur affirme la signification prophétique. Le Fils de l'homme sera élevé sur la croix. Le terme grec insinue aussi une idée d'exaltation et de glorification.

15. Autre traduction: afin que quiconque croit ait en lui la vie éternelle.

16-21. Ces versets sont peut-être des réflexions de l'évangéliste, résumant d'autres enseignements du Sauveur. L'amour de Dieu est, avec sa gloire, le grand motif de la rédemption.

17-18. Le texte porte: juger, mais au sens de con-

monde pour condamner le monde, mais pour que le monde soit sauvé par lui. [18]Celui qui croit en lui n'est pas condamné, mais celui qui ne croit pas est déjà condamné, parce qu'il n'a pas cru au Nom du Fils unique de Dieu.* [19]Voici quel est le jugement: la lumière est venue dans le monde, et les hommes ont préféré les ténèbres à la lumière, car leurs oeuvres étaient mauvaises. [20]En effet, quiconque fait le mal déteste la lumière et ne vient pas à la lumière, de peur que ses oeuvres ne soient blâmées. [21]Au contraire, celui qui pratique la vérité vient à la lumière afin qu'il soit manifesté que ses oeuvres sont faites en Dieu."*

Nouveau témoignage de Jean-Baptiste. -

[22]Après cela, Jésus alla avec ses disciples au pays de Judée; il y séjourna avec eux et il baptisait. [23]Jean aussi baptisait à Aenon, près de Salim,* car il y avait là beaucoup d'eau, et l'on venait se faire baptiser. [24]Jean n'avait pas encore été jeté en prison. [25]Il se produisit une discussion entre des disciples de Jean et un Juif à propos de purification. [26]Ils vinrent trouver Jean et lui dirent: "Rabbi, celui qui était avec toi au-delà du Jourdain et à qui tu as rendu témoignage, le voilà qui baptise et tout le monde va à lui." [27]Jean leur

damner. Il n'y a pour ainsi dire pas besoin de jugement: chacun se juge lui-même par son attitude de foi ou d'incrédulité à l'égard du Christ.

19-21. Vue pénétrante sur les mobiles secrets qui commandent l'attitude de la plupart des hommes.

23. Aenon se trouve à quelques kilomètres au sud de Beisan, l'ancienne Scythopolis.

répondit: "Personne ne peut rien s'attribuer qui ne lui soit donné du ciel. [28]Vous-mêmes m'êtes témoins que j'ai dit: "Je ne suis pas le Christ, mais je suis envoyé devant lui." [29]Celui qui a l'épouse est l'époux; mais l'ami de l'époux, qui se tient près de lui et l'entend, est ravi de joie à la voix de l'époux. Cette joie qui est la mienne est à son comble. [30]Lui, il faut qu'il croisse et que moi je diminue.*

[31]*"Celui qui vient d'en haut est au-dessus de tous. Celui qui vient de la terre appartient à la terre et parle en terrestre. Celui qui vient du ciel est au-dessus de tous. [32]Il atteste ce qu'il a vu et entendu, et personne ne reçoit son témoignage. [33]Celui qui reçoit son témoignage reconnaît authentiquement que Dieu est véridique. [34]Celui que Dieu a envoyé dit les paroles de Dieu, car ce n'est pas avec mesure qu'il donne l'Esprit.* [35]Le Père aime le Fils et il a tout remis en son pouvoir. Celui qui croit au Fils possède la vie éternelle. [36]Quant à celui qui refuse de croire au Fils, il ne verra pas la vie, mais la colère de Dieu pèse sur lui."

4 Entretien avec la Samaritaine. - [1]Quand le Seigneur apprit que les pharisiens avaient entendu dire que Jésus faisait plus de disciples et baptisait

---

27-30. Admirable désintéressement du Précurseur. La formule finale contient pour le chrétien tout un programme de vie.

31-36. Nouvelles réflexions de l'évangéliste.

34. Autre traduction: Dieu ne lui mesure pas l'Esprit.

plus que Jean – [2]quoique Jésus ne baptisât pas lui-même, mais ses disciples* – [3]il quitta la Judée et retourna en Galilée. [4]Il lui fallait traverser la Samarie.* [5]Il arrive donc à une ville de Samarie, nommée Sychar, près du domaine donné par Jacob à son fils Joseph. [6]Là se trouvait le puits de Jacob. Jésus donc, fatigué du voyage, s'était assis tout simplement sur la margelle du puits.* C'était environ la sixième heure. [7]Une femme de Samarie arrive pour puiser de l'eau. Jésus lui dit: "Donne-moi à boire." – [8]Les disciples étaient allés à la ville acheter des victuailles. – [9]La Samaritaine lui répondit: "Comment toi, qui es un Juif, me demandes-tu à boire, à moi, une Samaritaine?" – Les Juifs, en effet, n'ont pas de rapports avec les Samaritains. – [10]Jésus lui répondit: "Si tu connaissais le don de Dieu et qui est celui qui te dit: Donne-moi à boire, c'est toi qui lui aurais demandé, et il t'aurait donné de l'eau vive." [11]La femme lui dit: "Seigneur, tu n'as rien pour puiser, et le puits est profond; d'où ti-

4. – 2. C'est encore le baptême préparatoire de Jean que les disciples administrent. Le baptême chrétien n'a été institué par le Sauveur qu'après la résurrection: Mat 28,19; Marc 16,16.

4sq. "La merveille des merveilles", dit le P. Lagrange. Cet épisode est remarquable par ses précisions topographiques, que la découverte récente des ruines de Sychar est venue confirmer: le puits de Jacob, son eau excellente et sa profondeur; le mont Garizim (20); la plaine voisine de Makhneh (35). Quiconque visite les lieux ne manque pas d'en être frappé.

6. Tout simplement; autres traductions: à même – comme cela – auprès du puits.

rerais-tu donc cette eau vive? ^{12}Serais-tu plus grand que notre père Jacob qui nous a donné ce puits, et qui en a bu, lui, ses fils et ses troupeaux?" ^{13}Jésus lui répondit: "Quiconque boit de cette eau aura soif à nouveau; ^{14}celui qui boira de l'eau que je lui donnerai n'aura plus jamais soif, car l'eau que je donnerai deviendra en lui une source jaillissant pour la vie éternelle."* ^{15}La femme lui dit: "Seigneur, donne-moi de cette eau, afin que je ne n'aie plus soif et n'aie plus à venir puiser ici." Jésus lui dit: ^{16}"Va appeler ton mari et reviens ici." ^{17}La femme lui répondit: "Je n'ai pas de mari." Jésus lui dit: "Tu as raison de dire: "Je n'ai pas de mari." ^{18}Car tu as eu cinq maris, et celui que tu as maintenant n'est pas ton mari; en cela tu as dit vrai." ^{19}La femme lui dit: "Seigneur, je vois que tu es un prophète! ^{20}Nos pères ont adoré cette montagne,* mais d'après vous, c'est à Jérusalem qu'est le lieu où l'on doit adorer." ^{21}Jésus lui dit:* "Crois-moi, femme, l'heure vient où ce ne sera ni sur cette montagne ni à Jérusalem que vous adorerez le Père. ^{22}Vous, vous adorez ce

---

14. Autres traductions: "jaillissant dans la vie éternelle" ou: "jusqu'à la vie éternelle".

20. La Samaritaine montre sans doute de la main le sommet voisin du mont Garizim, où vers 300, les Samaritains avaient bâti un temple schismatique, rival de celui de Jérusalem. Ce temple avait été démoli en 129 par le roi asmonéen Jean Hyrcan, mais le culte n'avait pas été interrompu.

21-24. Il n'y aura plus désormais de lieu de culte exclusif. L'heure est venue du culte véritable et universel, annoncé par Mal *1*,11; culte en esprit et en vérité, c'est-

que vous ne connaissez pas; nous, nous adorons
ce que nous connaissons, car le salut vient des
Juifs. ^{23}Oui, l'heure vient, et nous y sommes, où
les vrais adorateurs adoreront le Père en esprit et
en vérité. Car ce sont de tels adorateurs que demande le Père. ^{24}Dieu est esprit, et ceux qui
l'adorent, c'est en esprit et en vérité qu'ils doivent l'adorer." ^{25}La femme lui dit: "Je sais que
le Messie, — celui qu'on nomme le Christ — va
venir. Quand il sera venu, il nous annoncera toutes choses." ^{26}Jésus lui dit: "Je le suis, moi qui
te parle."

^{27}Là-dessus arrivèrent ses disciples et ils furent étonnés qu'il parlât avec une femme. Aucun
cependant ne lui dit: "Que lui veux-tu?" ou:
"Pourquoi parles-tu avec elle?"* ^{28}La femme
laissa donc sa cruche et s'en alla à la ville, où elle
dit aux gens: ^{29}"Venez voir un homme qui m'a
dit tout ce que j'ai fait. Ne serait-il pas le
Christ?" ^{30}Ils sortirent de la ville et vinrent vers
lui.

^{31}Entre-temps, les disciples le priaient en
disant: "Rabbi, mange." ^{32}Il leur dit: "J'ai à manger une nourriture que vous ne connaissez pas."
^{33}Les disciples se disaient donc les uns aux autres: "Quelqu'un lui aurait-il apporté à manger?"
^{34}Jésus leur dit: "Ma nourriture est de faire la
volonté de Celui qui m'a envoyé et d'accomplir

à-dire intérieur et sincère, le seul vraiment digne de
Dieu, qui est esprit.

27. L'usage juif n'autorisait pas un entretien en public avec une femme.

son oeuvre. ³⁵Ne dites-vous pas vous-mêmes: Encore quatre mois,* et la moisson vient? Eh bien, je vous le dis: Levez les yeux et regardez les champs: ils sont blancs, prêts pour la moisson. ³⁶Désormais le moissonneur va recevoir son salaire et amasser du fruit pour la vie éternelle, afin que le semeur se réjouisse en même temps que le moissonneur. ³⁷Car ici le proverbe se vérifie: autre est le semeur et autre le moissonneur. ³⁸Je vous ai envoyés moissonner ce pour quoi vous n'avez pas peiné; d'autres ont peiné et vous, vous recueillez le fruit de leur labeur."*

³⁹Beaucoup de Samaritains de cette ville crurent en lui sur la parole de cette femme qui attestait: "Il m'a dit tout ce que j'ai fait." ⁴⁰Etant donc venus vers lui, les Samaritains le prièrent de s'arrêter chez eux; et il y resta deux jours. ⁴¹Ils crurent en bien plus grand nombre à cause de sa parole. ⁴²Et ils disaient à la femme: "Ce n'est plus sur tes dires que nous croyons: nous l'avons entendu nous-mêmes, et nous savons qu'il est vraiment le Sauveur du monde."*

En Galilée. Guérison du fils de l'officier. -

35-36 Encore quatre mois: locution proverbiale: chaque chose en son temps; il faut savoir attendre. Elle ne s'applique pas ici: la moisson des âmes est mûre! L'allusion aux champs de blé déjà blancs indique le mois de mai ou de juin.

37-38. Ceux qui ont peiné avant les disciples sont Moïse, les prophètes, Jean-Baptiste et le Sauveur lui-même.

42. La condescendance de Jésus pour les Samaritains leur fait comprendre qu'il est le Sauveur du monde, ve-

43 Les deux jours passés, il partit de là pour la Galilée. **44** Or Jésus lui-même a attesté qu'un prophète n'est pas honoré dans son propre pays.* **45** Quand il arriva en Galilée, les Galiléens lui firent bon accueil, ayant vu tout ce qu'il avait fait à Jérusalem pendant la fête, car eux aussi étaient allés à la fête.

46 Il vint donc de nouveau à Cana de Galilée où il avait changé l'eau en vin. Or un officier royal avait son fils malade à Capharnaüm. **47** Ayant appris que Jésus était revenu de Judée en Galilée, il se rendit auprès de lui et le pria de descendre guérir son fils, qui était à la mort. **48** Jésus lui dit: "Si vous ne voyez des signes et des prodiges, vous ne croirez donc pas!" **49** L'officier royal lui dit: "Seigneur, descends avant que mon enfant ne meure." **50** Jésus lui dit: "Va, ton fils est vivant." Cet homme crut à la parole de Jésus et il partit. **51** Il commençait à descendre quand ses serviteurs vinrent à sa rencontre et lui dirent que son garçon était vivant. **52** Il s'enquit auprès d'eux de l'heure où il s'était trouvé mieux. Ils lui répondirent: "Hier, à la septième heure, la fièvre l'a quitté." **53** Le père reconnut que c'était l'heure même où Jésus lui avait dit: "Ton fils est vivant." Et il crut, ainsi que toute

nu pour tous les hommes et pas seulement pour les Juifs.

Sur l'évangélisation de la Samarie, cf. Act 8,4-25.

44. Vue globale sur l'insuccès du ministère galiléen. Le bon accueil mentionné au verset suivant ne fut que momentané. Autre interprétation: Jésus considère ici, au sens large, la Judée comme sa patrie.

sa maison. [54]Ce fut là le second signe que fit Jésus, à son retour de Judée en Galilée.

II – LA GLOIRE DE JÉSUS
COMBATTUE PAR LES JUIFS

5 * **A Jérusalem. Guérison du paralytique de la piscine.** - [1]Il y eut ensuite une fête* des Juifs pour laquelle Jésus monta à Jérusalem. [2]Or il y a à Jérusalem, près de la porte des Brebis, une piscine appelée en hébreu Bézatha, qui a cinq portiques,* [3]sous lesquels étaient étendus quantité d'infirmes, aveugles, boiteux, impotents, qui attendaient le bouillonnement de l'eau. [4](Car un ange descendait de temps à autre dans la piscine et l'eau s'agitait; le premier qui y entrait après l'agitation de l'eau était guéri, de quelque maladie qu'il fût atteint).* [5]Or il y avait là un homme qui traînait son infirmité depuis trente-

5. — Des interprètes très autorisés transposent le chapitre 5 après le chapitre 6. Ce chapitre se relie bien avec la fin du chapitre 4, la scène étant de part et d'autre en Galilée.

1. La fête anonyme mentionnée ici est pour les uns la Pâque, ce qui supposerait pour la vie publique du Sauveur quatre fêtes pascales, et une durée de trois ans et demi. Plus probablement, il s'agit de la Pentecôte qui suivit la seconde Pâque, celle de la multiplication des pains.

2. La porte Probatique ou porte des Brebis, près de l'angle nord-est du Temple. Les fondations de la piscine à cinq portiques (rectangle séparé en deux par un portique transversal) ont été récemment mises à jour.

4. Verset d'une authenticité douteuse; c'est peut-être une glose, exprimant une tradition populaire.

huit ans. [6]Jésus, le voyant étendu et sachant qu'il était infirme depuis longtemps, lui dit: "Veux-tu être guéri?" [7]L'infirme lui répondit: "Seigneur, je n'ai personne pour me plonger dans la piscine quand l'eau s'agite; pendant que j'y vais, un autre descend avant moi." [8]Jésus lui dit: "Lève-toi, prends ton grabat et marche!" [9]A l'instant même, l'homme fut guéri; il prit son grabat et s'en alla.

Or c'était un jour de sabbat. [10]Les Juifs dirent donc à celui qui avait été guéri: "C'est jour de sabbat; il ne t'est pas permis d'emporter ton grabat." [11]Mais il leur répondit: "Celui qui m'a guéri, c'est lui-même qui m'a dit: Prends ton grabat et marche!" [12]Ils lui demandèrent donc: "Qui est celui qui t'a dit: Prends ton grabat et marche?" [13]Mais celui qui avait été guéri ne le savait pas, car Jésus s'était dérobé, grâce à la foule qui se pressait en cet endroit. [14]Plus tard, Jésus le rencontra dans le Temple et lui dit: "Te voilà guéri; ne pèche plus, de peur qu'il ne t'arrive quelque chose de pire." [15]L'homme s'en alla dire aux Juifs que c'était Jésus qui l'avait guéri.

[16]*C'est pourquoi les Juifs s'en prenaient à Jésus parce qu'il agissait ainsi un jour de sabbat. [17]*Mais il leur répondit: "Mon Père travaille

16sq. Discours d'une extrême densité. On peut penser qu'il résume des entretiens assez longs, répartis sur plusieurs jours.

17-18. Jésus, comme son Père, ne cesse pas d'agir, en conservant et dirigeant le monde; il n'y a pas pour lui de repos sabbatique. Les interlocuteurs comprennent

jusqu'à présent, et je travaille moi aussi." [18] A cause de cela, les Juifs cherchaient plus encore à le faire mourir, car, non content de violer le sabbat, il appelait Dieu son propre Père, s'égalant ainsi à Dieu.

Discours apologétique de Jésus. – [19] Jésus reprit donc la parole et leur dit: "Oui, vraiment, je vous l'affirme, le Fils ne peut rien faire de lui-même* que ce qu'il voit faire au Père, mais tout ce qu'il fait, le Fils le fait pareillement. [20] *Oui, le Père aime le Fils et lui montre tout ce qu'il fait, et il lui montrera des oeuvres plus grandes encore qui vous jetteront dans l'étonnement. [21] Comme le Père ressuscite les morts et les fait vivre, ainsi le Fils fait vivre qui il veut.* [22] De plus, le Père ne juge personne, mais il a remis entièrement au Fils le soin de juger,* [23] afin que tous honorent le Fils comme ils honorent le Père. Qui n'honore pas le Fils n'honore pas non plus le

qu'il appelle Dieu son propre Père et revendique une dignité égale à la sienne.

19-20. Le Fils, du fait même qu'il est Fils, n'agit pas de sa propre initiative; mais, le Père lui montrant tout ce qu'il fait, il y a entre eux totale unité d'action.

20. Le Père va montrer au Fils – et donc lui faire accomplir – des oeuvres autrement étonnantes que la guérison d'un paralytique: la résurrection spirituelle et corporelle, et le jugement.

21. Ce verset est comme la clef du développement qui suit: le Fils, comme le Père (en union à lui toutefois et en dépendance de lui), donne à qui il veut la vie spirituelle et corporelle.

22. Le Fils est en outre juge: nouveau pouvoir divin. Aussi doit-il être honoré à l'égal du Père.

Père qui l'a envoyé. ²⁴Oui, vraiment, je vous l'affirme, qui écoute ma parole et croit à Celui qui m'a envoyé, possède la vie éternelle et n'est pas mis en jugement; il est passé de la mort à la vie. ²⁵Oui, vraiment, je vous l'affirme, l'heure vient, et c'est maintenant, où les morts entendront la voix du Fils de Dieu, et ceux qui l'auront entendue vivront.* ²⁶Comme le Père a la vie en lui-même,* ainsi a-t-il donné au Fils d'avoir la vie en lui-même, ²⁷et il lui a donné le pouvoir de juger, parce qu'il est fils d'homme.* ²⁸Ne vous en étonnez pas; car l'heure vient où tous ceux qui sont dans les tombeaux entendront sa voix; et ils sortiront, ²⁹ceux qui auront fait le bien pour une résurrection de vie, et ceux qui auront fait le mal pour une résurrection de condamnation.* ³⁰Je ne puis rien faire de moi-même; d'après ce

24-25. L'oeuvre de vivification, de résurrection spirituelle est déjà commencée. On possède la vie éternelle en écoutant la parole du Christ.

26. Le Fils reçoit et possède la vie même du Père pour la transmettre aux hommes.

27. De plus, comme il convient que les hommes soient jugés par un homme, le Père délègue le pouvoir de juger à son Fils incarné: il est fils d'homme.

28-29. Second aspect de la vivification: la résurrection corporelle. Elle n'aura lieu qu'au dernier jour; elle sera universelle, pour les pécheurs comme pour les justes, mais avec un sort bien différent.

30. L'importance doctrinale de tout ce passage saute aux yeux. Le trait final le résume et ouvre un jour admirable sur la conscience filiale du Verbe incarné, égal en dignité au Père, recevant tout de lui et accomplissant en tout sa volonté. On a pu dire (Godet) que c'est là "le coeur du coeur de Jésus".

que j'entends, je juge, et mon jugement est juste,
parce que je ne cherche pas ma propre volonté,
mais la volonté de Celui qui m'a envoyé.*

[31]*"Si je me rends témoignage à moi-même,
mon témoignage n'est pas valable. [32]Un autre me
rend témoignage, et je sais que le témoignage
qu'il me rend est valable. [33]Vous avez envoyé
vers Jean, et il a rendu témoignage à la vérité.
[34]Pour moi, ce n'est pas du témoignage d'un
homme que je me prévaux, mais je dis ces choses
pour votre salut. [35]Celui-là était le flambeau qui
brûle et qui éclaire, et il vous a plu de vous réjouir un moment à sa lumière. Mais le témoignage que j'ai est plus fort que celui de
Jean: les oeuvres que le Père m'a données à accomplir. Ces oeuvres mêmes que je fais me rendent le témoignage que c'est le Père qui m'a
envoyé. [37]Et le Père qui m'a envoyé a rendu lui-
même témoignage. Vous n'avez jamais entendu sa
voix ni vu son visage, [38]et sa parole ne demeure
pas en vous, puisque vous ne croyez pas à Celui

31-47. Jésus prouve sa mission divine, non par son
propre témoignage dont les Juifs pourraient récuser l'im-
partialité (il y recourra cependant plus tard: 8,14), ni
par celui de Jean-Baptiste, dont il renonce à se prévaloir,
parce que ce n'est qu'un témoignage humain, mais par le
témoignage des oeuvres que son Père lui donne d'accomplir: enseignement, miracles, don de la vie surnaturelle;
par celui de la parole intérieure du Père dans les âmes,
par celui des Écritures, et plus précisément de Moïse qui
a prophétisé au sujet du Sauveur. L'incrédulité des Juifs
n'est pas surprenante, car ils n'ont pas en eux l'amour
de Dieu; orgueilleux, ne recherchant que leur propre
gloire.

qu'il a envoyé. [39]Vous scrutez les Écritures, pensant y trouver la vie éternelle; elles aussi me rendent témoignage, [40]et vous ne voulez pas venir à moi pour avoir la vie. [41]Ce n'est pas des hommes que je tire gloire; [42]mais je vous connais: vous n'avez pas l'amour de Dieu en vous! [43]Je suis venu au Nom de mon Père, et vous ne me recevez pas; qu'un autre vienne en son propre nom, celui-là vous le recevrez. [44]Comment pourriez-vous croire, vous qui tirez gloire les uns des autres et ne recherchez pas la gloire qui vient du Dieu unique? [45]Ne pensez pas que ce soit moi qui vous accuserai devant le Père; votre accusateur, c'est Moïse, en qui vous avez mis votre espérance. [46]Si, en effet, vous croyiez Moïse, vous me croiriez aussi, car c'est de moi qu'il a écrit. [47]Mais si vous ne croyez pas ses écrits, comment croirez-vous mes paroles? "

6 * En Galilée. Multiplication des pains et marche sur les eaux. - [1]Après cela, Jésus s'en alla de l'autre côté de la mer de Galilée, ou de Tibériade. [2]Une foule nombreuse le suivait, voyant les signes qu'il opérait sur les malades. [3]Jésus gravit la montagne et s'y assit avec ses dis-

---

6. – Jean n'a pas jugé à propos de reprendre à la suite des synoptiques le récit de l'institution eucharistique. Il nous a transmis à la place le discours sur le pain de vie qui donnait à l'avance le sens profond de la dernière Cène. La multiplication des pains et la marche sur les eaux préparent le discours en montrant que Jésus a le pouvoir de donner une nourriture miraculeuse et que son humanité n'est pas soumise aux lois de la matière.

ciples. ⁴La Pâque, la fête des Juifs, était proche.
⁵Levant les yeux et voyant une foule nombreuse
venir à lui, Jésus dit à Philippe: "Où pourrions-
nous acheter du pain pour qu'ils aient à manger?" ⁶Il disait cela pour le mettre à l'épreuve,
car lui savait bien ce qu'il allait faire. ⁷Philippe
lui répondit: "Deux cents deniers de pain ne suf-
firaient pas pour que chacun en ait tant soit
peu." ⁸Un de ses disciples, André, le frère de
Simon Pierre, lui dit: ⁹"Il y a ici un jeune garçon
qui a cinq pains d'orge et deux poissons. Mais
qu'est-ce que cela pour tant de monde?" ¹⁰Jésus
dit: "Faites-les asseoir." Il y avait beaucoup
d'herbe en cet endroit. Les gens s'assirent donc,
au nombre d'environ cinq mille. ¹¹Jésus prit
alors les pains, et, ayant rendu grâces, il fit la dis-
tribution aux convives, et de même pour les poissons, autant qu'ils en voulaient. ¹²Quand ils
furent rassasiés, il dit à ses disciples: "Ramassez
les morceaux qui restent, afin que rien ne se perde." ¹³Ils les ramassèrent donc et remplirent
douze corbeilles avec les morceaux restés des
cinq pains d'orge après qu'on eut mangé. ¹⁴A la
vue du miracle qu'il venait de faire, les gens disaient: "Il est vraiment le Prophète qui doit venir
dans le monde!" ¹⁵Mais Jésus, comprenant
qu'ils allaient venir l'enlever pour le faire roi, se
retira de nouveau dans la montagne, tout seul.*

¹⁶Le soir venu, ses disciples descendirent à la

14-15. Le Prophète; cf. note *1*,21. Jésus se dérobe à
l'enthousiasme populaire, qui voulait faire de lui un roi
temporel.

mer, et, montant en barque, [17]ils allaient de l'autre côté de la mer, vers Capharnaüm. La nuit
venue, Jésus ne les avait pas encore rejoints, [18]et
la mer devenait houleuse au souffle d'un grand
vent. [19]Après avoir avancé à la rame d'environ
vingt-cinq ou trente stades, ils aperçoivent Jésus
qui marchait sur la mer et approchait de la barque, et ils prirent peur. [20]Mais il leur dit: "C'est
moi, n'ayez pas peur." [21]Ils voulurent donc le
prendre dans la barque, mais aussitôt la barque
toucha terre à l'endroit où ils allaient.

Discours sur le pain de vie à Capharnaüm. -
[22]Le lendemain, la foule, restée de l'autre côté
de la mer, remarqua qu'il n'y avait eu là qu'une
seule barque et que Jésus n'y était pas monté
avec ses disciples, mais que les disciples étaient
partis seuls. [23]Cependant d'autres barques arrivèrent de Tibériade près de l'endroit où l'on avait
mangé le pain, après que le Seigneur eut rendu
grâces. [24]Quand la foule s'aperçut que Jésus n'é-
tait pas là, ni ses disciples non plus, ils montèrent
eux-mêmes dans les barques et vinrent à Capharnaüm à la recherche de Jésus. [25]L'ayant trouvé
de l'autre côté de la mer, ils lui dirent: "Rabbi,
quand es-tu arrivé ici? "

Jésus pain de vie par la foi. - [26]Jésus leur répondit: "Oui, vraiment, je vous l'affirme, vous
me cherchez, non parce que vous avez vu un miracle, mais parce que vous avez mangé du pain à
satiété. [27]Travaillez non pour la nourriture péris-

sable, mais pour celle qui demeure jusque dans la vie éternelle, celle que le Fils de l'homme vous donnera, car c'est lui que le Père, Dieu, a marqué de son sceau."* [28] Ils lui dirent: "Que nous faut-il faire pour travailler aux oeuvres de Dieu?" [29] Jésus leur répondit: "L'oeuvre de Dieu, c'est que vous croyiez en celui qu'il a envoyé."*

[30] Ils lui dirent alors: "Quel signe fais-tu pour qu'à sa vue nous croyions en toi? [31] Quelles sont tes oeuvres? Nos pères ont mangé la manne dans le désert, selon qu'il est écrit: *Il leur a donné à manger un pain venu du ciel.*"* [32] Jésus leur répondit: "Oui, vraiment, je vous l'affirme, Moïse ne vous a pas donné le pain du ciel, mais c'est mon Père qui vous donne le vrai pain du ciel.* [33] Car le pain de Dieu, c'est celui qui descend du

---

27. La nourriture qui demeure pour l'éternité est Jésus lui-même, aliment des âmes par la foi et par la manducation de son corps. La foi et l'eucharistie sont intimement associées dans tout le discours et, semble-t-il, envisagées ensemble dès le début, bien que l'enseignement eucharistique ne soit explicite qu'à partir du verset 48. Dieu a marqué le Fils de l'homme de son sceau en authentiquant sa mission, en particulier par les miracles.

29. L'oeuvre de Dieu par excellence, en laquelle se résument toutes les autres, est la foi en la mission divine de Jésus. Il s'agit évidemment d'une foi active, informant toute la vie. Comparer *3*,21.

31. Ex *16*,13sq.; Ps *78*,24.

32-35. La manne n'était pas le vrai pain du ciel, que Dieu seul peut donner. Ce pain est Jésus lui-même. Les expressions: venir à moi et croire en moi, sont ici synonymes. C'est par la foi qu'on participe au pain céleste, source de la vie véritable. Comparer Is *49*,10, Eccli

ciel et donne la vie au monde." ³⁴Ils lui dirent
donc: "Seigneur, donne-nous toujours de ce
pain-là." ³⁵Jésus leur dit: "Je suis le pain de vie;
celui qui vient à moi n'aura plus faim, et celui
qui croit en moi n'aura plus jamais soif. ³⁶Mais
je vous l'ai dit, bien que vous m'ayez vu, vous ne
croyez pas. ³⁷Tout ce que me donne le Père
viendra à moi, et celui qui vient à moi, je ne le
jetterai pas dehors; ³⁸car je suis descendu du ciel
pour faire non pas ma volonté, mais la volonté
de Celui qui m'a envoyé. ³⁹Or la volonté de
Celui qui m'a envoyé est que je ne perde rien de
ce qu'il m'a donné, mais que je le ressuscite au
dernier jour. ⁴⁰Oui, c'est la volonté de mon Père,
que quiconque voit le Fils et croit en lui possède
la vie éternelle, et moi je le ressusciterai au dernier jour."*

⁴¹Alors les Juifs se mirent à murmurer contre
lui, parce qu'il avait dit: "Je suis le pain descendu du ciel." ⁴²"N'est-ce pas là, disaient-ils, Jésus,
le fils de Joseph, dont nous connaissons le père
et la mère? Comment peut-il dire maintenant: Je
suis descendu du ciel?" ⁴³Jésus leur répondit:
"Ne murmurez pas entre vous. ⁴⁴Nul ne peut

24,20; Prov 9,5; la divine Sagesse invitait les hommes à
son banquet.

37-40. La foi est un don gratuit de Dieu: il faut être
attiré par le Père (44); elle exige en même temps la libre
adhésion de l'homme. A ceux qui croient, Jésus fait le
plus aimable accueil: conformément à la volonté pleine
d'amour de son Père, il leur communique dès maintenant la vie éternelle, en attendant la résurrection glorieuse.

venir à moi si le Père qui m'a envoyé ne l'attire, et moi je le ressusciterai au dernier jour. [45] Il est écrit dans les prophètes: *Ils seront tous instruits par Dieu.*[*] Quiconque a entendu le Père et a reçu son enseignement vient à moi; [46] non que personne ait vu le Père,[*] si ce n'est celui qui est venu d'auprès de Dieu; celui-là a vu le Père. [47] Oui, vraiment, je vous l'affirme, celui qui croit en moi possède la vie éternelle."

Jésus pain de vie par l'Eucharistie. - [48] "Je suis le pain de vie.[*] [49] Vos pères ont mangé la manne au désert, et ils sont morts. [50] Voici le pain qui descend du ciel, afin que quiconque en mange ne meure pas. [51] Je suis le pain vivant descendu du ciel; si quelqu'un mange de ce pain, il vivra éternellement, et le pain que je donnerai, c'est ma chair,[*] pour la vie du monde." [52] Alors les Juifs

---

45. Citation d'Is *54*,13. Comparer Jer *31*,33sq.

46. C'est par l'intermédiaire de Jésus que le Père attire et enseigne les hommes. L'adhésion à la parole divine transmise par lui fait participer à la vie éternelle. L'entretien est évidemment abrégé.

48. Commencement de l'enseignement eucharistique explicite. Il a été préparé par l'enseignement sur la foi, présentée elle-même comme une participation à la nourriture céleste.

51. Le pain céleste n'est autre que la chair du Christ, livrée et immolée pour le salut du monde. C'est le point culminant du discours. La manière dont le Sauveur répond aux murmures des Juifs montre bien qu'il s'agit d'une manducation réelle et non symbolique.

51-52. Forment un seul verset dans le texte grec, d'où une avance d'une unité, jusqu'à la fin du chapitre, dans la numérotation de la Vulgate latine.

se mirent à discuter entre eux et à dire: "Comment peut-il nous donner sa chair à manger?"*

⁵³Jésus leur dit: "Oui, vraiment, je vous l'affirme, si vous ne mangez la chair du Fils de l'homme et ne buvez son sang, vous n'aurez pas la vie en vous.* ⁵⁴Qui mange ma chair et boit mon sang possède la vie éternelle, et je le ressusciterai au dernier jour. ⁵⁵Car ma chair véritablement se mange et mon sang véritablement se boit. ⁵⁶Qui mange ma chair et boit mon sang demeure en moi et moi en lui. ⁵⁷De même que le Père, qui est vivant, m'a envoyé, et que moi je vis par le Père, ainsi celui qui me mange vivra lui aussi par moi.* ⁵⁸Voilà le pain descendu du ciel: non comme celui qu'ont mangé vos pères, qui sont morts. Celui qui mange de ce pain vivra éternellement."

⁵⁹Il dit tout cela dans une instruction de synagogue, à Capharnaüm.*

Effets du discours. Profession de foi de Pierre. - ⁶⁰Après l'avoir entendu, beaucoup de ses disciples dirent: "Cette doctrine est dure! Qui peut l'admettre?" ⁶¹Mais, sachant en lui-même que ses disciples murmuraient là-dessus, Jésus leur

---

53. Nécessité de l'Eucharistie pour maintenir et accroître la vie surnaturelle.

57. Autre traduction qui a sa probabilité: De même que je vis pour le Père, celui qui me mange vivra pour moi.

59. On a découvert à Capharnaüm les ruines d'une synagogue de l'époque d'Hadrien (milieu du IIᵉ siècle) édifiée très probablement sur l'emplacement de celle où le discours sur le pain de vie a été prononcé.

dit: "Cela vous scandalise? ⁶²Et si vous voyiez
le Fils de l'homme remonter là où il était auparavant? * ⁶³L'esprit seul vivifie, la chair ne sert de
rien.* Les paroles que je vous ai dites sont esprit
et elles sont vie. ⁶⁴Mais il y en a parmi vous qui
ne croient pas." Depuis le début, Jésus savait, en
effet, quels étaient ceux qui ne croyaient pas et
quel était celui qui allait le trahir. ⁶⁵Il ajouta:
"C'est pourquoi je vous ai dit que nul ne peut
venir à moi si cela ne lui est donné par le Père."

⁶⁶A la suite de cela, beaucoup de ses disciples
se retirèrent et cessèrent d'aller avec lui. ⁶⁷Alors
Jésus dit aux Douze: "Et vous aussi, allez-vous
partir?" ⁶⁸Simon Pierre lui répondit: "Seigneur,
à qui irions-nous? Tu as les paroles de la vie
éternelle. ⁶⁹Oui, nous croyons et nous savons
que tu es le Saint de Dieu." ⁷⁰Jésus leur répondit: "Ne vous ai-je pas choisis, vous, les Douze?
Et pourtant l'un de vous est un démon." ⁷¹Il
parlait de Judas, fils de Simon l'Iscariote. Car c'é-
tait lui qui devait le livrer, lui, un des Douze!

---

62. La glorification du Sauveur affermira la foi des
disciples et fera comprendre que, son corps étant sous-
trait aux lois naturelles, il ne s'agit pas d'une manducation grossière.

63. La chair, la nature humaine, la raison livrée à ses
propres forces, ne servent de rien pour comprendre les
choses spirituelles et les mystères de la foi. Seul l'esprit,
la lumière de la grâce divine, peuvent introduire à leur
connaissance. La réalité de la présence eucharistique ne
peut être atteinte que par l'esprit, mais c'est une réalité
certaine.

III – OPPOSITION CROISSANTE
DES JUIFS

7 **Incrédulité des frères de Jésus.** - [1]Après cela Jésus circulait en Galilée; il ne voulait plus en effet circuler en Judée, car les Juifs cherchaient à le faire mourir. [2]Or la fête juive des Huttes était proche.* [3]Ses frères lui dirent donc: "Pars d'ici et va en Judée, afin que tes disciples aussi voient les oeuvres que tu fais. [4]On n'agit pas en cachette quand on désire être soi-même en évidence. Puisque tu fais de telles oeuvres, manifeste-toi au monde." [5]Ainsi ses frères mêmes ne croyaient pas en lui. [6]Jésus leur dit donc: "Mon temps n'est pas encore venu, mais pour vous le temps est toujours favorable. [7]Le monde ne saurait vous haïr, mais moi il me déteste, parce que je témoigne à son sujet que ses oeuvres sont mauvaises. [8]Montez, vous, à la fête; pour moi, je ne monte pas à cette fête, car mon temps n'est pas encore accompli." [9]Cela dit, il resta en Galilée. [10]Mais lorsque ses frères furent montés à la fête, il y monta lui aussi, non ostensiblement, mais comme en cachette.

Premier entretien à la fête des Huttes. - [11]Les Juifs donc le cherchaient pendant la fête et disaient: "Où est-il?" [12]On chuchotait beaucoup

_____

7. – 2. La fête des Huttes ou des Tentes se célébrait en automne et durait huit jours. C'était la fête de la récolte. En souvenir du séjour au désert, on la passait sous des huttes de branchages, édifiées dans les cours ou sur les terrasses des maisons. Cf. Lev *23*,34-36.42. Pour les frères de Jésus, cf. note Mat *13*,55.

sur son compte dans les groupes. Les uns disaient: "C'est un homme de bien." "Non, disaient les autres, il égare le peuple." [13]Personne cependant ne parlait de lui ouvertement, par crainte des Juifs.

[14]Comme on était déjà au milieu de la fête, Jésus monta au Temple, et il enseignait. [15]Les Juifs s'en étonnaient et disaient: "Comment sait-il tout cela, lui qui n'a pas étudié? "*

[16]Jésus leur répondit: "Mon enseignement n'est pas de moi, mais de Celui qui m'a envoyé. [17]Si quelqu'un veut accomplir sa volonté, il reconnaîtra si cet enseignement vient de Dieu ou si je parle de mon propre chef. [18]Celui qui parle de son chef recherche sa propre gloire; mais celui qui recherche la gloire de celui qui l'a envoyé, celui-là est véridique et il n'y a pas en lui d'imposture. [19]Moïse ne vous a-t-il pas donné la Loi? Or aucun de vous n'observe la Loi! Pourquoi cherchez-vous à me faire mourir? " [20]La foule répondit: "Tu as un démon. Qui cherche à te faire mourir? "

[21]Jésus leur répondit: "Pour une seule oeuvre que j'ai faite, vous voilà tous déconcertés! [22]Moïse vous a donné la circoncision — non qu'elle vienne de Moïse, mais des patriarches — et même le jour du sabbat vous la pratiquez. [23]Si on peut circoncire un homme le jour du sabbat afin de ne pas violer la Loi de Moïse,

---

15. "Tout cela", littéralement: les lettres; Jésus n'est pas passé par les écoles rabbiniques.

23. Allusion à la guérison du paralytique. Elle se

pourquoi vous indigner contre moi de ce qu'un jour de sabbat j'ai guéri complètement un homme? * [24] Ne jugez pas sur l'apparence, mais jugez selon la justice."

[25] Des gens de Jérusalem dirent alors: "N'est-ce pas celui qu'ils cherchent à faire mourir? [26] Le voilà qui parle librement et on ne lui dit rien! Est-ce que vraiment les chefs auraient reconnu qu'il est le Christ? [27] Mais lui, nous savons d'où il est*, tandis que le Christ, quand il viendra, personne ne saura d'où il est." [28] Alors Jésus, qui enseignait dans le Temple, s'écria: "Oui, vous me connaissez, et vous savez d'où je suis! Cependant ce n'est pas de moi-même que je suis venu, et il est véridique, Celui qui m'a envoyé. Vous, vous ne le connaissez pas, [29] mais moi je le connais, car je suis venu d'auprès de lui, et c'est lui qui m'a envoyé." [30] Ils cherchaient donc à l'arrêter, mais personne ne mit la main sur lui, parce que son heure n'était pas encore venue. [31] Dans la foule beaucoup crurent en lui; "Car, disaient-ils, le Christ, quand il viendra, fera-t-il plus de signes que celui-ci n'en a fait? "

[32] Ces propos de la foule à son sujet parvinrent aux oreilles des pharisiens. Alors les grands prêtres et les pharisiens envoyèrent des gardes pour l'arrêter. [33] Jésus dit alors: "Pour un peu de

---

comprend mieux si on place le chapitre 5 après le chapitre 6.

27. C'était une opinion populaire que le Messie apparaîtrait soudainement, sans que l'on sût d'où il viendrait.

temps encore je suis avec vous, puis je m'en vais
vers Celui qui m'a envoyé. [34]Vous me chercherez
et vous ne me trouverez pas, car là où je serai,
vous ne pouvez venir."* [35]Sur quoi les Juifs se
dirent entre eux: "Où donc doit-il aller que nous
ne le trouverons pas? Doit-il aller à ceux qui
sont dispersés parmi les Grecs et instruire les
Grecs? [36]Que signifie ce qu'il vient de dire:
Vous me chercherez et vous ne me trouverez pas,
car là où je serai, vous ne pouvez venir?"

**Nouvel entretien le dernier jour de la fête. On
tente d'arrêter Jésus.** - [37]Le dernier jour, le plus
solennel de la fête, Jésus, debout, s'écria: "Si
quelqu'un a soif, qu'il vienne à moi et qu'il boive! * [38]Celui qui croit en moi, comme l'a dit
l'Écriture,* des fleuves d'eau vive couleront de
son sein." [39]Il dit cela de l'Esprit que devaient

---

34. Après la mort du Sauveur, les Juifs chercheront
inutilement le Messie qu'ils n'auront pas su reconnaître
en lui. Là où je serai; ou bien: là où je suis.

37. Allusion probable à la procession qui, ce jour-là,
apportait de l'eau dans une cruche d'or de la piscine de
Siloé, pour la répandre au Temple devant l'autel.

38. Allusion à plusieurs textes scripturaires: Is *44*,3;
48,21; Ez *36*,25; Zach *12*,10; *14*,8, etc. Jésus est le dis-
pensateur de l'Esprit Saint. On peut toutefois ponctuer
autrement et entendre que les fleuves d'eau vive couleront du sein des croyants; comparer *4*,14; *14*,26; *16*,7;
19,30; *20*,22.

39. Littéralement: il n'y avait pas encore d'Esprit,
c'est-à-dire que les effusions de l'Esprit Saint demeu-
raient exceptionnelles. C'est seulement après la Passion
et la glorification du Sauveur, et en application de ses
mérites que l'Esprit Saint sera donné en abondance.

recevoir ceux qui croiraient en lui; car l'Esprit n'était pas encore donné parce que Jésus n'avait pas encore été glorifié.* ⁴⁰Or parmi la foule qui avait entendu ces paroles certains disaient: "En vérité, c'est le Prophète! " ⁴¹D'autres disaient: "C'est le Christ! " Mais d'autres disaient: "Est-ce donc de Galilée que le Christ doit venir? ⁴²L'Écriture n'a-t-elle pas dit que c'est de la postérité de David et de Bethléem, le bourg de David, que doit venir le Christ?"* ⁴³Il y eut ainsi division dans la foule à son sujet. ⁴⁴Quelques-uns voulaient l'arrêter, mais personne ne mit la main sur lui.

⁴⁵*Les gardes revinrent donc auprès des grands prêtres et des pharisiens qui leur dirent: "Pourquoi ne l'avez-vous pas amené? " ⁴⁶Les gardes répondirent: "Jamais homme n'a parlé comme cet homme! " ⁴⁷Les pharisiens leur répliquèrent: "Vous aussi, vous êtes-vous laissé séduire? ⁴⁸Y a-t-il personne parmi les chefs qui ait cru en lui, ou parmi les pharisiens? ⁴⁹Mais cette racaille qui ne connaît pas la Loi, ce sont des maudits! "

⁵⁰Nicodème, celui qui était venu le trouver précédemment, quoique l'un d'entre eux, leur dit: ⁵¹"Notre Loi permet-elle de condamner quelqu'un avant de l'avoir entendu et de savoir ce qu'il a fait? " ⁵²Ils lui répondirent: "Es-tu de

---

42. Cf. Mic 5,2.

45-53. Scène prise sur le vif, et où, malgré la gravité du sujet, on devine une pointe d'humour chez l'évangéliste.

52. "Étudie", c'est-à-dire étudie les Écritures.

Galilée, toi aussi? Étudie,* et tu verras que de Galilée il ne sort pas de prophète! " [53] Et ils s'en allèrent chacun chez soi.

8 **Après la fête. La femme adultère.** -* [1] Jésus, lui, s'en alla au mont des Oliviers. [2] Mais dès le matin il reparut au Temple. Comme tout le peuple venait à lui, il s'assit et se mit à les instruire. [3] Or les scribes et les pharisiens lui amènent une femme surprise en adultère, [4] et, la plaçant au milieu, ils lui disent: "Maître, cette femme a été surprise en flagrant délit d'adultère. [5] Dans la Loi, Moïse nous a prescrit de lapider ces femmes-là.* Et toi, que dis-tu? " [6] Ils disaient cela pour l'embarrasser, afin d'avoir sujet de l'accuser. Mais Jésus, se baissant, se mit à écrire avec le doigt sur le sol.* [7] Comme ils persistaient à l'interroger, il se redressa et leur dit: "Que celui d'entre vous qui est sans péché lui jette le premier une pier-

---

8. – 1-11. L'épisode de la femme adultère, manque dans plusieurs manuscrits et semble avoir été ignoré de certains Pères. D'autres manuscrits le placent à la fin de l'Évangile de Jean ou l'insèrent entre les chapitres 21 et 22 de Luc. Il appartient certainement à la tradition évangélique la plus authentique, et son caractère inspiré ne saurait faire de doute. Il est moins sûr qu'il faille l'attribuer à Jean, car il est plutôt dans la manière des synoptiques; de plus, il se relie mal au contexte. On peut penser qu'il a été ajouté à sa place actuelle, soit par Jean, soit par un autre auteur inspiré, parce que le fait s'était passé durant la fête des Huttes.

5. Cf. Lev 20,10; Deut 22,22sq.

6. Jésus refuse de répondre et trace du doigt de vagues caractères sur les dalles de l'esplanade comme un homme qui s'absorberait dans d'autres pensées.

re! " ⁸Et, se baissant de nouveau, il se remit à écrire sur le sol. ⁹Mais eux, à ces paroles, s'en allèrent un à un, à commencer par les plus âgés. ¹⁰Jésus resta seul avec la femme, toujours là, au milieu. Se redressant il lui dit: "Femme, où sont-ils? Personne ne t'a condamnée? " ¹¹"Personne, Seigneur", répondit-elle. Jésus lui dit: "Moi non plus, je ne te condamne pas. Va, et désormais ne pèche plus! "*

Discussion après la fête des Huttes. Jésus affirme sa mission divine et reproche leur incrédulité aux Juifs qui tentent de le lapider. -* ¹²Jésus leur parla de nouveau en ces termes: "Je suis la lumière du monde. Celui qui me suit ne marchera pas dans les ténèbres, mais il aura la lumière de la vie." ¹³Les pharisiens lui dirent donc: "Tu te rends témoignage à toi-même, ton témoignage

---

11. L'indulgence du Seigneur est immense, mais il exige de la coupable la résolution de ne plus pécher.

12-59. Cet entretien dramatique, dont l'intérêt et l'émotion vont croissant, est au plus haut point la révélation de l'Être et des attributs divins de Jésus: lumière divine (12-20) qui vient du Père (21-31), Fils de Dieu (31-47), et enfin, comme Dieu lui-même, Celui qui est (48-59).

Le thème de la lumière et l'opposition lumière-ténèbres est classique dans l'Écriture: Is *9*,1; *45*,7; Prov *4*,18-19; *6*,23; Ps *119*,105, etc., et caractéristique du quatrième Évangile: *1*,5; *3*,19; *12*,35,46; 1 Jean *1*,5. Comparer Rom *13*,12; 2 Cor *6*,14; Eph *5*,8; Col *1*,13; 1 Th *5*,4-5; 1 Pi *2*,9.

13-14. Après la guérison du paralytique, Jésus avait provisoirement renoncé à son propre témoignage: *5*,31; il y fait appel maintenant, et très légitimement: connais-

n'est pas valable." [14] Jésus leur répondit: "Bien que je me rende témoignage à moi-même, mon témoignage est valable, parce que je sais d'où je suis venu et où je vais; mais vous, vous ne savez pas d'où je viens ni où je vais.* [15] Vous, c'est selon la chair que vous jugez; moi, je ne juge personne,* [16] ou si je juge, mon jugement est valable, parce que je ne suis pas seul, ayant avec moi le Père qui m'a envoyé. [17] Or il est écrit dans votre Loi que le témoignage de deux personnes est valable.* [18] Moi-même je me rends témoignage, et le Père qui m'a envoyé me rend aussi témoignage." [19] Ils lui dirent donc: "Où est ton Père?" Jésus répondit: "Vous ne connaissez ni moi ni mon Père; si vous me connaissiez, vous connaîtriez aussi mon Père." [20] Telles sont les paroles qu'il prononça près du Trésor, dans le Temple, où il enseignait. Mais personne ne l'arrêta, car son heure n'était pas encore venue.

[21] Il leur dit encore: "Je m'en vais et vous me chercherez, et vous mourrez dans votre péché; là où je vais, vous ne pouvez venir." [22] Sur quoi les Juifs disaient: "Est-ce qu'il va se tuer, qu'il dise: Là où je vais, vous ne pouvez venir?" [23] Et il leur disait: "Vous, vous êtes d'en bas; moi, je

---

sant son origine et sa mission divine, il peut témoigner sur lui-même à l'instar d'un témoin oculaire.

15. Les Juifs, en s'obstinant à juger selon la chair, c'est-à-dire selon les apparences, voient en Jésus un homme ordinaire et récusent indûment son témoignage.

17-18. Le témoignage du Père accompagne toujours celui du Fils, ce qui fait deux témoins, conformément aux exigences de la Loi!

suis d'en haut. Vous, vous êtes de ce monde; moi, je ne suis pas de ce monde. ²⁴Je vous ai donc dit que vous mourrez dans vos péchés. Si, en effet, vous ne croyez pas que Je Suis, vous mourrez dans vos péchés."* Ils lui dirent donc: ²⁵"Mais qui es-tu? " Jésus leur répondit: "Absolument ce que je vous dis.* ²⁶J'aurais beaucoup à dire et à reprendre sur votre compte. Mais Celui qui m'a envoyé est véridique; et ce que j'ai appris de lui, je le dis au monde." ²⁷Ils ne comprirent pas que c'était du Père qu'il leur parlait. ²⁸Jésus leur dit: "Quand vous aurez élevé le Fils de l'homme, alors vous reconnaîtrez que Je Suis, et que de moi-même je ne fais rien, et que je parle selon ce que m'a enseigné le Père.* ²⁹Celui qui m'a envoyé est avec moi; il ne me laisse pas seul, parce que je fais toujours ce qui lui plaît." ³⁰Comme il parlait ainsi, beaucoup crurent en lui.

³¹Jésus dit alors aux Juifs qui avaient cru en

---

24. Pour n'être pas condamné, il faut croire à ce qu'est Jésus, à tout ce qu'il dit de lui-même. Il se présente comme envoyé de Dieu et possédant la plénitude de l'Être, mais il évite de se donner explicitement pour le Messie, comme dans les synoptiques. "Je Suis" est le nom divin révélé à Moïse: Ex *3*,14. Comparer Is *43*,10-13.

25. Verset difficile. Jésus est ce qu'il ne cesse de dire depuis le commencement, ce qui ressort de ses paroles et de ses actes. Autre traduction: d'abord pourquoi est-ce que je vous parle; faut-il seulement que je vous parle, étant donné vos dispositions?

28. La Passion du Christ, et la glorification qui la suivra, manifesteront qui il est.

lui: "Si vous demeurez en ma parole, vous serez
vraiment mes disciples, [32] vous connaîtrez la vérité, et la vérité vous rendra libres." [33] Ils lui répondirent: "Nous, les descendants d'Abraham,
nous n'avons jamais été esclaves de personne.
Comment peux-tu dire: Vous deviendrez libres?"* [34] Jésus leur répondit: "Oui, vraiment,
je vous l'affirme, quiconque commet le péché est
esclave du péché. [35] Or l'esclave n'est pas toujours dans la maison, mais le fils y est pour toujours.* [36] Si donc le Fils vous affranchit, vous
serez réellement libres. [37] Je sais bien que vous
êtes la postérité d'Abraham; il n'empêche que
vous cherchez à me faire mourir, parce que ma
parole ne pénètre pas en vous. [38] Je dis ce que
j'ai vu auprès de mon Père, et vous, vous faites
ce que vous avez appris de votre père." [39] Ils lui
répondirent: "Notre père, c'est Abraham." Jésus
leur dit: "Si vous êtes enfants d'Abraham, faites
les oeuvres d'Abraham.* [40] Or vous cherchez à
me faire mourir, moi qui vous ai dit la vérité,
que j'ai apprise de Dieu. Cela, Abraham ne l'a
pas fait! [41] Vous faites les oeuvres de votre pè-

---

33. Ici interviennent sans doute des interlocuteurs
différents de ceux qui avaient cru; on s'expliquerait mal
autrement la sévérité du Sauveur.

35. L'esclave risque d'être chassé de la maison, comme autrefois Ismaël de la maison d'Abraham: Gen
21,9-13; le fils y reste toujours, cf. Gal *4*,30sq.

39-41. L'oeuvre par excellence d'Abraham, que les
Juifs n'imitent pas, est sa foi aux promesses divines. Cf.
Rom *4* et Gen *15*,6; *17*,2sq. L'infidélité est assimilée
dans l'Écriture à une prostitution: Jer *2*,20; Ez *16*,15sq.;
Os *1*,2; *2*,6.

re." Ils lui dirent: "Nous ne sommes pas des fils de prostituées, nous n'avons qu'un père, Dieu." [42] Jésus leur dit: "Si Dieu était votre père, vous m'aimeriez, car c'est de Dieu que je suis sorti et que je viens. Je ne suis pas venu de moi-même, c'est lui qui m'a envoyé. [43] Pourquoi ne comprenez-vous pas mon langage? Parce que vous ne pouvez pas admettre ma parole. [44] Le père dont vous êtes issus, c'est le diable, et vous voulez réaliser les désirs de votre père! Il a été homicide dès le commencement, et il ne s'est pas tenu dans la vérité, parce qu'il n'y a pas de vérité en lui. Lorsqu'il profère le mensonge, c'est de son propre fonds qu'il parle, parce qu'il est menteur et le père du mensonge.* [45] Mais moi, parce que je dis la vérité, vous ne me croyez pas. [46] Qui de vous me convaincra de péché? Si je dis la vérité, pourquoi ne me croyez-vous pas? [47] Celui qui est de Dieu écoute les paroles de Dieu; voilà pourquoi vous n'écoutez pas: parce que vous n'êtes pas de Dieu."

[48] Les Juifs lui répondirent: "N'avons-nous pas raison de dire que tu es un Samaritain et un possédé du démon?" [49] Jésus répondit: "Je ne suis pas possédé du démon, mais j'honore mon Père, et vous, vous me déshonorez. [50] Pour moi, je ne cherche pas ma gloire; un autre la cherche et juge. [51] Oui, vraiment, je vous l'affirme, si quel-

---

44-45. Le démon a été homicide dès l'origine; c'est par un mensonge qu'il a fait tomber le premier homme, et la mort est entrée dans le monde avec le péché: Rom 5,12.

qu'un garde ma parole, il ne verra jamais la mort."* ⁵²Les Juifs lui dirent: "Maintenant nous voyons bien que tu es possédé du démon. Abraham est mort, les prophètes aussi, et toi tu dis: Si quelqu'un garde ma parole, il ne goûtera jamais la mort. ⁵³Es-tu donc plus grand que notre père Abraham, qui est mort? Et les prophètes aussi sont morts! Qui donc prétends-tu être?" ⁵⁴Jésus répondit: "Si je me glorifie moi-même, ma gloire n'est rien; c'est mon Père qui me glorifie, lui dont vous dites qu'il est votre Dieu; ⁵⁵et vous ne le connaissez pas, quant à moi, je le connais. Et si je disais que je ne le connais pas, je serais, comme vous, un menteur. Mais je le connais et je garde sa parole. ⁵⁶Abraham, votre père, a exulté à la pensée de voir mon jour; il l'a vu et il s'est réjoui."* ⁵⁷Sur quoi les Juifs lui dirent: "Tu n'as pas encore cinquante ans et tu as vu Abraham!"* ⁵⁸Jésus leur répondit: "Oui, vraiment, je vous l'affirme, avant qu'Abraham ne vînt à l'existence, moi, Je Suis!"* ⁵⁹Alors ils prirent des pierres pour les jeter sur lui. Mais Jésus se déroba et sortit du Temple.

---

51. La mort corporelle ne peut porter atteinte à la vie véritable, vie de l'âme régénérée par la grâce.

56. Abraham a contemplé d'une certaine manière le jour du Christ en recevant les annonces réitérées des promesses messianiques: Gen *12*,3; *17*,1-8; *22*,16-18.

57. Les interlocuteurs du Christ font bonne mesure; il n'y a ici aucune indication sur son âge.

58. Jésus affirme qu'il préexiste à Abraham, et qu'il *est*, d'une manière absolue et sans limitation aucune. Les Juifs ne se méprennent pas sur la portée de cette parole

9 Guérison de l'aveugle-né.

– [1]En passant, il vit un aveugle de naissance. [2]Ses disciples* lui demandèrent: "Rabbi, qui a péché, lui ou ses parents, pour qu'il soit né aveugle?" [3]Jésus répondit: "Ni lui ni ses parents, mais c'est pour que les oeuvres de Dieu soient manifestées en lui. [4]Il nous faut exécuter, tant qu'il fait jour, les oeuvres de Celui qui m'a envoyé; puis vient la nuit, où nul ne peut plus travailler.* [5]Tant que je suis dans le monde, je suis la lumière du monde."
[6]Cela dit, il cracha à terre, fit de la boue avec sa salive, lui appliqua la boue sur les yeux [7]et lui dit: "Va te laver à la piscine de Siloé", – ce qui signifie Envoyé.* Il y alla donc, se lava et revint voyant clair. [8]Alors les voisins et ceux qui étaient habitués à le voir auparavant – car c'était un mendiant – dirent: "N'est-ce pas celui qui se tenait assis et mendiait?" [9]Les uns disaient: "C'est lui"; et d'autres: "Non, mais il lui ressemble." Mais lui disait: "C'est moi." [10]Ils lui demandèrent donc: "Comment tes yeux se sont-ils ouverts?" [11]Il répondit: "L'homme qu'on appel-

et veulent le lapider immédiatement comme blasphémateur.

9. – 2-3. Les Juifs voyaient facilement dans la maladie une punition du péché. Jésus redresse cette opinion.

4. La nuit de la mort mettra terme à la mission terrestre du Sauveur; cela ne veut pas dire que son activité prendra fin, mais elle changera de forme. De même pour les apôtres.

7. La piscine de Siloé recevait les eaux de la source de Gihon, à laquelle la reliait le canal creusé par Ézéchias: 2 Rois 20,20.

le Jésus a fait de la boue, me l'a appliquée sur les yeux et m'a dit: "Va te laver à Siloé." J'y suis donc allé, je me suis lavé et j'ai recouvré la vue." [12] Ils lui demandèrent: "Où est-il?" Il répondit: "Je n'en sais rien."

[13] On amène aux pharisiens celui qui avait été aveugle. [14] Or c'était un jour de sabbat que Jésus avait fait ainsi de la boue et lui avait ouvert les yeux. [15] Les pharisiens lui demandèrent donc à leur tour comment il avait recouvré la vue. Il leur répondit: "Il m'a mis de la boue sur les yeux, je me suis lavé et je vois clair!" [16] Sur quoi, quelques-uns des pharisiens disaient: "Cet homme ne vient pas de Dieu, puisqu'il n'observe pas le sabbat." Mais d'autres disaient: "Comment un pécheur pourrait-il faire de tels miracles?" Et ils étaient en désaccord. [17] Ils dirent donc de nouveau à l'aveugle: "Et toi, que dis-tu de lui, puisqu'il t'a ouvert les yeux?" Il répondit: "C'est un prophète."

[18] Les Juifs ne voulurent pourtant pas croire qu'il eût été aveugle et qu'il eût recouvré la vue, avant d'avoir convoqué ses parents. Ils les interrogèrent: [19] "Est-ce là votre fils, dont vous dites qu'il est né aveugle? Comment donc y voit-il maintenant?" [20] Les parents répondirent: "Nous savons que c'est là notre fils et qu'il est né aveugle. [21] Mais comment il se fait qu'il y voit maintenant, nous ne le savons pas; et qui lui a ouvert les yeux, nous ne le savons pas. Interrogez-le; il a l'âge; il s'expliquera sur ce qui le concerne." [22] Les parents parlèrent ainsi parce qu'ils avaient

peur des Juifs. Déjà, en effet, les Juifs s'étaient entendus pour exclure des synagogues quiconque reconnaîtrait Jésus pour le Christ. [23] C'est pourquoi les parents dirent: "Il a l'âge; interrogez-le."

[24] Ils appelèrent donc une seconde fois celui qui avait été aveugle et lui dirent: "Rends gloire à Dieu! * Nous savons que cet homme est un pécheur." [25] Il répondit: "Si c'est un pécheur, je n'en sais rien; mais il y a une chose que je sais, c'est que j'étais aveugle et qu'à présent j'y vois." [26] Ils lui dirent de nouveau: "Qu'est-ce qu'il t'a fait? Comment t'a-t-il ouvert les yeux?" [27] Il leur répondit: "Je vous l'ai déjà dit, et vous ne m'avez pas écouté. Pourquoi voulez-vous l'entendre encore? Voudriez-vous, vous aussi, devenir ses disciples?" [28] Ils se mirent alors à l'injurier et lui dirent: "Tu peux être son disciple; nous, c'est de Moïse que nous sommes les disciples. [29] Nous savons que Dieu a parlé à Moïse; mais celui-là, nous ne savons pas d'où il est." [30] L'homme leur répliqua: "Voilà bien ce qui est étonnant, que vous ne sachiez pas d'où il est, alors qu'il m'a ouvert les yeux! [31] Nous savons que Dieu n'exauce pas les pécheurs, mais si quelqu'un est religieux et fait sa volonté, il l'exauce. [32] Au grand jamais on n'a entendu dire que quelqu'un ait ouvert les yeux d'un aveugle-né! [33] Si celui-ci n'était pas venu de Dieu, il n'aurait rien pu faire." [34] Ils lui répondirent: "Tu es tout entier dans le péché,

---

24. "Rends gloire à Dieu": formule d'adjuration, pour sommer quelqu'un de dire la vérité.

depuis ta naissance, et tu nous fais la leçon! " Et ils le chassèrent.

[35] Jésus apprit qu'ils l'avaient chassé, et, le rencontrant, il lui dit: "Crois-tu au Fils de l'homme? "* [36] Il répondit: "Qui est-ce, Seigneur, pour que je croie en lui? " [37] Jésus lui dit: "Tu le vois; c'est lui-même qui te parle." [38] Il dit alors: "Je crois, Seigneur! " et il se prosterna devant lui. [39] Jésus dit: "C'est pour un jugement que je suis venu en ce monde, afin que ceux qui ne voient pas voient, et que ceux qui voient deviennent aveugles." [40] Entendant cela, des pharisiens qui se trouvaient avec lui lui dirent: "Serions-nous aveugles, nous aussi? " [41] Jésus leur répondit: "Si vous étiez aveugles, vous n'auriez pas de péché; mais comme vous dites: Nous y voyons, votre péché demeure."*

10 **Allégorie du bon Pasteur.** - [1] "Oui, vraiment, je vous l'affirme, celui qui n'entre pas par la porte dans l'enclos des brebis, mais l'escalade par ailleurs, celui-là est un voleur et un brigand. [2] Celui, au contraire, qui entre par la porte est le pasteur des brebis. [3] A lui, le portier ouvre, et les brebis écoutent sa voix; il appelle ses brebis par leur nom et il les mène dehors.

35-38. Jésus se fait connaître au miraculé comme le Fils de l'homme, désignation encore mystérieuse, mais qui le met sur le chemin de la foi.

41. Avertissement terrible, à l'adresse des aveugles volontaires qui prétendent voir clair, alors qu'ils se détournent de la lumière et s'obstinent dans leur incrédulité.

⁴Quand il les a toutes fait sortir, il marche devant elles, et les brebis le suivent, parce qu'elles connaissent sa voix. ⁵Elles ne suivront pas un étranger, mais elles fuiront loin de lui, parce qu'elles ne connaissent pas la voix des étrangers." ⁶Telle est la parabole que leur dit Jésus, mais ils ne comprirent pas ce qu'il voulait dire.

⁷Jésus reprit donc: "Oui, vraiment, je vous l'affirme, je suis la porte des brebis. ⁸Tous ceux qui sont venus avant moi sont des voleurs et des brigands,* mais les brebis ne les ont pas écoutés. ⁹Je suis la porte. Quiconque entrera par moi sera sauvé; il ira et viendra, et il trouvera des pâturages. ¹⁰Le voleur ne vient que pour voler, égorger et détruire. Je suis venu pour que les brebis aient la vie et qu'elles l'aient en surabondance.

¹¹"Je suis le bon Pasteur.* Le bon Pasteur donne sa vie pour ses brebis. ¹²Le berger à gages, celui qui n'est pas le pasteur, à qui les brebis n'appartiennent pas, voit-il venir le loup, il laisse là les brebis et se sauve; et le loup les emporte et les disperse; ¹³c'est qu'il est berger à gages et ne

10. – 8. Les brigands venus avant Jésus sont les faux prophètes et les faux messies. Certains pensent que le Sauveur vise aussi les pharisiens; mais ils faisaient partie du bercail et n'avaient pas à y entrer par escalade.

11-16. Le bon Pasteur: thème éminemment biblique et familier aux auditeurs: Ps 22; 79,13; 80,2; Is 40,41; Ez 34,23.31, etc. Le Maître insiste sur les devoirs du vrai pasteur et sur son dessein de s'y conformer jusqu'au sacrifice de sa vie. Le bon Pasteur établit entre lui et ses brebis une intimité si profonde qu'il la compare à la connaissance mutuelle du Père et du Fils. Les brebis qui ne font pas partie du peuple d'Israël seront agrégées à

se soucie pas des brebis. [14] Je suis le bon Pasteur. Je connais mes brebis et mes brebis me connaissent, [15] comme le Père me connaît et que je connais le Père. Et je donne ma vie pour mes brebis. [16] J'ai encore d'autres brebis, qui ne sont pas de ce bercail. Celles-là aussi, il faut que je les amène; elles écouteront ma voix, et il y aura un seul troupeau, un seul pasteur. [17] C'est pour cela que le Père m'aime, parce que je donne ma vie: mais c'est pour la reprendre ensuite. [18] Personne ne peut me l'enlever, mais je la donne de moi-même. Je suis maître de la donner, et maître de la reprendre: tel est le commandement que j'ai reçu de mon Père."*

[19] Il y eut de nouveau désaccord parmi les Juifs à cause de ces paroles. [20] Beaucoup d'entre eux disaient: "Il est possédé d'un démon et il perd la tête. Pourquoi l'écoutez-vous?" [21] D'autres disaient: "Ces paroles ne sont pas d'un démoniaque: est-ce qu'un démon peut ouvrir les yeux des aveugles?"

Discours lors de la fête de la Dédicace. Nouvelle tentative de lapidation. - [22] Arriva la fête de la Dédicace à Jérusalem.* [23] C'était l'hiver. Jésus

---

l'unique troupeau: annonce de l'unité et de la catholicité de l'Église. Comparer Jean *11*,52; *17*; Gal *3*,28; Eph *2*,11-22, etc.

17-18. Liberté totale et obéissance de Jésus dans son sacrifice, et dans la résurrection qui manifestera l'acceptation de ce sacrifice par le Père.

22. La fête de la Dédicace se célébrait en décembre et commémorait la purification du Temple par Judas

allait et venait dans le Temple, sous le portique de Salomon. **²⁴**Les Juifs firent cercle autour de lui et lui dirent: "Jusques à quand nous tiendras-tu l'esprit en suspens? Si tu es le Christ, dis-le-nous clairement." **²⁵**Jésus leur répondit: "Je vous l'ai dit, et vous ne me croyez pas. Les oeuvres que je fais au nom de mon Père, voilà ce qui témoigne pour moi. **²⁶**Mais vous ne croyez pas, parce que vous n'êtes pas de mes brebis.* **²⁷**Mes brebis écoutent ma voix; je les connais et elles me suivent. **²⁸**Je leur donne la vie éternelle, et elles ne périront jamais, et personne ne les arrachera de ma main. **²⁹**Ce que mon Père m'a donné est plus précieux que tout, et nul ne peut l'arracher de la main de mon Père.* **³⁰**Moi et mon Père, nous sommes un."*

Maccabée en 165, en réparation des profanations d'Antiochus Épiphane: *1* Mac *4*,36-54. Le portique de Salomon, à l'est de l'esplanade du Temple, protégeait contre le vent froid du désert.

24-26. Jésus évite de se déclarer ouvertement le Messie, mais fait appel à ses oeuvres, c'est-à-dire non seulement à ses miracles, mais à son enseignement et à toute sa vie qui indiquent suffisamment qui il est. Seulement, pour croire, il faut être de ses brebis, se montrer loyal et docile à son égard.

27-29. Intime union des brebis et du Pasteur; il leur donne la vie éternelle, et personne ne peut les lui enlever. Comparer Rom *8*,39.

29. Prix infini des brebis du Christ. Autre traduction, moins probable: Mon Père qui me les a données est plus grand que tout.

30-36. Affirmation formelle de la divinité du Sauveur: il est bien plus que le Messie. Les Juifs ne s'y trompent pas et veulent de nouveau le lapider.

³¹ De nouveau les Juifs ramassèrent des pierres pour le lapider. ³² Jésus leur dit: "Je vous ai montré beaucoup d'oeuvres bonnes venant du Père. Pour laquelle de ces oeuvres voulez-vous me lapider?" ³³ Les Juifs lui répondirent: "Ce n'est pas pour une oeuvre bonne que nous voulons te lapider, mais pour blasphème; parce que toi, qui n'es qu'un homme, tu te fais Dieu." ³⁴ Jésus leur répondit: "N'est-il pas écrit dans votre Loi: *J'ai dit: vous êtes des dieux?* ³⁵ Si elle a qualifié de dieux ceux à qui la parole de Dieu a été adressée – et l'Écriture ne peut être récusée – ³⁶ à celui que le Père a consacré et envoyé dans le monde vous dites qu'il blasphème, parce que j'ai dit: Je suis Fils de Dieu! * ³⁷ Si je ne fais pas les oeuvres de mon Père, ne me croyez pas; ³⁸ mais si je les fais, quand même vous ne me croiriez pas, croyez à mes oeuvres, afin que vous sachiez et reconnaissiez que le Père est en moi et moi dans le Père." ³⁹ Là-dessus, ils cherchèrent de nouveau à s'emparer de lui, mais il s'échappa de leurs mains. ⁴⁰ Puis il s'en retourna au-delà du Jourdain, à l'endroit où Jean avait baptisé au début, et il y séjourna. ⁴¹ Beaucoup vinrent à lui, et ils disaient: "Jean n'a fait aucun signe, ⁴² mais tout ce que Jean a dit de celui-ci était vrai." Et là beaucoup crurent en lui.

34-36. Argument *a minori ad majus*: le Ps *82,*6 appelle métaphoriquement des dieux les juges et les princes, à qui Dieu délègue une partie de son autorité. A combien plus forte raison Jésus peut-il revendiquer sans blasphème et au sens propre la qualité de Fils de Dieu. L'appellation n'est pas inouïe (on la trouve dans ce

11 **Résurrection de Lazare.** -* ¹ Or il y avait un
malade, Lazare, de Béthanie, le village de
Marie et de sa soeur Marthe, — ² Marie est celle
qui oignit de parfum le Seigneur et lui essuya les
pieds avec ses cheveux, et c'est son frère, Lazare,
qui était malade. ³ Les soeurs envoyèrent dire à
Jésus: "Seigneur, celui que tu aimes est malade."
⁴ A cette nouvelle, Jésus dit: "Cette maladie n'est
pas mortelle, mais elle est pour la gloire de Dieu,
afin que le Fils de Dieu en soit glorifié." ⁵ Or
Jésus aimait Marthe, et sa soeur, et Lazare.

⁶ Ayant reçu la nouvelle qu'il était malade, il
resta encore deux jours là où il se trouvait.
⁷ Après quoi seulement il dit à ses disciples: "Re-
tournons en Judée." ⁸ Ses disciples lui dirent:
"Rabbi, tout récemment les Juifs cherchaient à
te lapider et de nouveau tu y retournes?" ⁹ Jésus
répondit: "Le jour n'a-t-il pas douze heures?
Quand on marche de jour, on ne bute pas, parce
qu'on voit la lumière de ce monde; ¹⁰ mais quand
on marche de nuit, on bute, parce qu'on n'a plus
la lumière." ¹¹ Cela dit, il ajouta: "Lazare, notre
ami, s'est endormi, mais je vais aller le réveiller."

même Ps); et les "oeuvres" accomplies par Jésus montrent qu'elle est amplement justifiée.
    11. – La résurrection de Lazare montre Jésus source
de vie, comme la guérison de l'aveugle a fait voir qu'il
est la lumière du monde. La portée symbolique de ces
deux miracles laisse entière leur réalité historique. L'épisode de Lazare présente un caractère inoubliable de précision, de vie et de drame poignant. Jésus sait qu'il va
mettre le comble à l'exaspération de ses ennemis; l'ombre de la croix se profile entre les lignes.

¹²Les disciples lui dirent donc: "Seigneur, s'il s'est endormi, il guérira." ¹³Or Jésus avait voulu parler de sa mort, mais eux se figurèrent qu'il parlait du repos du sommeil. ¹⁴Jésus leur dit alors clairement: "Lazare est mort. ¹⁵Et je me réjouis de n'avoir pas été là, à cause de vous, afin que vous croyiez. Mais allons auprès de lui." ¹⁶Alors Thomas, appelé Didyme, dit aux autres disciples: "Allons, nous aussi, mourir avec lui! "

¹⁷A son arrivée, Jésus le trouva au tombeau depuis déjà quatre jours. ¹⁸Béthanie est près de Jérusalem, à quinze stades environ. ¹⁹Aussi beaucoup de Juifs étaient-ils venus auprès de Marthe et de Marie, pour les consoler au sujet de leur frère. ²⁰A la nouvelle de l'arrivée de Jésus, Marthe alla à sa rencontre, tandis que Marie restait à la maison. ²¹Marthe dit à Jésus: "Seigneur, si tu avais été là, mon frère ne serait pas mort! ²²Mais je sais bien que tout ce que tu demanderas à Dieu, il te l'accordera." ²³Jésus lui dit: "Ton frère ressuscitera." ²⁴Marthe répondit: "Je sais qu'il ressuscitera à la résurrection du dernier jour." ²⁵Jésus lui dit: "Je suis la résurrection et la vie; celui qui croit en moi, quand bien même il serait mort, vivra; ²⁶et quiconque vit et croit en moi ne mourra jamais.* Le crois-tu? " ²⁷Elle répondit: "Oui, Seigneur, je crois que tu es le Christ, le Fils de Dieu, qui devait venir en ce monde."

²⁸Ayant ainsi parlé, elle alla appeler Marie, sa soeur, et lui dit tout bas: "Le Maître est là qui

26. Autre traduction: ne mourra pas pour toujours.

t'appelle." ^{29}A ces mots, elle se lève en hâte et
va vers lui. ^{30}Jésus n'était pas encore entré dans
le village, mais était toujours à l'endroit où Marthe l'avait rencontré. ^{31}Les Juifs donc qui se
trouvaient avec Marie dans la maison et la conso-
laient, la voyant se lever si vite et sortir, la suivirent, pensant qu'elle allait au tombeau pour y
pleurer.

^{32}Arrivée à l'endroit où était Jésus, Marie, dès
qu'elle le vit, tomba à ses pieds en disant: "Seigneur, si tu avais été là, mon frère ne serait pas
mort!" ^{33}Jésus, la voyant pleurer, et pleurer
aussi les Juifs qui l'accompagnaient, frémit intérieurement et se troubla. ^{34}Et il demanda: "Où
l'avez-vous mis?" On lui répondit: "Seigneur,
viens voir." ^{35}Et Jésus pleura. ^{36}Les Juifs disaient donc: "Voyez comme il l'aimait!"
^{37}Quelques-uns d'entre eux cependant disaient:
"Ne pouvait-il, lui qui a ouvert les yeux de l'a-
veugle, faire que celui-ci ne mourût pas?"

^{38}Jésus, frémissant de nouveau intérieurement, arrive au tombeau. C'était un caveau, et
une pierre était posée dessus. ^{39}Jésus dit: "Enlevez la pierre." Marthe, la soeur du défunt, lui
dit: "Seigneur, il sent déjà, car il en est à son
quatrième jour." ^{40}Jésus lui dit: "Ne t'ai-je pas
dit que, si tu crois, tu verras la gloire de Dieu?"
On enleva donc la pierre. ^{41}Alors Jésus leva les
yeux au ciel et dit: "Père, je te rends grâce de
m'avoir exaucé. ^{42}Je savais bien que tu m'exau-
ces toujours, mais je dis cela à cause de cette
foule qui m'entoure, afin qu'ils croient que c'est

toi qui m'as envoyé." [43] Ayant ainsi parlé, il cria d'une voix forte: "Lazare, viens ici dehors! " [44] Et le mort sortit, les pieds et les mains liés de bandelettes et le visage enveloppé d'un suaire. Jésus leur dit: "Déliez-le et laissez-le aller."

Le Sanhédrin veut la mort de Jésus. Retraite à Éphraïm. - [45] Beaucoup de Juifs qui étaient venus auprès de Marie et avaient vu ce qu'il avait fait crurent en lui. [46] Quelques-uns d'entre eux cependant allèrent trouver les pharisiens et leur dirent ce qu'avait fait Jésus. [47] Alors les grands prêtres et les pharisiens réunirent un conseil et dirent: "Que faisons-nous? Cet homme opère beaucoup de miracles! [48] Si nous le laissons continuer ainsi, tout le monde va croire en lui, et les Romains viendront détruire notre Lieu saint* et notre nation." [49] Or l'un d'eux, Caïphe, qui était grand prêtre cette année-là, leur dit: [50] "Vous n'y entendez rien, et vous ne réfléchissez pas qu'il est de votre intérêt qu'un seul homme meure pour le peuple plutôt que de voir périr la nation tout entière." [51] Ce n'est pas de lui-même qu'il dit cela; mais, étant grand prêtre cette année-là, il prophétisa que Jésus devait mourir pour la nation,* [52] et non seulement pour la nation, mais aussi

48. Le Lieu par excellence, le Temple. Autre traduction: notre ville.

49-51. Caïphe était grand prêtre cette année-là, c'est-à-dire en cette année mémorable. Son pontificat a duré de 18 à 36. Jean note que, sans en avoir conscience, Caïphe a prononcé un oracle prophétique de la plus haute portée.

pour rassembler dans l'unité les enfants de Dieu dispersés. [53] Dès ce jour-là donc, ils prirent le parti de le faire mourir.

[54] Aussi Jésus ne circulait-il plus en public parmi les Juifs. Il se retira dans la région voisine du désert, dans une ville appelée Éphraïm,* et il y séjourna avec ses disciples. [55] La Pâque des Juifs approchait, et beaucoup montèrent de la campagne à Jérusalem avant la Pâque, afin de se purifier.* [56] Ils cherchaient Jésus et se demandaient les uns aux autres, en attendant dans le Temple: "Qu'en pensez-vous? Est-ce qu'il ne viendra pas à la fête?" [57] Or les grands prêtres et les pharisiens avaient donné ordre à quiconque saurait où il se trouvait de le dénoncer pour le faire arrêter.

12 Le repas et l'onction de Béthanie. - [1] Six jours avant la Pâque,* Jésus vint à Béthanie, où était Lazare qu'il avait ressuscité des morts. [2] On lui offrit là un repas. Marthe servait, et Lazare était avec lui parmi les convives. [3] Marie prit une livre de parfum de nard véritable et de grand prix;* elle en oignit les pieds de Jésus et les essuya avec ses cheveux, et l'odeur du parfum

54. Éphraïm est au nord de Jérusalem, près de Béthel.

55. "Afin de se purifier": de se mettre en état de pureté légale.

12. – 1. Six jours avant la Pâque, le sabbat qui précéda la Passion.

3. Avec une prodigalité magnifique, Marie, non contente d'oindre selon l'usage la tête de Jésus, répand encore le parfum sur ses pieds et doit ensuite les essuyer avec sa chevelure.

remplit toute la maison. [4]Judas l'Iscariote, un de
ses disciples, celui qui allait le livrer, dit: [5]"Pourquoi n'a-t-on pas vendu ce parfum trois cents
deniers, qu'on aurait donnés aux pauvres?" [6]Il
ne dit pas cela par souci des pauvres, mais parce
qu'il était voleur et que, tenant la bourse, il déro-
bait ce qu'on y mettait. [7]Jésus répondit: "Lais-
se-la faire; c'est pour le jour de ma sépulture
qu'elle a gardé ce parfum.* [8]Des pauvres, vous
en aurez toujours avec vous; mais moi, vous ne
m'aurez pas toujours." [9]Une foule nombreuse de
Juifs apprit qu'il était là, et ils vinrent, non pour
Jésus seul, mais aussi pour voir Lazare qu'il avait
ressuscité des morts. [10]Alors les grands prêtres
décidèrent de faire mourir aussi Lazare, [11]parce
qu'à cause de lui beaucoup de Juifs s'éloignaient
d'eux et croyaient en Jésus.

L'entrée solennelle à Jérusalem. - [12]Le lendemain, les gens venus en grande foule à la fête,
apprenant que Jésus arrivait à Jérusalem, [13]pri-
rent des branches de palmier et sortirent à sa rencontre en criant: "Hosanna! Béni soit celui qui
vient au nom du Seigneur, le roi d'Israël!"
[14]Jésus, ayant trouvé un ânon, monta dessus, selon qu'il est écrit: [15]*Ne crains pas, fille de Sion,
voici que ton roi vient monté sur le petit d'une
ânesse.** [16]Cela, les disciples ne le comprirent pas

7. Jésus répond à Judas que Marie l'a comme embaumé par anticipation en vue de sa sépulture, ce qui
n'implique pas qu'elle ait pleinement compris la signification du geste qu'elle accomplissait.
15. Cf. Zac 9,9.

d'abord; mais lorsque Jésus eut été glorifié, ils se souvinrent que cela avait été écrit de lui et qu'on l'avait fait pour lui.

¹⁷ La foule qui était avec lui lorsqu'il avait appelé Lazare hors du tombeau et l'avait ressuscité des morts lui rendait témoignage. ¹⁸ Voilà aussi pourquoi la foule se porta à sa rencontre: elle avait appris qu'il avait fait ce miracle. ¹⁹ Les pharisiens alors se dirent entre eux: "Vous voyez bien que vous ne gagnez rien: tout le monde court après lui! "

Démarche des Grecs. Discours de Jésus sur son sacrifice et sa glorification. – ²⁰ Or il y avait quelques Grecs parmi ceux qui étaient montés pour adorer pendant la fête. ²¹ Ils abordèrent Philippe, qui était de Bethsaïde en Galilée, et lui firent cette demande: "Seigneur, nous voudrions voir Jésus." ²² Philippe va le dire à André, puis André et Philippe vont le dire à Jésus.* ²³ Jésus leur répondit: "L'heure est venue où doit être glorifié le Fils de l'homme. ²⁴ Oui, vraiment, je vous l'affirme, si le grain de blé jeté en terre ne meurt pas, il reste seul; mais s'il meurt, il porte beaucoup de fruit. ²⁵ Qui aime sa vie la perd, mais qui déteste sa vie en ce monde la garde pour la vie éternelle. ²⁶ Si quelqu'un veut me servir, qu'il

22. Jean n'indique pas quelle fut l'issue de la démarche des Grecs, probablement des prosélytes croyant au vrai Dieu.

24-26. L'apologue si expressif du grain de blé introduit un enseignement semblable à celui des Synoptiques sur la nécessité de subordonner et au besoin de sacrifier

me suive, et là où je suis, mon serviteur sera aussi; si quelqu'un me sert, le Père l'honorera.* ²⁷Maintenant mon âme est toute troublée, et que dire? Père, sauve-moi de cette heure! Mais c'est pour cela que je suis arrivé à cette heure! ²⁸Père, glorifie ton Nom." Une voix alors vint du ciel: "Je l'ai glorifié, et je le glorifierai encore."*

²⁹La foule qui se trouvait là et avait entendu disait qu'il y avait eu un coup de tonnerre; d'autres disaient: "Un ange lui a parlé." ³⁰Jésus répondit: "Ce n'est pas pour moi que cette voix s'est fait entendre, mais pour vous. ³¹C'est maintenant la condamnation de ce monde; maintenant le Prince de ce monde va être jeté dehors. ³²Et moi, quand j'aurai été élevé de terre, j'attirerai tous les hommes à moi." ³³Il disait cela pour indiquer de quelle mort il devait mourir.

³⁴La foule lui répliqua: "Nous avons appris de la Loi que le Christ demeure à jamais; alors, comment peux-tu dire qu'il faut que le Fils de l'homme soit élevé? Qui est ce Fils de l'homme?" ³⁵Jésus leur dit:* "La lumière n'est plus avec vous que pour peu de temps. ³⁶Marchez tant que vous avez la lumière, de peur que les ténèbres ne vous surprennent: celui qui marche

la vie du corps à celle de l'âme. Comparer Mat *16*,24-27. Le serviteur fidèle sera pour toujours avec le Maître; il participera à sa gloire.

27-28. Cet épisode fait pressentir l'agonie; remarquer cependant avec quelle insistance est annoncée la glorification du Christ. Comparer plus loin *13*,31-32 et *17*,1-5.

35-36. Avertissement suprême aux Juifs incrédules.

dans les ténèbres ne sait où il va. Tant que vous avez la lumière, croyez en la lumière, afin de devenir des fils de lumière." Cela dit, Jésus s'en alla et se déroba à eux.

CONCLUSION
DE LA PREMIÈRE PARTIE

Incrédulité persistante des Juifs. -* [37] Bien qu'il eût fait tant de signes sous leurs yeux, ils ne croyaient pas en lui, [38] pour que s'accomplît la parole du prophète Isaïe: *Seigneur, qui a cru à notre parole? Et le bras du Seigneur, à qui s'est-il révélé?* [39] Ils ne pouvaient pas croire, parce qu'Isaïe a dit encore: [40] *Il a aveuglé leurs yeux et endurci leurs coeurs, de peur que leurs yeux ne voient et que leurs coeurs ne comprennent, qu'ils ne se convertissent et que je ne les guérisse.* [41] Isaïe a dit cela parce qu'il a vu sa gloire,* et c'est de lui qu'il a parlé. [42] Toutefois, même par-

37-43. Épilogue de la première partie de l'Évangile: Jean constate tristement l'incrédulité de l'ensemble du peuple juif et la timidité peureuse des croyants. Comparer *1*,11; *3*,19-21; *5*,40-47; *6*,66-67; *7*,47-52; *9*,40-41; *10*,26-38, etc. Les citations d'Is *53*,1 et *6*,9-10 sont à entendre de la même manière qu'à propos de l'enseignement en paraboles (Mat *13*,10-17): Dieu n'endurcit pas, mais il prévoit l'endurcissement de ceux qui ne veulent pas l'écouter et qui se rendent ainsi incapables de comprendre ses enseignements.

40-41. Jésus est identifié à Dieu: c'est lui qu'Is *6*,1sq. a vu jadis dans le Temple quand il a contemplé la gloire divine. Le Père et le Fils ne sont pas pour autant confondus, ainsi qu'il ressort de tout l'Évangile.

mi les chefs, beaucoup crurent en lui; mais à cause des pharisiens ils ne se déclaraient pas, de peur d'être exclus de la synagogue, [43]préférant ainsi la gloire des hommes à la gloire de Dieu.

[44]Or Jésus s'écria:* "Qui croit en moi, ce n'est pas en moi qu'il croit, mais en Celui qui m'a envoyé, [45]et celui qui me voit, voit Celui qui m'a envoyé. [46]Moi, la lumière, je suis venu dans le monde, afin que quiconque croit en moi ne reste pas dans les ténèbres. [47]Si quelqu'un entend mes paroles et ne les garde pas, ce n'est pas moi qui le condamnerai, car je ne suis pas venu pour condamner le monde, mais pour le sauver. [48]Celui qui me rejette et ne reçoit pas mes paroles a son juge: la parole que j'ai annoncée, elle le jugera au dernier jour. [49]Je n'ai pas parlé de moi-même, mais le Père qui m'a envoyé, lui, m'a prescrit ce que je devais dire et enseigner. [50]Et je sais que son commandement est vie éternelle. Ce que je dis, je le dis comme le Père me l'a dit lui-même."

DEUXIÈME PARTIE

LA GLOIRE DE JÉSUS MANIFESTÉE AUX DISCIPLES

13   **Lavement des pieds.** - [1]Avant la fête de la Pâque, sachant que l'heure était venue pour

---

44-50. Réflexions de l'évangéliste qui synthétise les enseignements antécédents du Sauveur avant d'aborder le récit de la Passion.

13. – 1. Autre traduction: il les anima jusqu'à la fin.

lui de passer de ce monde au Père, Jésus, ayant aimé les siens qui étaient dans le monde, mit le comble à son amour pour eux.* ²Au cours du souper, alors que déjà le diable avait inspiré au coeur de Judas Iscariote, fils de Simon, le dessein de le livrer, ³Jésus, sachant que son Père lui avait remis toutes choses entre les mains, qu'il était venu de Dieu et retournait à Dieu, ⁴se lève de table, dépose ses vêtements et prend un linge dont il se ceint. ⁵Puis, ayant versé de l'eau dans un bassin, il se met à laver les pieds de ses disciples et à les essuyer avec le linge dont il était ceint.

⁶Il arrive ainsi à Simon-Pierre qui lui dit: "Toi, Seigneur, me laver les pieds! " ⁷Jésus lui répondit: "Ce que je fais, tu ne le sais pas maintenant, mais tu le comprendras après." ⁸Pierre lui dit: "Non! Jamais tu ne me laveras les pieds! "* Jésus lui répondit: "Si je ne te lave pas, tu n'as pas de part avec moi." ⁹Simon-Pierre lui dit: "Alors, Seigneur, pas seulement les pieds, mais encore les mains et la tête! " ¹⁰Jésus lui dit: "Celui qui vient de se baigner n'a pas besoin de se laver (les pieds exceptés), car il est entière-

---

Elle a l'inconvénient de présenter un sens trop exclusivement temporel.

8. En refusant de se prêter à l'acte d'humilité de Jésus, Pierre méconnaît encore une fois le plan divin de la rédemption, et s'expose à perdre l'amitié de son Maître. Comparer Mat 16,23.

10. La vie des apôtres aux côtés du Sauveur les a purifiés; aussi ne s'agit-il plus ici de purification, mais

ment pur. Vous aussi, vous êtes purs, pas tous cependant."* [11] Il savait en effet qui allait le livrer. C'est pourquoi il dit: "Vous n'êtes pas tous purs."

[12] Après leur avoir lavé les pieds, il reprit ses vêtements, se remit à table et leur dit: "Comprenez-vous ce que je viens de vous faire? [13] Vous m'appelez Maître et Seigneur, et vous dites bien, car je le suis. [14] Si donc je vous ai lavé les pieds, moi le Seigneur et le Maître, vous devez, vous aussi, vous laver les pieds les uns aux autres. [15] C'est un exemple que je vous ai donné, afin que vous fassiez comme je vous ai fait. [16] Oui, vraiment, je vous l'affirme, le serviteur n'est pas plus grand que le maître ni l'envoyé plus grand que celui qui l'envoie. [17] Sachant cela, bienheureux serez-vous si vous le mettez en pratique. [18] Je ne parle pas pour vous tous; je connais ceux que j'ai choisis; mais il faut que l'Écriture s'accomplisse: *Celui qui mange mon pain a levé contre moi son talon.** [19] Dès maintenant je vous le dis, avant l'événement, afin que, lorsqu'il sera arrivé, vous croyiez que Je Suis.* [20] Oui, vraiment, je vous l'affirme, qui reçoit celui que j'aurai envoyé me reçoit, et qui me reçoit, reçoit Celui qui m'a envoyé."

Annonce de la trahison de Judas. - [21] En di-

d'humilité, ainsi que le montrent bien les vv 14-15. L'addition: les pieds exceptés, de quelques manuscrits et versions, est sans doute à supprimer.

18. Ps *41*,10.

19. La réalisation de la prophétie sur Judas accroîtra

[37] "Seigneur, lui dit Pierre, pourquoi ne puis-je pas te suivre maintenant? Je donnerais ma vie pour toi! " [38] Jésus lui répondit: "Tu donnerais ta vie pour moi? Oui, vraiment, je te l'affirme, le coq ne chantera pas que tu ne m'aies renié trois fois."

II – LES MOTIFS DE CONSOLATION ET LES ADIEUX

14 **La séparation ne sera pas définitive.** - [1] "Que votre coeur ne se trouble pas. Vous croyez en Dieu; croyez aussi en moi.* [2] Dans la maison de mon Père, il y a de nombreuses demeures;* s'il n'en était pas ainsi, vous aurais-je dit que je vais vous préparer une place? [3] Quand je m'en serai allé vous préparer une place, je reviendrai vous prendre auprès de moi, afin que là où je suis, vous soyez vous aussi.* [4] Et l'endroit où je vais, vous en connaissez le chemin."

Jésus Chemin, Vérité et Vie. Qui le voit, voit le Père. - [5] Thomas lui dit: "Seigneur, nous ne savons où tu vas: comment donc en connaîtrions-nous le chemin? " [6] Jésus lui répondit: "Je suis le

14. – 1. Jésus exige que l'on croie en lui comme en Dieu et affirme ainsi équivalemment sa divinité. Autre traduction: croyez en Dieu, croyez aussi en moi.

2. Dans la maison du Père, c'est-à-dire au ciel, il y a des places pour tous les croyants. Jésus va les préparer; aucune déception n'est à craindre.

3. Plus tard, Jésus viendra prendre les disciples avec lui; il y aura pour chacun, au moment de la mort, une anticipation de la parousie.

4-6. Médiateur unique entre Dieu et les hommes,

Chemin, la Vérité et la Vie; personne ne va au Père que par moi.* [7]Si vous me connaissez, vous connaîtrez aussi mon Père. Dès à présent, vous le connaissez et vous l'avez vu." [8]Philippe lui dit: "Seigneur, montre-nous le Père, et cela nous suffira."* [9]Jésus lui dit: "Depuis si longtemps que je suis avec vous, tu ne me connais pas, Philippe? Qui m'a vu a vu le Père. Comment peux-tu dire: Montre-nous le Père! [10]Ne crois-tu pas que je suis dans le Père et que le Père est en moi? Les paroles que je vous dis, je ne les dis pas de moi-même; c'est le Père, demeurant en moi, qui accomplit lui-même ses oeuvres. [11]Croyez-m'en! Je suis dans le Père et le Père est en moi; du moins, croyez-le à cause des oeuvres elles-mêmes."

Oeuvres que les apôtres accompliront. - [12]"Oui, vraiment, je vous l'affirme, celui qui croit en moi fera, lui aussi, les oeuvres que je fais et il en fera de plus grandes, car je m'en vais vers le Père.* [13]Et tout ce que vous demanderez en

Jésus est le chemin qui conduit au ciel. Il est en même temps le terme auquel il conduit, étant la vérité; par lui seul on connaît le Père — et la vie: seul il possède la vie divine et peut la communiquer: *1*,16-18.

8sq. Le chemin et le but s'identifient à tel point qu'en connaissant Jésus on connaît le Père, et qu'en voyant Jésus on voit spirituellement le Père par la foi; il n'y a pas à attendre une manifestation visible de Dieu.

12. Les oeuvres des disciples seront plus grandes que celles de Jésus, non pas en elles-mêmes, mais par leur efficacité et leurs résultats: la conversion du monde.

13-14. Prier au nom de Jésus, ce n'est pas seulement

mon Nom, je le ferai, afin que le Père soit glorifié dans le Fils. [14]Si vous me demandez quelque
chose en mon Nom, je le ferai.*

Promesse du Saint-Esprit.

- [15]"Si vous m'ai-
mez, vous garderez mes commandements. [16]Je
prierai le Père, et il vous donnera un autre Intercesseur pour rester à jamais avec vous, [17]l'Esprit
de vérité que le monde ne peut recevoir, parce
qu'il ne le voit ni ne le connaît. Mais vous, vous
le connaissez, parce qu'il demeure avec vous et
qu'il est en vous.*

Présence spirituelle du Christ parmi les siens.

- [18]"Je ne vous laisserai pas orphelins: je reviendrai vers vous. [19]Encore un peu de temps, et le
monde ne me verra plus, mais vous, vous me verrez, parce que je vis et que vous aussi vous vi-

recourir à lui comme intercesseur; c'est encore prier en
union avec lui, dans les mêmes dispositions que lui et en
l'invoquant en même temps que le Père; en effet (v 14),
il exaucera la prière conjointement avec le Père.

16-17. Le mot grec de Paraclet est diversement traduit: Intercesseur, Aide, Défenseur, Consolateur. Jésus a
été et ne cessera pas d'être un intercesseur pour les
siens: 1 Jean 2,1; cependant il demandera à son Père
d'envoyer un nouvel Intercesseur, l'Esprit Saint, qui le
suppléera en quelque manière après son retour au Père.
Il est essentiellement lumière, Esprit de vérité; il préser-
vera l'Église de toute erreur, jusqu'à la fin des temps.

18-19. En même temps qu'il obtiendra l'envoi de
l'Esprit Saint, Jésus reviendra parmi les siens; ils le rever-
ront spirituellement, car ils participeront à sa vie. A la
présence de l'Esprit dans le Christ succédera celle du
Christ dans l'Esprit. Comparer Mat 28,20.

vrez.* ²⁰Ce jour-là, vous reconnaîtrez que je suis
en mon Père,* et vous en moi, et moi en vous.
²¹Celui qui a mes commandements et qui les observe, voilà celui qui m'aime. Or celui qui m'aime
sera aimé de mon Père, et moi aussi je l'aimerai
et je me manifesterai à lui."*

**Habitation des personnes divines dans les croy-
ants. Oeuvre du Saint-Esprit.** - ²²Judas – non
pas l'Iscariote – lui dit: "Seigneur, comment se
fait-il que tu doives te manifester à nous seulement et pas au monde?" ²³Jésus lui répondit:
"Si quelqu'un m'aime, il gardera ma parole, et
mon Père l'aimera, et nous viendrons à lui et
nous ferons chez lui notre demeure. ²⁴Celui qui
ne m'aime pas ne garde pas mes paroles, et la
parole que vous entendez n'est pas la mienne,
mais celle du Père qui m'a envoyé. ²⁵Je vous ai
dit cela pendant que je demeurais avec vous;

20. Nature de la vision spirituelle: elle sera à la fois
certitude spéculative et connaissance expérimentale de la
divinité du Christ et de l'union intime des croyants avec
lui. C'est ici l'un des sommets de la révélation et du
mysticisme chrétien.

21-23. C'est de cette manière intérieure et mystérieuse que le Christ se manifestera. En même temps que
l'Esprit sera donné, lui-même et son Père établiront leur
demeure permanente en ceux qui aimeront Jésus d'un
amour effectif en observant ses commandements. Comparer Rom 8,9-11; Gal 4,6 etc.

25-26. Après le départ du Sauveur, son enseignement
sera continué par l'Esprit Saint, que le Père enverra en
son Nom: il rappellera tout ce qu'a dit le Sauveur et en
donnera une intelligence plus complète: principe du développement du dogme et de l'infaillibilité de l'Église.

²⁶mais l'Intercesseur, l'Esprit Saint, que le Père enverra en mon Nom, lui vous enseignera tout et vous rappellera tout ce que je vous ai dit.*

Adieux de Jésus. Paix et joie. Obéissance du Sauveur. -* ²⁷"Je vous laisse la paix, je vous donne ma paix; mais je ne vous la donne pas comme la donne le monde. Que votre coeur ne se trouble ni ne s'effraie. ²⁸Vous venez de m'entendre vous dire: Je m'en vais et je reviendrai vers vous. Si vous m'aimiez, vous vous réjouiriez de ce que je vais au Père, car le Père est plus grand que moi. ²⁹Je vous le dis maintenant, avant l'événement, afin que, lorsque cela arrivera, vous croyiez. ³⁰Je n'ai plus beaucoup à m'entretenir avec vous, car le Prince de ce monde vient. Contre moi cependant il ne peut rien, ³¹mais il faut que le monde sache que j'aime le Père et que j'agis comme le Père m'a ordonné. Levez-vous. Partons d'ici."*

27-31. Adieux du Christ aux apôtres. Il leur laisse la paix, l'un des dons messianiques par excellence (Ps 72,3-7; Is 9,6-7; Ez 37,26 etc.); il les invite de nouveau à ne pas se troubler (refrain du v 1), car il revient mystiquement en eux, et le démon qui va tenter son assaut suprême n'a aucun pouvoir sur lui. Le Père est plus grand que Jésus en tant qu'homme. Ce texte, dont l'arianisme a tant abusé, ne doit pas faire oublier ceux où l'égalité du Fils et du Père est clairement affirmée (Cf. vv 1.9-11.20).

31. Le signal du départ n'est pas suivi d'effet qu'au début du chapitre 18. La prière du chapitre 17 peut avoir été prononcée debout avant de quitter le Cénacle. Les chapitres 15-16 sont sans doute un supplément ajouté

III – DERNIÈRES INSTRUCTIONS

15 **Allégorie de la vigne.** - [1]"Je suis la vraie vigne*, et mon Père est le vigneron. Tout sarment qui en moi ne porte pas de fruit, il le retranche; [2]et tout sarment qui porte du fruit, il l'émonde, le purifie, afin qu'il porte plus de fruit encore.* [3]Déjà vous êtes purifiés, grâce à la parole que je vous ai adressée. [4]Demeurez en moi comme moi en vous. Comme le sarment ne peut porter de fruit de lui-même, s'il ne demeure sur la vigne,* ainsi vous non plus, si vous ne demeurez en moi. [5]Je suis la vigne, et vous les sarments. Celui qui demeure en moi, et moi en lui, porte beaucoup de fruit, car sans moi vous ne pouvez rien faire. [6]Si quelqu'un ne demeure pas en moi, il est jeté dehors comme le sarment, et il

---

après coup par l'évangéliste. La section *16*,4-33 aborde le même thème que le chapitre *14*, mais en termes moins explicites, ce qui amène à penser qu'il s'agit de paroles antérieures à l'entretien de la Cène. Le reste de la section *15-16* a dû être prononcé en d'autres circonstances.

15. – 1sq. La comparaison de la vigne était classique pour désigner le peuple de Dieu: Is *5*,1-7; Ps *80*,9-16, etc. Le Sauveur l'applique ici au nouvel Israël, acquis au prix de son sang. Elle est par certains aspects l'équivalent de la comparaison du corps mystique chez Paul.

2. L'émondage spirituel est commencé pour les apôtres; ils sont purifiés, ce qui ne veut pas dire qu'il ne leur reste aucun progrès à réaliser.

4-5. Affirmation à la fois de la liberté de l'homme et de l'absolue nécessité de l'union au Christ, c'est-à-dire de la grâce, pour toute oeuvre bonne dans l'ordre du salut.

6. Redoutable alternative soulignée par saint Augustin: la vigne ou le feu éternel!

sèche; et ces sarments, on les ramasse, on les jette au feu et ils brûlent.* [7]Si vous demeurez en moi et que mes paroles demeurent en vous, demandez ce que vous voudrez et cela vous sera accordé. [8]Ce qui glorifie mon Père, c'est que vous portiez beaucoup de fruit et qu'ainsi vous deveniez mes disciples.*

[9]"Comme le Père m'a aimé, moi aussi je vous ai aimés; demeurez dans mon amour. [10]Si vous gardez mes commandements, vous demeurerez dans mon amour, de même que moi j'ai gardé les commandements de mon Père et demeure dans son amour.* [11]Je vous dis cela afin que la joie qui est la mienne soit en vous, et que votre joie soit parfaite.

La charité fraternelle. - [12]"Mon commandement à moi, c'est que vous vous aimiez les uns les autres comme je vous ai aimés. [13]Personne n'a de plus grand amour que celui qui donne sa vie pour ses amis.* [14]Vous êtes mes amis si vous faites ce que je vous commande. [15]Je ne vous appelle plus serviteurs parce que le serviteur ne sait pas ce que fait son maître; mais je vous ai appelés amis, parce que tout ce que j'ai appris de

8. La fécondité spirituelle des disciples sera glorieuse pour Dieu.

9-10. Le travail du combat spirituel et de l'union au Christ se résume dans l'observation des commandements, inspirée par l'amour, à l'imitation de l'obéissance de Jésus pour son Père.

12-13. La charité fraternelle, commandement par excellence. Elle ira s'il le faut jusqu'au sacrifice total, à l'exemple du Sauveur. Comparer *13*,34-35.

mon Père, je vous l'ai fait connaître. ¹⁶Ce n'est pas vous qui m'avez choisi, mais c'est moi qui vous ai choisis; et je vous ai établis pour que vous alliez, que vous portiez du fruit, et que votre fruit demeure, afin que tout ce que vous demanderez au Père en mon Nom, il vous le donne. ¹⁷Ce que je vous commande, c'est de vous aimer les uns les autres.

L'hostilité du monde. - ¹⁸"Si le monde vous déteste, sachez qu'il m'a détesté avant vous. ¹⁹Si vous étiez du monde, le monde vous aimerait comme son bien propre; mais comme vous n'êtes pas du monde, et que par mon choix je vous ai retirés du monde, à cause de cela le monde vous déteste. ²⁰Rappelez-vous la parole que je vous ai dite: Le serviteur n'est pas plus grand que son maître. S'ils m'ont persécuté, ils vous persécuteront vous aussi; s'ils ont gardé ma parole, ils garderont aussi la vôtre. ²¹Mais tout cela, ils le feront contre vous à cause de mon Nom, parce qu'ils ne connaissent pas Celui qui m'a envoyé.

L'aveuglement du monde est sans excuse. - ²²"Si je n'étais pas venu et ne leur avais pas parlé, ils seraient sans péché; mais maintenant ils n'ont pas d'excuse pour leur péché. ²³Celui qui me déteste déteste aussi mon Père. ²⁴Si je n'avais pas fait parmi eux des oeuvres que nul autre n'a faites, ils seraient sans péché. Mais maintenant, même après avoir vu, ils nous détestent, et moi et mon Père. ²⁵Mais il fallait que s'accomplît la parole écrite dans leur Loi: *Ils m'ont détesté sans raison.**

L'Esprit Saint et les apôtres rendront témoignage à Jésus. - [26]"Lorsque viendra l'Intercesseur que je vous enverrai d'auprès du Père, l'Esprit de vérité qui procède du Père, il rendra témoignage de moi. [27]Et vous aussi, vous rendrez témoignage, parce que vous êtes avec moi depuis le commencement.*

16 Confiance, malgré les persécutions. - [1]"Je vous ai dit ces choses pour que vous ne succombiez pas. [2]On vous exclura des synagogues; et même l'heure va venir où quiconque vous mettra à mort s'imaginera rendre un culte à Dieu. [3]Ils vous feront cela parce qu'ils n'auront connu ni le Père ni moi. [4]Mais je vous ai dit ces choses pour que, l'heure venue, vous vous souveniez que je vous les ai dites.

Jésus s'en va, mais il enverra l'Esprit Saint. - "Je ne vous l'ai pas dit dès le commencement parce que j'étais avec vous.

[5]"Je m'en vais maintenant vers Celui qui m'a envoyé, et aucun de vous ne me demande: "Où vas-tu?" [6]Mais parce que je vous ai parlé ainsi, la

---

25. Ps *35*,19.

26-27. L'Esprit Saint procède du Père, et aussi du Fils, puisqu'il sera envoyé par lui. Il témoignera en faveur de Jésus par les dons surnaturels de toutes sortes qu'il répandra sur l'Église. Les apôtres seront témoins également en prêchant ce qu'ils ont vu, depuis le commencement de la vie publique du Sauveur.

tristesse a rempli votre coeur. [7]Cependant je vous dis la vérité: il est avantageux pour vous que je m'en aille. Car si je ne m'en vais pas, l'Intercesseur ne viendra pas à vous; mais si je m'en vais, je vous l'enverrai.*

Victoire du Saint-Esprit sur le monde. – [8]"A sa venue, il confondra le monde* au sujet du péché, de la justice et du jugement: [9]du péché, parce qu'ils ne croient pas en moi; [10]de la justice, parce que je m'en vais vers le Père et que vous ne me verrez plus; [11]du jugement, parce que le Prince de ce monde est jugé.

L'Esprit Saint fera comprendre les enseignements du Christ et le glorifiera. – [12]"J'ai encore beaucoup à vous dire, mais vous ne pouvez pas le porter maintenant. [13]Quand il viendra, lui, l'Es-

16. – 7. Le départ de Jésus sera avantageux pour les apôtres; il est la condition de l'envoi du Paraclet, mérité par la Passion du Christ, inséparable de sa glorification; comparer 7,39. En outre la présence spirituelle du Sauveur, illimitée dans le temps et dans l'espace, sera plus efficace que sa présence visible.

8-11. Le Saint-Esprit confondra le monde, le convaincra qu'il est dans son tort à un triple chef: il devra reconnaître qu'il a péché en refusant de croire en Jésus, malgré les preuves de sa mission divine, que Jésus était le Juste par excellence, et non un imposteur et un blasphémateur, violateur du sabbat, et que le démon, qui a cru juger Jésus, a été lui-même jugé, condamné et réduit à l'impuissance.

12-13. L'Esprit Saint guidera, introduira les apôtres dans la vérité tout entière; il y a des choses qu'ils ne sont pas encore en état de comprendre et sur lesquelles ils seront éclairés: vérités révélées en germe par Jésus

prit de vérité, il vous guidera vers la vérité tout entière. Il ne parlera pas, en effet, de son propre chef, mais il dira ce qu'il entendra et il vous annoncera l'avenir.* ¹⁴Il me glorifiera, car c'est de ce qui est à moi qu'il prendra pour vous l'annoncer.

¹⁵Tout ce que le Père possède est à moi; c'est pourquoi je vous ai dit qu'il prendra de ce qui est à moi pour vous l'annoncer.*

Retour prochain de Jésus. La joie remplacera la tristesse. - ¹⁶"Encore un peu de temps et vous ne me verrez plus; puis encore un peu et vous me reverrez."* ¹⁷Sur quoi quelques-uns de ses disciples se dirent entre eux: "Que signifie ce qu'il nous dit: "Encore un peu de temps et vous ne me verrez plus; puis encore un peu et vous me

---

plutôt que vérités vraiment nouvelles. Elles seront alors explicitées et complétées. Comparer *14*,26.

14-15. L'Esprit reçoit du Père et du Fils tout ce qu'il possède; il n'apportera donc pas une doctrine particulière, mais celle que le Fils tient lui-même du Père, et pour la plus grande gloire du Fils.

16-24. Les apôtres ont peine à accorder l'annonce du départ prochain de Jésus (5.6.10) avec sa promesse de retour prochain. Ce retour sera invisible et consistera dans la présence spirituelle de Jésus, déjà annoncée plus haut: *14*,18-20 (cf. note) et qui suivra la glorification du Sauveur. Il en résultera pour les apôtres une joie que personne ne pourra leur enlever et qui leur fera oublier la tristesse de la séparation. Les apôtres n'auront plus alors besoin d'interroger leur Maître: l'Esprit Saint leur donnera l'intelligence de l'Évangile. Ce sera le moment de prier le Père au Nom de Jésus (dans le sens indiqué à propos de *14*,13-14) et toutes les prières faites ainsi seront exaucées.

reverrez?" Et: "Je m'en vais au Père?"" [18]Ils disaient donc: "Qu'est-ce que ce peu dont il parle? Nous ne savons ce qu'il veut dire." [19]Se rendant compte qu'ils voulaient l'interroger, Jésus leur dit: "Vous vous demandez entre vous ce que j'ai voulu dire par ces paroles: "Encore un peu de temps et vous ne me verrez plus; puis encore un peu et vous me reverrez." [20]Oui, vraiment, je vous l'affirme, vous allez pleurer et vous lamenter, tandis que le monde va se réjouir; vous serez dans la tristesse, mais votre tristesse se changera en joie. [21]La femme, au moment d'enfanter, est dans la tristesse, parce que son heure est venue; mais quand l'enfant est né, elle ne pense plus à ses souffrances, dans la joie de ce qu'un homme est venu au monde. [22]Vous de même, vous êtes maintenant dans la tristesse, mais je vous reverrai et votre coeur se réjouira, et personne ne pourra vous ravir votre joie. [23]Ce jour-là, vous ne m'interrogerez plus sur rien.

"Oui, vraiment, je vous l'affirme, quoi que vous demandiez au Père, il vous le donnera en mon Nom. [24]Jusqu'à présent, vous n'avez rien demandé en mon Nom; demandez et vous recevrez afin que votre joie soit parfaite.

Foi en Jésus, certitude de la victoire. - [25]"Je vous ai dit cela en paraboles: l'heure vient où je

---

25-27. Jésus ne recourra plus alors à des paraboles et à des similitudes; son enseignement, complété par l'action de l'Esprit Saint, sera entièrement lumineux et transparent. L'union intime des disciples avec leur Maître aura pour effet qu'ils seront comme Jésus lui-même

ne vous parlerai plus en paraboles, mais où je vous entretiendrai ouvertement du Père. 26Ce jour-là, vous demanderez en mon Nom, et je ne vous dis pas que je prierai le Père pour vous, 27car le Père lui-même vous aime, parce que vous m'avez aimé et avez cru que je suis venu d'auprès de Dieu.* 28Je suis sorti du Père et je suis venu dans le monde; maintenant je quitte le monde et je vais vers le Père." 29Les disciples lui disent:* "Voilà que maintenant tu parles ouvertement et sans dire de paraboles. 30Maintenant nous savons que tu connais tout et que tu n'as pas besoin qu'on t'interroge. C'est pourquoi nous croyons que tu es sorti de Dieu." 31Jésus leur répondit: "Vous croyez à présent! 32Voici venir l'heure, — et elle est déjà arrivée, — où vous serez dispersés chacun de son côté, et me laisserez seul. Mais je ne suis pas seul, car le Père est avec moi. 33Je vous ai dit cela afin qu'en moi vous ayez la paix. Dans le monde vous aurez à souffrir. Mais courage! j'ai vaincu le monde! "

17 **Prière pour l'unité, ou prière sacerdotale. Jésus prie pour lui-même.** -* 1Jésus parla ainsi, puis, levant les yeux au ciel, il dit: "Père,

---

devant son Père, si bien que l'action et la prière de Jésus sera comme incluse dans la leur et n'aura pas, en un sens, à s'en distinguer.

29-30. La déclaration dans laquelle le Sauveur récapitule sa mission fait croire aux apôtres que l'heure est déjà venue de l'enseignement sans comparaisons ni réticences, et provoque de leur part un acte de foi fervent.

17. — La prière suprême du Christ a pour objet sa propre glorification et l'unité des apôtres, ainsi que de

l'heure est venue: glorifie ton Fils, afin que ton Fils te glorifie, [2] et que, par le pouvoir que tu lui as donné sur tout homme, il donne la vie éternelle à tous ceux que tu lui as donnés. [3] Or la vie éternelle, c'est de te connaître, toi, le seul vrai Dieu, et celui que tu as envoyé, Jésus-Christ. [4] Je t'ai glorifié sur la terre en accomplissant l'oeuvre que tu m'as donné à faire. [5] Toi, Père, glorifie-moi maintenant auprès de toi, de la gloire que j'avais auprès de toi avant que le monde n'existe.*

Jésus prie pour les apôtres. - [6] "J'ai manifesté ton Nom aux hommes que tu m'as donnés du milieu du monde. Ils étaient à toi, tu me les as donnés, et ils ont gardé ta parole. [7] Ils savent maintenant que tout ce que tu m'as donné vient de toi; [8] car les paroles que tu m'as données, je les leur ai données; ils les ont reçues, ils ont reconnu véritablement que je suis sorti d'auprès de toi, et ils ont cru que c'est toi qui m'as envoyé. [9] C'est pour eux que je prie. Je ne prie pas pour

---

tous les croyants, en lui. On l'appelle souvent prière sacerdotale, à cause des vv 17-19, où Jésus annonce son sacrifice.

1-5. Les enseignements du Sauveur et l'immolation qui va les couronner ont été infiniment glorieux pour le Père en le faisant connaître au monde, en amenant les hommes à croire en lui et à posséder par la foi la vie éternelle. Jésus demande, comme récompense de l'oeuvre accomplie, la communication à son humanité de la gloire qu'il possédait comme Dieu avant même la création du monde.

9. Jésus ne prie pas pour le monde pervers ou du

le monde,* mais pour ceux que tu m'as donnés, car ils sont à toi; [10] tout ce qui est à moi est à toi, ce qui est à toi est à moi, et je suis glorifié en eux. [11] Je ne suis plus désormais dans le monde, mais eux restent dans le monde, tandis que moi, je viens vers toi.

"Père saint, garde-les dans la foi à ton Nom que tu m'as donné, afin qu'ils soient un comme nous. [12] Pendant que j'étais avec eux, je les gardais dans la foi à ton Nom que tu m'as donné;* j'ai veillé, et pas un d'entre eux ne s'est perdu, sinon le fils de perdition, afin que l'Écriture fût accomplie. [13] Mais maintenant je viens vers toi et je parle ainsi, étant encore dans le monde, afin qu'ils aient en eux la plénitude de ma propre joie.

[14] "Je leur ai donné ta parole, et le monde les a pris en haine, parce qu'ils ne sont pas du monde, comme moi-même je ne suis pas du monde. [15] Je ne te demande pas de les retirer du monde, mais de les garder du mal. [16] Ils ne sont pas du monde, comme moi-même je ne suis pas du monde.

[17] "Consacre-les dans la vérité; ta parole est

---

moins, suivant une autre interprétation, il l'exclut de sa prière particulière pour les apôtres.

12. Garde-les dans ton Nom que tu m'as donné, dans l'adhésion au nom que le Fils a reçu du Père, c'est-à-dire au nom de Seigneur (comparer *20*,28; *21*,7 et Phil *2*,11); autrement dit, dans la foi à la divinité de Jésus. Traduction moins probable, bien que plus facile: garde-les dans ton Nom, ceux que tu m'as donnés.

17-19. La mission des disciples exige qu'ils soient to-

vérité. [18]Comme tu m'as envoyé dans le monde, moi aussi je les ai envoyés dans le monde. [19]Et je me consacre moi-même pour eux afin qu'ils soient, eux aussi, consacrés en vérité.*

Jésus prie pour tous ceux qui croiront en lui. - [20]"Je ne prie pas seulement pour eux, mais aussi pour ceux qui, par leur parole, croiront en moi, [21]afin que tous soient un. Comme toi, Père, tu es en moi et moi en toi, qu'eux aussi soient un en nous, afin que le monde croie que tu m'as envoyé. [22]Je leur ai donné la gloire que tu m'as donnée, afin qu'ils soient un comme nous sommes un: [23]moi en eux et toi en moi, afin que leur unité soit parfaite et que le monde reconnaisse que c'est toi qui m'as envoyé et que tu les as aimés comme tu m'as aimé.*

[24]"Père, ceux que tu m'as donnés, je veux que là où je suis ils soient eux aussi avec moi, afin qu'ils contemplent la gloire que tu m'as donnée, parce que tu m'as aimé avant la création du monde.

Prière suprême. - [25]"Père juste, si le monde ne t'a pas connu, moi je t'ai connu, et ceux-ci

talement consacrés, et par conséquent intérieurement sanctifiés, afin de travailler efficacement à la conversion du monde sans être contaminés par lui. L'acceptation de la parole du Fils transmise par le Père réalisera cette consécration sanctifiante. Bien plus, afin qu'ils soient sanctifiés véritablement, Jésus se consacre, s'offre en sacrifice (le verbe grec a les deux sens) pour eux.

20-23. Prière finale pour ceux qui croiront dans la suite des siècles. Qu'ils soient unis au Père par la foi au

ont reconnu que c'est toi qui m'as envoyé. [26] Je leur ai fait connaître ton Nom, et je le ferai connaître encore, afin que l'amour dont tu m'as aimé soit en eux, et moi aussi en eux."*

TROISIÈME PARTIE
PASSION ET RÉSURRECTION

18 **Trahison et arrestation de Jésus.** - [1] Ayant ainsi parlé, Jésus s'en alla avec ses disciples de l'autre côté du torrent du Cédron. Il y avait là un jardin où il entra avec ses disciples. [2] Judas, le traître, connaissait bien l'endroit, car Jésus s'y était souvent retrouvé avec ses disciples. [3] Judas, menant la cohorte, ainsi que des gardes fournis par les grands prêtres et les pharisiens, arrive là avec des lanternes, des torches et des armes. [4] Jésus, sachant tout ce qui allait lui arriver, s'avança et leur dit: "Qui cherchez-vous?" [5] Ils lui répondirent: "Jésus de Nazareth." Il leur dit: "C'est

Christ et par tout ce qu'elle exige; qu'en conséquence de la communication qui leur est faite de la gloire divine (la vie surnaturelle, semence de vie éternelle) il y ait entre eux une union semblable à celle du Père et du Fils, dont le spectacle forcera le monde à y reconnaître la marque divine et à croire en la mission de Jésus. Comparer Eph *4*,2-3.

25-26. Volonté suprême de Jésus; sa prière revêt une forme impérative touchante qui ne se rencontre pas ailleurs. Que tous les croyants rejoignent un jour Jésus dans l'éternelle béatitude et contemplent sa gloire. En attendant, le Sauveur continuera à leur faire connaître son Père, afin que leur foi les fasse aimer du Père, comme lui-même en est aimé.

moi." Judas, le traître, était avec eux. [6]Quand
Jésus leur eut dit: "C'est moi", ils reculèrent et
tombèrent à terre. [7]Il leur demanda de nouveau:
"Qui cherchez-vous?" Ils répondirent: "Jésus de
Nazareth." [8]Jésus reprit: "Je vous ai dit que
c'est moi. Si donc c'est moi que vous cherchez,
laissez aller ceux-ci." [9]Cela afin que s'accomplît
la parole qu'il avait dite: "De ceux que tu m'as
donnés, je n'en ai pas perdu un seul."* [10]Si-
mon-Pierre, qui avait une épée, la tira, frappa le
serviteur du grand prêtre et lui coupa l'oreille
droite. Ce serviteur s'appelait Malchus. [11]Mais
Jésus dit à Pierre: "Remets l'épée au fourreau.
Le calice que le Père m'a donné, ne le boirai-je
pas?"*

[12]Alors la cohorte, le tribun et les gardes des
Juifs se saisirent de Jésus et le ligotèrent.

**Jésus devant Anne et Caïphe. Reniement de
Pierre.** - [13]Ils le conduisirent d'abord chez
Anne;* c'était en effet le beau-père de Caïphe,
lequel était grand prêtre cette année-là. [14]Caïphe
était celui qui avait donné ce conseil aux Juifs:
"Il est de votre intérêt qu'un seul homme meure
pour le peuple."

[15]Cependant Simon-Pierre suivait Jésus avec

18. – 9. Comparer *17*,12.
11. Bref rappel de l'agonie, non racontée par Jean.
13. La comparution de Jésus devant Anne, très brè-
ve, fut un acte de déférence de son gendre Caïphe.
15. L'autre disciple est sans doute l'évangéliste, qui
se laisse deviner discrètement; comparer *1*,40; *20*,2.3;
21,7.

un autre disciple.* Ce disciple, étant connu du grand prêtre, entra avec Jésus dans la cour du grand prêtre, [16]tandis que Pierre restait dehors près de la porte. L'autre disciple, connu du grand prêtre, sortit donc, parla à la portière et fit entrer Pierre. [17]Cette servante, qui gardait la porte, dit alors à Pierre: "Ne serais-tu pas, toi aussi, des disciples de cet homme?" Il répondit: "Je n'en suis pas." [18]Les serviteurs et les gardes, qui avaient allumé un brasier à cause du froid, étaient là à se chauffer. Pierre aussi était là avec eux à se chauffer.

[19]Le grand prêtre interrogea Jésus sur ses disciples et sur son enseignement. [20]Jésus lui répondit: "J'ai parlé au monde ouvertement, j'ai toujours enseigné en synagogue et dans le Temple, où se réunissent tous les Juifs, et je n'ai rien dit en secret. [21]Pourquoi m'interroges-tu? Demande ce que j'ai dit à ceux qui m'ont entendu; ils savent, eux, ce que j'ai dit." [22]A ces mots, un des gardes présents donna un soufflet à Jésus en disant: "C'est ainsi que tu réponds au grand prêtre?" [23]Jésus lui répondit: "Si j'ai mal parlé, montre où est le mal; mais si j'ai bien parlé, pourquoi me frappes-tu?" [24]Mais Anne l'envoya, toujours ligoté, à Caïphe, le grand prêtre.*

[25]Cependant Simon était toujours à se chauffer. On lui dit: "Ne serais-tu pas, toi aussi, de ses disciples?" Il le nia et dit: "Je n'en suis pas." [26]Un des serviteurs du grand prêtre, parent de celui dont Pierre avait coupé l'oreille, lui dit:

---

24. Certains placent le v 24 après le v 13.

"Ne t'ai-je pas vu avec lui dans le jardin?"
[27]Pierre nia de nouveau, et aussitôt un coq chanta.

Procès de Jésus devant Pilate. Couronnement d'épines. Condamnation de Jésus. - [28]On conduit alors Jésus de chez Caïphe au prétoire. C'était le matin. Mais ils n'entrèrent pas dans le prétoire, afin de ne pas contracter de souillure et de pouvoir manger la pâque.* [29]Pilate vint donc à eux, dehors, et leur dit: "Quelle accusation portez-vous contre cet homme?" [30]Ils lui répondirent: "Si ce n'était pas un malfaiteur, nous ne te l'aurions pas livré." [31]Sur quoi Pilate leur dit: "Prenez-le vous-mêmes et jugez-le d'après votre Loi." Les Juifs lui répondirent: "Il ne nous est pas permis de mettre quelqu'un à mort." [32]Cela pour que s'accomplît la parole que Jésus avait dite, signifiant de quel genre de mort il devait mourir.

[33]Pilate rentra alors dans le prétoire, appela Jésus et lui dit: "Es-tu le roi des Juifs?" [34]Jésus répondit: "Dis-tu cela de toi-même ou d'autres te l'ont-ils dit de moi?" [35]Pilate répliqua: "Est-ce que je suis Juif, moi? Ta nation et les grands prêtres t'ont livré à moi, qu'as-tu fait?" [36]Jésus répondit: "Mon royaume n'est pas de ce monde. Si mon royaume était de ce monde, mes partisans auraient combattu pour que je ne sois pas

28. Les accusateurs de Jésus ne devaient donc manger le repas pascal que le soir. Jésus l'a anticipé d'un jour, soit de sa propre autorité, soit en se fondant sur les divergences qui semblent avoir existé entre pharisiens et sadducéens pour la fixation de la date de la fête.

livré aux Juifs; mais non, mon royaume n'est pas d'ici-bas." [37]Pilate lui dit alors: "Ainsi donc, tu es roi? " Jésus répondit: "Tu dis bien, je suis roi. Voici pourquoi je suis né et je suis venu dans le monde: pour rendre témoignage à la vérité. Quiconque est de la vérité écoute ma voix." [38]Pilate lui dit: "Qu'est-ce que la vérité? "*

Sur ces mots, il sortit de nouveau vers les Juifs et leur dit: "Je ne trouve en lui aucun motif de condamnation. [39]Mais il est de coutume chez vous que je vous relâche quelqu'un pour la Pâque. Voulez-vous donc que je vous relâche le roi des Juifs? " [40]Ils se mirent alors à crier: "Pas lui, mais Barabbas! " Ce Barabbas était un brigand.

19 [1]Pilate fit alors saisir et flageller Jésus. [2]Puis les soldats, ayant tressé une couronne d'épines, la lui posèrent sur la tête et le revêtirent d'un manteau pourpre; [3]ils s'approchaient de lui en disant: "Salut, roi des Juifs! " et ils lui donnaient des soufflets. [4]Pilate revint dehors et dit aux Juifs: "Voici que je vous l'amène dehors, afin que vous sachiez que je ne trouve en lui aucun motif de condamnation." [5]Jésus vint donc dehors, portant la couronne d'épines et le manteau pourpre. Pilate leur dit: "Voilà l'homme! " [6]Dès qu'ils le virent, les grands prêtres et les gardes se mirent à vociférer: "Crucifie! Crucifie! " Pilate leur dit: "Prenez-le vous-mêmes et cruci-

---

38. Réponse d'un sceptique désabusé. Cependant Pilate s'efforcera d'épargner Jésus, qu'il estime innocent.

fiez-le, car, pour moi, je ne trouve en lui aucun motif de condamnation.” [7]Les Juifs lui répondirent: “Nous avons une Loi, et d’après cette Loi il doit mourir, parce qu’il s’est prétendu Fils de Dieu.”

[8]Entendant ces mots, Pilate fut encore plus effrayé.* [9]Il rentra encore une fois dans le prétoire et dit à Jésus: “D’où es-tu? ” Mais Jésus ne lui fit aucune réponse. [10]Pilate lui dit alors: “Tu ne veux pas me parler? Ne sais-tu pas que j’ai le pouvoir de te relâcher et le pouvoir de te crucifier? ” [11]Jésus répondit: “Tu n’aurais sur moi aucun pouvoir, s’il ne t’avait été donné d’en haut; c’est pourquoi celui qui m’a livré à toi est plus coupable.”* [12]A la suite de cela, Pilate cherchait à le relâcher. Mais les Juifs se mirent à vociférer:* “Si tu le relâches, tu n’es pas l’ami de César; quiconque se fait roi se déclare contre César.” [13]Entendant ces paroles, Pilate fit sortir Jésus et s’assit à son tribunal, au lieu dit Lithostrotos, en hébreu Gabbatha.* [14]C’était le jour de

---

19. – 8. La tournure religieuse que prend le procès inquiète Pilate; peut-être est-il saisi d’une crainte superstitieuse.

11. Celui qui m’a livré: sans doute Caïphe, plutôt que Judas.

12. Pilate cède devant la menace d’une dénonciation à l’empereur.

13. Autre traduction: et le fit asseoir au tribunal; Jésus serait là dans l’attitude du juge des Juifs qui rejettent sa royauté. Le Lithostrotos semble avoir été retrouvé il y a quelques années, tout près de l’emplacement de l’Antonia. D’autres le localisent au palais d’Hérode le Grand.

la préparation de la pâque, vers la sixième heure. Il dit aux Juifs: "Voilà votre roi! " [15]Mais eux se mirent à vociférer: "A mort! A mort! Crucifie-le! " Pilate leur dit: "Crucifier votre roi? " Les grands prêtres répliquèrent: "Nous n'avons de roi que César! " [16]Alors il le leur livra pour être crucifié.

Au Calvaire. Jésus et sa mère. - Ils prirent donc Jésus [17]qui, portant lui-même sa croix, s'en vint au lieu dit du Crâne, en hébreu Golgotha. [18]Là ils le crucifièrent, et avec lui deux autres, un de chaque côté et Jésus au milieu. [19]Pilate avait rédigé un écriteau qu'il fit placer sur la croix. Il portait: *JÉSUS DE NAZARETH, LE ROI DES JUIFS.* [20]Beaucoup de Juifs lurent cet écriteau, parce que l'endroit où Jésus avait été crucifié était près de la ville, et qu'il était rédigé en hébreu, en latin et en grec. [21]Les grands prêtres juifs dirent alors à Pilate: "Ne laisse pas écrit: "Le roi des Juifs"; mais qu'il a dit: "Je suis le roi des Juifs."" [22]Pilate répondit: "Ce que j'ai écrit est écrit."

[23]Quand les soldats eurent crucifié Jésus, ils prirent ses vêtements, dont ils firent quatre parts, une pour chaque soldat, et aussi sa tunique; mais la tunique était sans couture et d'une seule pièce du haut en bas. [24]Ils se dirent entre eux: "Ne la déchirons pas, mais tirons au sort à qui l'aura." Cela afin que s'accomplît cette parole de l'Écri-

24. Réalisation littérale de ce qu'annonçait le Ps 22,19.

ture: *Ils se sont partagé mes habits et ils ont tiré au sort mon vêtement.** Voilà ce que firent les soldats.

²⁵Près de la croix de Jésus se tenaient sa mère, la soeur de sa mère, Marie, femme de Clopas, et Marie de Magdala. ²⁶Jésus, voyant sa mère, et près d'elle le disciple qu'il aimait, dit à sa mère: "Femme, voilà ton fils." ²⁷Puis il dit au disciple: "Voilà ta mère." A partir de ce moment, le disciple la prit chez lui.*

La mort de Jésus et le coup de lance. - ²⁸Après cela, Jésus, sachant que tout était désormais consommé, dit, pour que l'Écriture fût accomplie jusqu'au bout: *J'ai soif.** ²⁹Il y avait là un vase rempli de vinaigre. On fixa à une tige d'hysope une éponge imbibée de vinaigre et on l'approcha de sa bouche.* ³⁰Quand Jésus eut pris le vinaigre, il dit: "Tout est consommé." Puis, inclinant la tête, il remit son esprit.*

³¹Comme c'était le jour de la Préparation, afin de ne pas laisser les corps sur la croix durant

---

26-27. Promulgation émouvante de la maternité spirituelle de Marie à notre égard. Inaugurée dès l'Incarnation, elle apparaît au Calvaire en un relief nouveau, dans l'union de la Vierge au sacrifice de Jésus.

28. Ps *22,*16 et *69,*22.

29. Une légère correction textuelle fait lire: un javelot, au lieu d'une tige d'hysope. Ce serait plus vraisemblable; la tyge d'hysope est trop flexible pour soutenir une éponge imbibée de liquide.

30. Remarquer la liberté souveraine du Christ dans sa mort. Littéralement: "Il livra l'esprit." Son sacrifice annonce le don de l'Esprit Saint.

le sabbat — car ce sabbat était un jour particulièrement solennel — les Juifs demandèrent à Pilate qu'on brisât les jambes des suppliciés et qu'on les enlevât. [32]Les soldats vinrent donc et brisèrent les jambes du premier, puis de l'autre qui avait été crucifié avec Jésus. [33]Arrivés à Jésus et voyant qu'il était déjà mort, ils ne lui brisèrent pas les jambes, [34]*mais un des soldats lui perça le côté d'un coup de lance, et aussitôt il sortit du sang et de l'eau.

[35]Celui qui l'a vu en témoigne, — et son témoignage est véridique, et Celui-là sait qu'il dit la vérité, — afin que vous aussi vous croyiez.* [36]Cela est arrivé afin que l'Écriture fût accomplie: *Aucun de ses os ne sera brisé;* [37]ailleurs l'Écriture dit encore: *Ils regarderont celui qu'ils auront transpercé.**

Sépulture de Jésus. - [38]Après cela, Joseph d'Arimathie, qui était disciple de Jésus, mais en secret par crainte des Juifs, demanda à Pilate l'autorisation d'enlever le corps de Jésus; Pilate le permit. Il vint donc enlever le corps. [39]Nicodème, celui qui au début était allé le trouver de nuit, vint aussi, apportant un mélange de myrrhe et d'aloès, cent livres environ. [40]Ils prirent le

---

34. Les Pères voient dans le sang le symbole de l'eucharistie et dans l'eau le symbole du baptême. Comparer 1 Jean *5*,6-8.

35. Suivant une interprétation probable, Jésus atteste ici la vérité du témoignage de Jean; après la résurrection, il montrera aux apôtres la plaie de son côté: *20*,20.27.

36-37. Cf. Ex *12*,46; Za *12*,10.

corps de Jésus et l'entourèrent de bandelettes
avec les aromates, selon la manière d'ensevelir en
usage chez les Juifs. [41]Or à l'endroit où il avait
été crucifié, se trouvait un jardin et dans ce jardin un tombeau tout neuf, où personne encore
n'avait été mis. [42]Comme c'était la Préparation
juive et que le tombeau était tout proche, c'est là
qu'ils déposèrent Jésus.

20 Pierre et Jean au sépulcre. - [1]Le premier
jour de la semaine, Marie de Magdala se
rend au tombeau de grand matin, alors qu'il faisait encore sombre, et voit la pierre enlevée du
tombeau. [2]Elle court alors trouver Simon-Pierre
et l'autre disciple que Jésus aimait, et elle leur
dit: "On a enlevé le Seigneur du tombeau et
nous ne savons où on l'a mis." [3]Pierre partit
donc avec l'autre disciple, et ils se rendirent au
tombeau. [4]Tous deux couraient ensemble, mais
l'autre disciple courut plus vite que Pierre et arriva le premier au tombeau. [5]Se penchant alors, il
voit les bandelettes posées à terre, mais il n'entra
pas. [6]Arrive à son tour Simon-Pierre, qui le suivait. Il entra dans le tombeau et vit les bandelettes posées à terre, [7]ainsi que le suaire qui avait
couvert la tête, non pas posé avec les bandelettes,
mais roulé à part en un autre endroit. [8]Alors
l'autre disciple, qui était arrivé le premier, entra
aussi dans le tombeau; il vit et il crut. [9]Car ils
n'avaient pas encore compris que, selon l'Écriture, Jésus devait ressusciter des morts. [10]Les
deux disciples retournèrent ensuite chez eux.

Apparition de Jésus ressuscité à Marie de Magdala. - [11]Marie se tenait en larmes dehors, près du tombeau. Tout en pleurant, elle se penche vers le sépulcre, [12]et voit deux anges vêtus de blanc, assis à la place où avait été déposé le corps de Jésus, l'un à la tête et l'autre aux pieds. [13]Ils lui disent: "Femme, pourquoi pleures-tu?" Elle leur répond: "Parce qu'on a enlevé mon Seigneur et que je ne sais où on l'a mis." [14]Cela dit, elle se retourne et voit Jésus debout, mais elle ne savait pas que c'était Jésus. [15]Jésus lui dit: "Femme, pourquoi pleures-tu? Qui cherches-tu?" Elle, le prenant pour le jardinier, lui répond: "Seigneur, si c'est toi qui l'as emporté, dis-moi où tu l'as mis, et j'irai le prendre." [16]Jésus lui dit: "Marie!" Elle se retourna et lui dit en hébreu: "Rabbouni", c'est-à-dire: "Maître!" [17]Jésus lui dit: "Ne me retiens pas ainsi, car je ne suis pas encore monté vers le Père, mais va trouver mes frères* et dis-leur: Je monte vers mon Père et votre Père, vers mon Dieu et votre Dieu." [18]Alors Marie de Magdala s'en va annoncer aux disciples: "J'ai vu le Seigneur, et voilà ce qu'il m'a dit."

Apparitions aux apôtres réunis au Cénacle. - [19]Le soir de ce même jour, le premier de la se-

20. – 17. Marie est chargée d'annoncer la résurrection aux apôtres, que Jésus appelle ses frères. La nature des rapports avec lui est désormais changée: il va remonter vers son Père, et sa présence parmi les siens sera la présence spirituelle et invisible dont il a été question à plusieurs reprises dans l'entretien après la Cène (*14*,19-20; *16*,22-23).

maine, les portes de l'endroit où se trouvaient les
disciples étant fermées par crainte des Juifs, Jésus
vint et, debout au milieu d'eux, leur dit: "Paix à
vous!" [20]Et, ayant dit cela, il leur montra ses
mains et son côté. Les disciples furent remplis de
joie à la vue du Seigneur. [21]Jésus leur dit de
nouveau: "Paix à vous! Comme le Père m'a envoyé, moi aussi je vous envoie." [22]Cela dit, il
souffla sur eux et leur dit: "Recevez l'Esprit
Saint; [23]les péchés seront remis à ceux à qui
vous les remettrez; ils seront retenus à ceux à qui
vous les retiendrez."*

**Huit jours après. Apparition aux apôtres en
présence de Thomas.** - [24]Thomas, l'un des Douze, appelé Didyme, n'était pas avec eux lorsque
vint Jésus. [25]Les autres disciples lui dirent donc:
"Nous avons vu le Seigneur." Il leur répondit:
"Si je ne vois dans ses mains la marque des clous,
si je ne mets mon doigt à la place des clous, et si
je ne mets ma main dans son côté, je ne croirai
pas." [26]Or huit jours plus tard, les disciples
étaient de nouveau dans la maison et Thomas
avec eux. Jésus arrive, les portes fermées, et, debout au milieu d'eux, leur dit: "Paix à vous!"
[27]Puis il dit à Thomas: "Avance ton doigt ici et
regarde mes mains, avance ta main et mets-la
dans mon côté, et ne sois plus incrédule, mais
croyant." [28]Thomas lui répondit: "Mon Seigneur
et mon Dieu!" [29]Jésus lui dit: "Parce que tu

22-23. Anticipation du don de l'Esprit qui sera complété à la Pentecôte, et institution du sacrement de pénitence.

m'as vu, tu as cru. Heureux ceux qui croient sans voir! "

Épilogue de l'Évangile. - [30] Jésus a fait encore en présence de ses disciples beaucoup d'autres miracles qui ne sont pas consignés dans ce livre. [31] Ceux-là l'ont été pour que vous croyiez que Jésus est le Christ, le Fils de Dieu, et qu'en croyant vous ayez la vie en son Nom.*

21 **Appendice. Apparition au bord du lac de Tibériade.** - [1] Plus tard, Jésus se manifesta encore à ses disciples au bord de la mer de Tibériade. Voici comment. [2] Il y avait ensemble Simon-Pierre, Thomas, appelé Didyme, Nathanaël, de Cana en Galilée, les fils de Zébédée, et deux autres de ses disciples. [3] Simon-Pierre leur dit: "Je m'en vais pêcher." Ils lui disent: "Nous y allons, nous aussi, avec toi." Ils partirent donc et montèrent en barque; mais cette nuit-là, ils ne prirent rien.

[4] Comme le jour se levait déjà, Jésus parut sur le rivage; mais les disciples ne savaient pas que c'était Jésus. [5] Jésus leur dit: "Les enfants, n'auriez-vous pas quelque chose à manger? " "Non," lui répondirent-ils. [6] Il leur dit alors: "Jetez le fi-

31. Jean indique ici le but qu'il se proposait en écrivant l'Évangile: montrer que Jésus est à la fois le Messie promis à Israël et le Fils unique de Dieu et amener à croire en lui pour participer à sa vie (comparer 1 Jean 5,13). C'est la finale primitive de l'Évangile: le chapitre 21 est probablement un appendice ajouté après coup, mais de très bonne heure, car il se trouve dans tous les manuscrits.

let du côté droit de la barque, et vous trouverez." Ils le jetèrent donc, et ils ne pouvaient plus
le ramener à cause de la masse des poissons. [7]Le
disciple que Jésus aimait dit alors à Pierre: "C'est
le Seigneur! " A ces mots: "C'est le Seigneur! "
Simon-Pierre se ceignit de sa tunique – car il
était nu – et se jeta à l'eau. [8]Les autres disciples
vinrent en barque, – ils n'étaient pas loin de la
terre, à deux cents coudées environ, – en tirant
le filet et les poissons.

[9]Descendus à terre, ils voient disposé là un
feu de braise, avec du poisson dessus et du pain.
[10]Jésus leur dit: "Apportez de ces poissons que
vous venez de prendre." [11]Simon-Pierre remonta
dans la barque et tira à terre le filet rempli de
gros poissons: cent cinquante-trois! Bien qu'il y
en eût tant, le filet ne se déchira pas. [12]Jésus
leur dit: "Venez manger." Aucun des disciples
n'osait lui demander: "Qui es-tu? " sachant bien
que c'était le Seigneur. [13]Alors Jésus s'approche,
prend le pain et le leur donne, ainsi que le poisson. [14]C'est ainsi que pour la troisième fois Jésus
se manifesta à ses disciples après sa résurrection
d'entre les morts.

La primauté conférée à Pierre. - [15]Après ce
repas, Jésus dit à Simon-Pierre: "Simon, fils de
Jean, m'aimes-tu plus que ceux-ci? "* Il lui répondit: "Oui, Seigneur, tu sais que je t'aime de

---

21. – 15-17. Le Seigneur fait réparer à Pierre son
triple reniement par une triple protestation d'amour et
lui confère la primauté qu'il lui avait promise à Césarée
de Philippe: Mat *16*,18-19.

tout mon coeur." Jésus lui dit: "Pais mes
agneaux." [16]Il lui redit une seconde fois: "Simon, fils de Jean, m'aimes-tu? " Il lui répondit:
"Oui, Seigneur, tu sais que je t'aime de tout mon
coeur." Jésus lui dit: "Pais mes brebis." [17]Il lui
dit une troisième fois: "Simon, fils de Jean, m'aimes-tu de tout ton coeur? " Pierre fut attristé
qu'il lui eût demandé une troisième fois: "M'aimes-tu de tout ton coeur? " et il lui répondit:
"Seigneur, tu sais toutes choses; tu sais bien que
je t'aime de tout mon coeur." Jésus lui dit: "Pais
mes brebis. [18]Oui, vraiment, je te l'affirme,
quand tu étais jeune, tu mettais toi-même ta
ceinture, et tu allais où tu voulais: mais quand tu
auras vieilli, tu étendras les mains, et un autre te
passera la ceinture et te mènera là où tu ne vou-
drais pas." [19]Il dit cela pour indiquer par quel
genre de mort il devait glorifier Dieu. Ayant ainsi
parlé, il lui dit: "Suis-moi."*

[20]Se retournant, Pierre voit venir derrière eux
le disciple que Jésus aimait, celui qui, pendant la
Cène, s'était penché sur sa poitrine et lui avait
demandé: "Seigneur, quel est celui qui va te livrer? " [21]Pierre donc, le voyant, dit à Jésus:
"Seigneur, et celui-ci, qu'en sera-t-il? " [22]Jésus
lui répond: "Si je veux qu'il reste jusqu'à ce que
je revienne, que t'importe? Toi, suis-moi." [23]Le
bruit se répandit donc parmi les frères que ce disciple ne devait pas mourir. Cependant Jésus n'a-

---

18-19. Le chef de l'Église devra imiter jusqu'au bout
le bon Pasteur et donner comme lui sa vie pour les brebis.

vait pas dit à Pierre qu'il ne devait pas mourir, mais: "Si je veux qu'il reste jusqu'à ce que je revienne, que t'importe?"

Épilogue final. - ²⁴C'est ce disciple qui rend témoignage de ces choses et qui les a écrites, et nous savons que son témoignage est véridique.*

²⁵Il y a beaucoup d'autres choses encore que Jésus a faites; si on voulait les mettre par écrit en détail, le monde entier, je crois, ne suffirait pas à contenir les livres qu'on en écrirait.*

---

24. Beaucoup considèrent ce verset comme une addition des disciples de Jean, joignant leur témoignage au sien.

25. Hyperbole qui souligne en terminant la richesse et la fécondité inépuisable de la vie et des enseignements du Sauveur.

TABLE DES MATIERES

Abréviations des livres bibliques   page v

Introduction   » VII

Index analytique   » 12

Evangile de saint Matthieu   » 21

Evangile de saint Marc   » 135

Evangile de saint Luc   » 199

Evangile de saint Jean   » 307

Votre Bible

Une traduction nouvelle de la Bible.

Texte intégral en un seul volume de l'Ancien et
du Nouveau Testament.

Traduction, introduction et notes par F. Amiot,
G. Augrin, L. Neveu, D. Sesboué, R. Tamisier.

Cette nouvelle traduction de la Bible donne au
public, le plus large, la possibilité d'un contact
direct avec la parole de Dieu, grâce à une
édition maniable, attrayante, dans un langage
simple. Des introductions et des notes, nécessai-
res mais non encombrantes, facilitent la péné-
tration du texte sans en rompre la lecture, la
méditation ou l'étude.

Format : 5 1/8 x 7 5/8 — 1800 pages sur papier-bible
ivoir — Caractère très lisible — Cartes et plan
de Jérusalem — Relié.

VOTRE BIBLE :
    Le livre de chevet de tout chrétien.

L'Ancien Testament

Histoire des hommes que Dieu sauve

Format 4 5/8 x 6 5/8 — 480 pages.

Disponible en édition brochée et reliée.

140 photos-couleurs et 50 graphiques.

Textes des Livres Saints tirés de « Votre Bible ».

Coordination et commentaires de Mgr Henri Galbiati.

Adaptation de M. Du Buit, o.p.

Un livre de grande valeur historique et exégétique, mais surtout de haute portée spirituelle, qui fait aimer la Bible, qui aide à mieux la comprendre et à l'utiliser au fil des jours.

L'Évangile de Jésus

Texte des quatre évangiles disposé en un seul récit.

Illustré de 150 photos-couleurs et de 500 graphiques.

Texte de l'Evangile tiré de « VOTRE BIBLE ».

Introduction, coordination et notes de Mgr Henri Galbiati.

A la découverte de l'Evangile aux côtés de Jésus, aux moments et sur les lieux principaux de sa vie et de sa prédication.

L'EVANGILE DE JESUS

est déjà paru en anglais, espagnol, italien, malgache, portugais, tchèque.

Format : 4 5/8 x 6 5/8 — 416 pages.

Vous serez libres!

Un ensemble audio-visuel

Instrument d'animation sur l'Evangile
conçu et réalisé par Yvon Poirier du Gap
et Jean Martucci, bibliste
Musique de Georges Savaria

- 80 diapositives en couleurs
- 2 rubans magnétiques
- cahier pédagogique, guide d'animation pour
sept réunions différentes

Ce diaporama :

- ouvre une perspective très intéressante pour
l'initiation à l'Evangile
- facilite une lecture du monde à la lumière de
Jésus
- est une invitation à l'initiative et à la créativité

Le présent diaporama veut montrer que Jésus a rendu l'homme capable de se libérer. C'est dans cette perspective que le chrétien est appelé à scruter le monde présent. Son effort enrichira l'Evangile lui-même puisque, en éclairant le monde par l'Evangile, il verra l'Evangile dans un jour nouveau. Chacun de nous, selon son milieu et son langage, doit traduire pour lui-même et pour ses frères le message ainsi trouvé. C'est de cette façon seulement que l'Evangile peut rester vivant à travers les siècles (J. Martucci).

La Bible, point d'interrogation

par Jean Martucci

Format: 5 x 7 1/2 — **128 pages.**

« La Bible, point d'interrogation » se situe au niveau populaire. Ce livre a été écrit dans un langage simple, bref et concis. L'auteur, un exégète montréalais bien connu, s'est appliqué à monnayer la science en quelques lignes accessibles au grand public.

Une expérience pratique de plusieurs années est à l'origine de cet ouvrage. L'abbé Jean Martucci, longtemps directeur du Centre Biblique de Montréal a revu, recueilli et réuni les questions les plus intéressantes.

Même si ces questions et ces réponses restent fragmentaires, elles pourront aider les lecteurs de la Bible à acquérir une méthode d'approche nouvelle, une curiosité accrue et une foi plus adulte.

Le prêtre ou l'éducateur reconnaîtra sans peine plusieurs interrogations qu'on lui pose souvent. L'incroyant ou le non-pratiquant, à travers cette lecture, découvrira peut-être la Révélation sous un angle plus réaliste et plus adulte.

La Bible
au fil de ses livres

Une première initiation
à la Bible
par un grand album illustré

Texte de Robert Tamisier

Illustrations de Birte Dietz

- 72 pages
- 70 illustrations en couleurs
- Couverture en couleurs, cartonnée et plastifiée
- Format : 8½ x 11½

Dans cet album original la science des Ecritures se marie avec la création artistique pour offrir aux enfants une fresque à grands traits des 72 écrits du recueil sacré. Chaque livre de l'Ancien puis du Nouveau Testament est synthétisé en quelques lignes avec son contenu littéral et spirituel, son genre littéraire, sa date de composition, son rôle dans le développement progressif de la révélation. Cette vaste panoramique trouve appui dans les illustrations qui dégagent l'idée clé de chaque écrivain sacré.

La plus belle histoire du monde

La Sainte Bible racontée aux enfants et aux adolescents.

Texte de A. Monge et G. Ziella.
Illustrations de G. De Luca.

Format: 8 1/2 x 11 1/2.
Couverture plastifiée.
Reliure: fortement cartonnée.

795 illustrations en couleurs, cartes et plans — 304 pages.

Récit de toute l'Histoire Sainte d'après le texte biblique, de la création à la mort des Apôtres, dans un style adapté aux jeunes. Un livre de luxe qui devient le « don » idéal pour toute occasion. Les adultes aussi liront ce livre avec plaisir après en avoir fait cadeau à leurs benjamins.

Imprimerie des Éditions Paulines
250 nord, boul. St-François, Sherbrooke,
J1E 2B9, Québec, Canada.